DIE ZEIT

Das Junior-Lexikon

IN SECHS BÄNDEN

2 Deu - Ham

Herausgegeben von
Zeitverlag Gerd Bucerius GmbH & Co. KG, Hamburg
und Wissen Media Verlag GmbH, Gütersloh

Herausgeberin und Redaktionsleiterin ZEIT:
Dr. Susanne Gaschke
Redaktionsleiterin Wissen Media Verlag:
Dr. Beate Varnhorn

Projektleiterin Wissen Media Verlag: Katja Baier

Redaktion ZEIT: Christian Staas
Redaktion Wissen Media Verlag:
Christian Adams, Petra Bischof, Anke Braun, Antonia Hansmeier, Dr. Manfred Hoffmeister, Dr. Ulrike Hönsch, Christina Langner, Tanja Loos, Heike Linnemannstöns, Hans-Georg Michel, Ursula Rzepka, Peter Wassen-Lamberty

Layout und Einbandgestaltung: Kay Lübke
Datenaufbereitung und Satz:
Dirk Bischoff, Jo. Pelle Küker-Bünermann
Karten- und Grafikredaktion: Dr. Matthias Herkt
Bildredaktion: Ursula Franz, Anka Hartenstein, Sonja Rudowicz, Svenja Schumann, Thekla Sielemann
Herstellung: Joachim Weintz

Druck und Bindung:
MOHN Media Mohndruck GmbH, Gütersloh
Printed in Germany

DIE ZEIT

ISBN Gesamtwerk: 978-3-577-07640-1
ISBN Band 2: 978-3-577-07642-5

Vorwort

Eine ganze Weile war es Mode, darüber zu klagen, wie schnell unser Wissen angeblich »veraltet«. Damit war gemeint, dass sich die Welt so schnell verändert, dass die Menschen kaum noch alles mitbekommen, wahrnehmen und begreifen können, was um sie herum geschieht. Ein bisschen klang dieses Gerede vom veraltenden Wissen auch immer so, als müsse man sich gar nicht mehr bemühen, irgendetwas genau zu wissen – es konnte sich ja morgen schon geändert haben. Wenn es tatsächlich so wäre, dann wären das schlechte Zeiten für Lexika, für Bücher, die davon leben, dass ihr Inhalt sich viele Jahre hält.

Wir ahnen jedoch aus unseren Alltagserfahrungen, dass es sich so nicht verhält: Es gibt massenhaft Dinge, die im Großen und Ganzen so bleiben, wie sie sind, und über die man durchaus genau Bescheid wissen kann. Manchmal sogar muss. Und nicht immer »veraltet« eine bestehende Erkenntnis, wenn eine Neue hinzukommt. Meist wird es dann einfach noch mehr, was man wissen sollte.

Richtig ist allerdings, dass es schwer sein kann zu entscheiden, welche Informationen wichtig und richtig sind: Von allen Seiten senden, funken, blinken Medien – Zeitungen, Fernsehsender, Rundfunk, das Internet – uns interessante Dinge entgegen. Was können wir in unserer begrenzten Zeit lesen und verstehen? Was stimmt, was stimmt nicht?

Ein Lexikon ist in Zeiten der Informationsüberflutung eine große Hilfe. Nicht, weil es alles Wissen der Welt enthielte – das kann selbst das beste Nachschlagewerk nicht. Aber es kann etwas anderes: Es kann Informationen, die viele Menschen gut gebrauchen können, prüfen, sortieren und – begrenzen. Und so wird das alte, als »langsam« beschimpfte Medium Buch plötzlich zur Abkürzung: Bevor ich mich durch endlose, ungeordnete und vielleicht sogar widersprüchliche Datenmengen wühle, sagt mir das Lexikon schnell das Wichtigste über Abgeordnete, Belichtungsmesser oder Chromosomen, über Wildkatzen, Yin und Yang oder auch die Zehn Gebote. Und natürlich zu vielen anderen Themen. Herausgeber und Redaktion stehen dafür gerade, dass die Informationen stimmen und dass man sie verwenden kann – für den Vortrag ebenso wie für eine Hausaufgabe. Wir haben den »normalen« Inhalt eines Nachschlagewerks – 10 000 Stichworte, erklärt und bebildert – um 60 Beiträge von ZEIT-Autoren ergänzt, die noch mehr bieten: Sie machen Zusammenhänge sichtbar, sie beantworten Fragen, die über die nackten Tatsachen hinausgehen. Wie kommt das Fischstäbchen auf meinen Teller? Warum hat Deutschland keinen König? Wann fingen die Menschen an, Musik immer und überall hören zu wollen? Was geschieht eigentlich in einem Computer?

Die Redaktion hofft, dass diese Beiträge interessant und vergnüglich zu lesen sind – und dass sie das leisten, was die ZEIT auch als Zeitung für Erwachsene tun möchte: Orientierung geben. Hintergründe ausleuchten. Erklären, wie es sich wirklich verhält. Solche Texte für junge Leser zu schreiben, war für die Autoren eine Herausforderung: Es ist nämlich sehr viel schwerer, Auskunft zu geben, wenn man sich nicht auf das herausreden kann, was der Leser vermeintlich sowieso schon weiß. Aber es hat uns großen Spaß gemacht. Und den wünschen wir allen Lesern unseres ZEIT Junior-Lexikons, auch und gerade denen, die älter als 14 Jahre sind.

Susanne Gaschke
Herausgeberin ZEIT Junior-Lexikon

Wie benutzt man dieses Lexikon?

Stichwort

Die Stichwörter sind fett gedruckt und alphabetisch geordnet. Die Umlaute ä, ö, ü werden behandelt wie die Buchstaben a, o, u (z. B. folgt Flöte auf Flossen); ß wird wie ss eingeordnet. Buchstaben mit Akzenten (z.B. á, é, í) werden wie solche ohne Akzente behandelt.

Manchmal sind für ein und dasselbe Stichwort unterschiedliche Schreibweisen möglich. Wir haben für dieses Lexikon die Form gewählt, die am gebräuchlichsten ist. Andere Schreibweisen, wie auch Synonyme, stehen in schräger Schrift hinter dem Hauptstichwort (z. B. **Coffein** [das], *Koffein* ...). In Zweifelsfällen wird das Auffinden eines Stichworts durch Verweise erleichtert. Findet man ein Stichwort unter C nicht, könnte es z. B. auch unter K oder Z zu finden sein oder umgekehrt (z. B. **Koffein** → Coffein). Das Gleiche gilt für V und W, F und Ph (z. B. **Photographie** → Fotografie), J und Y (z. B. **Joga** → Yoga). Bei gleich lautenden Stichwörtern mit verschiedenen Bedeutungen werden die Erläuterungen aneinander gereiht und mit Ziffern versehen: **1.** ... **2.** ...

Besonders wichtige Begriffe und interessante Themen werden in deutlich hervorgehobenen Übersichtsartikeln und in ZEIT-Beiträgen behandelt.

Angaben zum Stichwort

Hinter dem Stichwort stehen in eckigen Klammern [ ] folgende Angaben:

1. die Aussprache, falls diese von der deutschen Schreibweise abweicht;
2. bei Hauptwörtern das grammatikalische Geschlecht (der, die, das). Ist ein Begriff im Plural gebräuchlicher, steht Pl. in der eckigen Klammer;
3. die sprachliche Herkunft bei Lehn- und Fremdwörtern. Sie ist nur dann angegeben, wenn sie zur Erläuterung des Begriffs beiträgt, und steht in abgekürzter Form in der eckigen Klammer:

arab.	= arabisch
chin.	= chinesisch
engl.	= englisch
franz.	= französisch
griech.	= griechisch
hebr.	= hebräisch
ital.	= italienisch
lat.	= lateinisch
niederländ.	= niederländisch
österreich.	= österreichisch
russ.	= russisch
schweiz.	= schweizerisch
span.	= spanisch

Zeichen

*	geboren
†	gestorben
→	Verweis
%	Prozent
®	registered

Lautschrift

Für die Lautschrift werden – zusätzlich zu den bekannten deutschen Buchstaben – folgende Zeichen der internationalen Lautschrift verwendet:

Vokale und Diphthonge (Doppelvokale)

ː	der vorausgegangene Vokal wird lang gesprochen
ˈ	Betonung der nachfolgenden Silbe
a	kurzes a (wie in *kann*)
aː	langes a (wie in *Magen*)
æ	sehr offenes kurzes ä (wie in engl. *match*)
ʌ	kurzes dumpfes a (wie in *Butler*)
ã	nasaliertes a (wie in *Montblanc* [ː mɔ̃ːblã])
ai	Diphthong (wie in *Mai, Brei*)
au	Diphthong (wie in *Baum*)
e	halb langes geschlossenes e (wie in *gebt*)
eː	langes geschlossenes e (wie in *Beere*)
ə	kurzes dumpfes e (wie in *Masse, Linie*)
əː	langes dumpfes e (wie in *Churchill* [ː tʃəːtʃil])
ɛ	kurzes offenes e (wie in *Fest, Gänse*)
ɛː	langes offenes e (wie in *ordinär*)
ɛi	Diphthong (wie in *Rio de Janeiro* [ˈriu di ʒaˈ nɛiru])
ɛ̃	nasaliertes e (wie in franz. *jardin* [ʒarˈdɛ̃])
i	kurzes i (wie in *bin, sind*)
iː	langes i (wie in *Bibel, Lied*)
ɔ	kurzes offenes o (wie in *Ross*)
ɔː	langes offenes o (wie in engl. *Wallstreet* [ˈwɔːlstriːt])
ɔ̃	nasaliertes o (wie in *Montblanc* [ˈmɔ̃ˈblã])
ɔi	Diphthong (wie in *heute*)
ɔu	Diphthong (wie in engl. *Bowling* [ˈbɔuliŋ])
o	halb langes geschlossenes o (wie in *Obst*)
oː	langes geschlossenes o (wie in *Moos*)
œ	kurzes offenes ö (wie in *Köln*)
ø	halb langes geschlossenes ö (wie in *Fischöl*)
øː	langes geschlossenes ö (wie in *nervös*)
œ̃	nasaliertes ö (wie in franz. *Verdun* [vɛrˈdœ̃])
u	kurzes u (wie in *kurz*)
uː	langes u (wie in *Gruß*)
y	kurzes ü (wie in *schützen*; franz. *Tartuffe* [tarˈtyf])
yˈ	langes ü (wie in *führen, lyrisch*)

Konsonanten

ç	ch (wie in *ich*)
x	ch (wie in *machen*; span. *Junta* [ˈxunta])
ŋ	ng (wie in *Klang, Bank*)
s	stimmloses s (wie in *essen, weiß*)
z	stimmhaftes s (wie in *Saal, Waise*)
ʃ	stimmloser sch-Laut (wie in *schaffen*; engl. *Shakespeare* [ˈʃɛikspiə])
ʒ	stimmhafter sch-Laut (wie in *Journal* [ʒurˈnaːl], *Etage* [eˈtaːʒə])
θ	stimmloser Lispellaut (wie in engl. *Commonwealth* [ˈkɔmənwɛlθ])
ð	stimmhafter Lispellaut (wie in engl. *father* [ˈfaːðə])

Abkürzungsverzeichnis

bzw.	beziehungsweise
ca.	circa
cm	Zentimeter
Jh.	Jahrhundert
kg	Kilogramm
km	Kilometer
m	Meter
Mio.	Millionen
Mrd.	Milliarden
n. Chr.	nach Christus
nm	Nanometer
Pl.	Plural
Sg.	Singular
St.	Sankt, Saint
t	Tonne
u. a.	unter anderem; und andere(s)
u. Ä.	und Ähnliches
u. a. m.	und anderes mehr
ü. M.	über dem Meeresspiegel
usw.	und so weiter
v. a.	vor allem
v. Chr.	vor Christus
z. B.	zum Beispiel
z. T.	zum Teil

ZEIT-Beiträge

Band 1: A – Detail

Band 2: Deutsche Demokratische Republik – Hamster

Band 3: Handball – Leiter

Band 4: Lektoren – Parzival

Band 5: Pascal – Soziologie

Band 6: Spacelab – Z

D

(Fortsetzung)

Detail [de'taj, das], Einzelheit, Einzelstück.

Deutsche Demokratische Republik, Abkürzung DDR, eine deutsche Republik, die 1949 in Ostdeutschland (ohne Westberlin) gegründet wurde und bis zur Wiedervereinigung Deutschlands am 3. 10. 1990 bestand. Siehe auch → Deutschland (Geschichte) sowie ZEIT-Beitrag → »Deutsche Demokratische Republik: Ein wahres Märchen«, Seite 12–15.

Deutsche Mark [die], Abkürzung DM, die Währungseinheit der Bundesrepublik Deutschland 1948 bis 2002: 1 DM = 100 Pfennig.

Deutscher Gewerkschaftsbund, Abkürzung DGB, → Gewerkschaften.

Deutscher Orden, *Deutscher Ritterorden,* ein 1190 während der Kreuzzüge gegründeter geistlicher Ritterorden. Sein Sitz war zunächst Venedig, seit 1309 die Marienburg und seit 1457 Königsberg. Im Jahr 1225 wurde der Orden zur Christianisierung der Pruzzen gerufen. Er eroberte große Gebiete in Preußen (heute Ost- und Westpreußen), Estland und Livland. Zu Anfang des 15. Jh. musste er große Teile seines Besitzes an Polen abtreten. 1525 entstand aus dem evangelisch gewordenen Ordensland das Herzogtum Preußen. 1809 löste Napoleon den Orden auf.

deutsche Sprache [die], eine germanische Sprache, die zur indogermanischen Sprachfamilie gehört. Sie wird gesprochen in Deutschland, Österreich, der Schweiz, Liechtenstein, Luxemburg, dem Elsass und Südtirol. Die deutsche Sprache hat sich vom 5.–8. Jh. unter dem Zusammenschluss germanischer Stämme im Frankenreich herausgebildet. In der Geschichte der deutschen Sprache unterscheidet man nach der lautlichen Entwicklung folgende Stufen: *Althochdeutsch* (750–1050), *Mittelhochdeutsch* (1050 bis 1350), *Neuhochdeutsch* (seit 1350, mit der Zwischenstufe *Frühneuhochdeutsch* bis 1500). Die Gliederung des deutschen Sprachraums in Dialekte ist das Ergebnis der *2. Lautverschiebung* (450–650). Sie hat sich in Oberdeutschland vollständig, in Mitteldeutschland teilweise und in Niederdeutschland gar nicht durchgesetzt. Die deutsche Sprache existierte jahrhundertelang nur in ihren Dialekten. Die »hochdeutsche« Schriftsprache bildete sich erst vom 5.–18. Jh. aus ober- und mitteldeutschen Mundarten heraus.

Deutsches Reich, 1871–1945 der offizielle Staatsname für Deutschland.

Ländersteckbrief
Deutschland

Fläche:	357 027 km²
Einwohner:	82,7 Millionen = 232 je km²
Hauptstadt:	Berlin
Religion:	römisch-katholische Kirche, evangelische Kirche
Amtssprache:	Deutsch
Währung:	1 Euro = 100 Cent

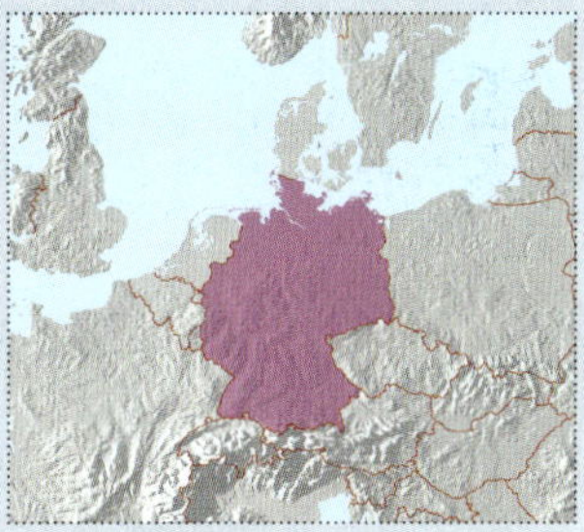

Deutschland, Staat in Mitteleuropa.

Infolge des Zweiten Weltkriegs und des Ost-West-Konflikts war Deutschland 1949–1990 geteilt in die *Bundesrepublik Deutschland* (248 890 km², 63 Mio. Einwohner, Hauptstadt Bonn) und die *Deutsche Demokratische Republik* (108 084 km², 16,6 Mio. Einwohner, Hauptstadt Berlin [Ost]). Die Wiedervereinigung wurde am 3. 10. 1990 vollzogen.

Fortsetzung → Seite 16

Am 7. Oktober 1949 beschloss der »Nationalrat« die Gründung der Deutschen Demokratischen Republik

Deutsche Demokratische Republik

Ein wahres Märchen

Von Evelyn Finger

Es war einmal ein König, der bekam zu Weihnachten eine vertrocknete Apfelsine geschickt. Absender war ein bis dahin treuer Untertan namens Roland H., der in dem Dorf Milbitz im heutigen Thüringen lebte. Dieser Roland hatte jahraus jahrein im VEB Werkzeugmaschinenkombinat gearbeitet und trotz der manchmal harten Schufterei zufrieden gelebt. Wenn er abends heimkam, aß er ein Leberwurstbrot, sonntags gab es Thüringer Klöße, einmal im Jahr fuhr er mit seiner Frau an die Ostsee, und so hätte es gehen können bis an ihr Ende, wäre nicht die vertrocknete Apfelsine dazwischengekommen …

Die Geschichte beginnt wie ein Märchen und ist doch wahr. Sie trug sich im Jahre 1984 zu, im vorigen Jahrtausend, in einem Land namens Deutsche Demokratische Republik. Dieses Land gibt es nicht mehr, aber es hat von 1949 bis 1990 wirklich existiert.

Eine Art Königreich

Es ähnelte unserem heutigen Deutschland, denn die Menschen dort sprachen auch Deutsch, und war doch ganz anders, denn sein Staatsoberhaupt konnte vom Volk nicht einfach abgewählt werden. Man stellt sich die DDR am besten als eine Art Königreich vor, war es doch umgeben von einer schier unüberwindlichen Grenze, auch Eiserner Vorhang genannt. Wer diese Grenze zu durchbrechen versuchte, wurde erschossen oder kam ins Gefängnis. Verhaftet wurden auch Leute, die die Herrschenden allzu laut kritisierten. Das Paket aus Milbitz war also eine mutige Sache.

Roland H. hatte eine kleine Tochter, die an chronischer Bronchitis litt. Deshalb warteten die Eltern jedes Mal sehnsüchtig auf die Weihnachtszeit, wenn ihr kleiner Dorfladen vielleicht ein paar Südfrüchte verkaufte. Heute essen wir das ganze Jahr über Kiwis. Damals war der Vater des kranken Kindes schon glücklich, eine einzige Orange zu ergattern. Doch als er sie daheim schälte, war sie innen vollkommen strohig! Strohig wie nur eine halb reife Orange aus dem befreundeten Staat Kuba nach wochenlangem Schiffstransport über den Atlantik sein konnte.

Ein gepfefferter Brief

Da packte den braven Untertanen die Wut, er schmiss das ungenießbare Obst in ein Paket und schrieb einen gepfefferten Brief an seinen König, den Staatsratsvorsitzenden Erich Honecker. Der war von Beruf Dachdecker, trug keine Krone und wohnte in keinem Schloss, sondern in einem Haus am Wandlitzsee bei Berlin.

»Werter Genosse Honecker«, schrieb also unser Held Roland H., »leider müssen wir feststellen, dass die Versorgungssituation für kleinere Ortschaften katastrophal ist. Aus eigener Erfahrung wissen wir jedoch, dass dies in Großstädten nicht der Fall ist. Sind wir Menschen zweiter Klasse in den Dörfern, dass für uns das Letzte gut genug ist??? Wir arbeiten tagtäglich im Betrieb für das Wohl des Volkes und leisten Qualitätsarbeit. Dafür wollen wir aber auch wirklich einmal Qualität kaufen!!!«

So unehrerbietig spricht man natürlich nicht zu seinem Herrscher. Was dachte der, als er die Post öffnete? Warf er sie aus dem Fenster oder dem Minister für Außenhandel an den Kopf? Ließ er den Absender im Zuchthaus Bautzen gefangen setzen, dem schlimmsten Kerker der DDR?

Wir wissen es nicht, denn die Reaktion des Staatsratsvorsitzenden wurde nirgends aktenkundig. Wahrscheinlich fing der zuständige Lakai, der Sekretär des Zentralkomitees der Sozialistischen Einheitspartei Deutschlands Werner Jarowinski, den Protestbrief ab. Heute jedenfalls liegt er im Berliner Bundesarchiv, und nachlesen kann man ihn in dem Buch *Mit sozialistischem Gruß!* des Historikers Henrik Eberle. Das Märchen von Roland H. birgt nämlich eine historische Wahrheit: Ein

Erich Honecker (1912–1994) war von 1976 bis zum Mauerfall 1989 Staatsratsvorsitzender der DDR

Land kann auch am Südfrüchtemangel zugrunde gehen, wenn es die zu wenigen Früchte ungerecht verteilt! Genau das passierte in der DDR.

Eine Frage der Gerechtigkeit

Es ging dem Absender des Paketes ja nicht um die blöde Apfelsine, sondern ums Prinzip. Dass gesunde Leute gute Apfelsinen bekamen, die kranke Tochter jedoch leer ausging, verletzte Roland H.s Gerechtigkeitsempfinden. Es widersprach seinem Ideal von einem Land, in dem alle ungefähr gleich reich und gleich arm sein sollten, in dem das Kind eines Arztes in denselben Kindergarten ging wie das eines Schwermaschinenmonteurs, in dem das Brot nur ein paar Pfennige kostete und es weder Obdachlose noch Arbeitslose gab. So ein gerechtes Land wollte die DDR sein, ein wahres Märchenland!

Tatsächlich existierten aber auch Habgier, Herrschsucht, Rechthaberei. Der Sozialismus war letztlich eine Art vertrocknete Apfelsine, gut gedacht, doch ungenießbar. Roland H. empfand das verdorbene Obst als Verrat an der sozialistischen Idee. Er war nämlich Parteigenosse und glaubte an den Staatsratsvorsitzenden, der vielleicht gar nicht wusste, was in den Provinzen seines Reichs geschah.

Leider wusste der es nur zu gut. Er bekam ja jedes Jahr 15 000 Beschwerdebriefe, die er auswerten ließ und nach Themen sortieren ließ (Wohnungsmangel, Ausreisegesuche, Versorgungsengpässe), um sie dann rasch zu vergessen. Denn er hasste Kritik, was eine unter Herrschern weit verbreitete Krankheit ist.

Man kann sie auch an unseren demokratisch gewählten Kleinkönigen beobachten. Wenn Roland H. sich heute, da die DDR Geschichte ist, beklagt, dass er keine Arbeit bekomme, wird er oft angebellt: Er wünsche sich wohl zurück hinter den Eisernen Vorhang? Das tut Roland H. natürlich nicht. Doch je barscher man ihn abkanzelt, desto banger fragt er sich, ob der Apfelsinenüberfluss des Westens wirklich so wunderbar ist.

Das Märchen von Milbitz geht nämlich weiter, auch wenn der Staatsratsvorsitzende längst gestorben ist. Denn Millionen ehemalige Untertanen leben noch. Im Herbst 1989, als sie auf die Straße gingen und schließlich die Grenze stürmten, dachten sie, Südfrüchte seien gleichbedeutend mit Freiheit, und Freiheit sei gleichbedeutend mit Marktwirtschaft, und Marktwirtschaft sei Demokratie und Demokratie pure Gerechtigkeit. Sie hatten wohl das Gedicht eines gewissen Johann Wolfgang von Goethe im Ohr: »Kennst du das Land, wo die Zitronen blühen...?« Goethe

Der Trabant war das am weitesten verbreitete Auto der DDR und wurde zu ihrem Symbol

Die Bürger der DDR kämpften für Demokratie und wehrten sich gegen Bevormundung: Montagsdemonstration am 18. November 1989 in Leipzig

stammte aus Frankfurt am Main, das zur Zeit des Milbitzer Apfelsinenskandals in Westdeutschland lag, er hatte aber auch lange im ostdeutschen Weimar gelebt, in Thüringen, nur 200 Jahre eher als Roland H., als es kein wiedervereinigtes Deutschland gab, sondern nur lauter kleine Fürstentümer. Wer von einem zum anderen wollte, reiste per Postkutsche. Das war fast wie im Märchen. Und märchenhaft dachten sich die Thüringer auch ihre Zukunft nach der Wende. Die Frankfurter aber freuten sich, wieder nach Weimar reisen zu können, ohne von Honeckers Grenzpolizisten gefilzt zu werden.

Ein neues Land

Tatsächlich bekamen die Deutschen nach 1989 viel neue Freiheiten – aber neue Ungerechtigkeit auch. So eröffneten die Gewieftesten von diesseits der Grenze gemeinsam mit den Gewieften von jenseits der Grenze gigantische Supermärkte, in denen einfache Leute wie Roland H. nun einkaufen. Sogar ihr Arbeitslosengeld reicht jederzeit für Apfelsinen. Aber manche würden die Apfelsinen gern gegen Leberwurst, Ostsee und eine Arbeit im Schwermaschinenkombinat eintauschen. Dafür ernten sie Hohn und Spott von den Westdeutschen, die sich ihre zitronenduftende Freiheit nicht miesmachen lassen.

Auch kommt ihnen das Märchen aus Milbitz vor wie das vom Fischer und seiner Frau, die sich dauernd Dinge wünschte, mit denen sie doch nicht glücklich wurde. Roland H. hat sich Apfelsinen gewünscht und ein neues Land bekommen, das tausendmal schöner ist als das alte, aber leider auch kein Paradies.

Und die Moral von der Geschichte? Freiheit bekommt man nicht geschenkt, für Gerechtigkeit muss man immer wieder kämpfen – und ein Weihnachtspaket an den König ist erst der Anfang.

Landesnatur: Deutschland wird begrenzt von den Alpen im Süden und der Nord- und Ostsee im Norden und ist ein Übergangsgebiet zwischen dem westlichen und dem östlichen Europa. – Der deutsche Alpenanteil beschränkt sich auf die Allgäuer, Bayerischen und Salzburger Alpen (Zugspitze 2962 m). Zwischen Alpen und Donau liegt das hügelige Alpenvorland mit seinen zahlreichen Seen.

Als Mittelgebirge schließen sich entlang der klimatisch begünstigten Oberrheinischen Tiefebene die Vogesen und der Schwarzwald (im Feldberg 1493 m) mit ihren nördlichen Fortsetzungen Pfälzer Wald und Odenwald an. Die Schwäbisch-Fränkische Alb wird im Osten vom Böhmerwald und Bayerischen Wald begrenzt. Das Rheinische Schiefergebirge (mit Eifel, Hunsrück, Sauerland, Westerwald und Taunus) mit seinen wenig fruchtbaren Hochflächen ist nur dünn besiedelt. Die Vulkanmassive von Vogelsberg und Rhön führen durch das Weserbergland ins Tiefland. Als Schollen erheben sich Harz, Thüringer Wald, Fichtelgebirge, Erzgebirge und das Lausitzer Bergland.

Das Norddeutsche Tiefland wurde von der Eiszeit geformt. Während die Ostseeküste meist sandig ist, hat die Nordseeküste fruchtbares Marschland. Der Südliche Landrücken zieht sich von der Lüneburger Heide und dem Fläming bis zur Niederlausitz; zum Nördlichen Landrücken gehören das Holsteinische Hügelland und die Mecklenburgische Seenplatte. Den beiden eiszeitlichen Höhenzügen folgen im Norden ein flachwelliges Grundmoränengebiet, im Süden verheidete Sandflächen und die Urstromtäler. Weite Buchten greifen ins Mittelgebirge ein mit fruchtbaren Lößböden: die Kölner Bucht, die Westfälische Bucht, die Leipziger Tieflandsbucht.

Die meisten Flüsse (Rhein, Ems, Weser, Elbe, Oder) streben zur Nord- und Ostsee. Mit Ausnahme des

Genauer betrachtet … Deutschland

Die 16 Bundesländer Deutschlands sind:

Land	Einwohner in 1000	Hauptstadt
Baden-Württemberg	10 700	Stuttgart
Bayern	12 400	München
Berlin	3 400	
Brandenburg	2 600	Potsdam
Bremen	663	
Hamburg	1 700	
Hessen	6 100	Wiesbaden
Mecklenburg-Vorpommern	1 700	Schwerin
Niedersachsen	8 000	Hannover
Nordrhein-Westfalen	18 000	Düsseldorf
Rheinland-Pfalz	4 000	Mainz
Saarland	1 100	Saarbrücken
Sachsen	4 300	Dresden
Sachsen-Anhalt	2 500	Magdeburg
Schleswig-Holstein	2 800	Kiel
Thüringen	2 400	Erfurt

Deutschland: Der Zusammenfluss von Rhein und Mosel bildet das Deutsche Eck in Koblenz.

Rheins, des größten und wichtigsten Stroms, der eine unmittelbare Verbindung zwischen Alpenraum und Nordsee schafft, entspringen sie im Mittelgebirge. Im Tiefland sind sie durch Kanäle (Mittellandkanal) verknüpft. Nur die Donau mit ihren Zuflüssen öffnet Süddeutschland dem südosteuropäischen Raum. Die stehenden Gewässer sind außer den Eifelmaaren eiszeitlichen Ursprungs. Zahlreiche Talsperren mit Stauseen dienen dem Hochwasserschutz, der Regulierung der Wasserstände und der Wasserversorgung.

Kilma und Vegetation: Im Nordwesten ist das Klima mehr ozeanisch bestimmt (mäßig warme Sommer, relativ milde Winter) und nimmt nach Osten kontinentalen Charakter an (größere Temperaturgegensätze zwischen Sommer und Winter, geringere Niederschläge). Auch nach Süden zu verstärkt sich der kontinentale Klimatyp. Charakteristisch ist der häufige Wechsel zwischen feuchtkühlem (im Winter feuchtmildem) Wetter und trockenwarmen (im Winter trockenkalten) Hochdruckwetterlagen. Der Wind weht vornehmlich aus westlichen Richtungen. – Der Laubwald (vor allem Eichen und Buchen) gilt in Deutschland als die natürliche Vegetation. Dazu treten in den Mittelgebirgen Nadelwälder und im Nordwesten Charakterpflanzen des ozeanischen Klimas (u. a. Ginster, Fingerhut, Glockenheide). Ein Großteil der Naturlandschaften ist in land- und forstwirtschaftliche Nutzflächen umgewandelt worden. Fichte, Kiefer und Buche sind die wichtigsten Nutzhölzer. Auch die Heiden sind z. T. auf menschliche Einwirkungen zurückzuführen.

Bevölkerung: Ethnische Minderheiten bilden die über 60 000 Sorben (Wenden), die rund 50 000 Dänen, die über 50 000 Sinti und Roma sowie die 12 000 Friesen. Die Zahl der in Deutschland lebenden Ausländer beträgt 6,8 Mio. Die natürliche Bevölkerungsentwicklung verläuft in Deutschland seit Mitte der 1970er Jahre negativ, das heißt die Zahl der Geburten ist niedriger als die Zahl der Sterbefälle.

Deutschland: Im Wettersteingebirge in den Nordtiroler Kalkalpen verläuft die Grenze zu Österreich.

Besonders im Rhein-Ruhr-Gebiet, in der Rhein-Main-Region, im Rhein-Neckar-Raum, im Saarland sowie um die Städte Bremen, Hamburg, Hannover, Stuttgart, Nürnberg und München haben sich starke Bevölkerungskonzentrationen entwickelt. Im Osten des Landes zieht sich von Magdeburg über Halle und Leipzig nach Dresden mit Ausläufern nach Zwickau und Chemnitz ein Band dichter Besiedlung hin. Berlin ist mit seinen 3,4 Mio. Einwohnern das zweitgrößte Ballungszentrum Deutschlands und wird nur noch von dem Ruhrgebiet, wo über 4 Mio. Menschen leben, übertroffen. Insgesamt leben rund 88% der Bevölkerung in Städten.

Religion: Rund 70% der Bevölkerung gehören christlichen Kirchen an, etwa 33,4% der evangelischen, 33,4% der katholischen Konfession, 30% anderen Konfessionen oder sind bekenntnislos. Der evangelische Volksteil überwiegt im Norden und Osten, der katholische im Süden Deutschlands. Rheinland-Pfalz, Saarland und Bayern sind mehrheitlich katholisch, in Baden-Württemberg und Nordrheinwestfalen sind beide Konfessionen etwa gleich stark, in den übrigen Ländern überwiegen die Protestanten. – Die jüdische Gemeinde zählt etwa 88 000 Mitglieder. Seit der Zuwanderung zahlreicher ausländischer Arbeiter leben heute über 3 Mio. Muslime, zumeist Türken, in Deutschland. Orthodoxen Glaubensgemeinschaften gehören etwa 935 000 Gläubige an.

Wirtschaft: In der Landwirtschaft sind heute nur noch 2% der Erwerbstätigen beschäftigt. Wichtige Anbauarten sind Brot- und Futtergetreide, Kartoffeln, Zuckerrüben, Obst, Gemüse und Wein. Der Schwerpunkt der Viehwirtschaft liegt auf der Rinder-, Schweine- und Geflügelhaltung. Die Landwirtschaft deckt drei Viertel des Inlandsbedarfs an Agrarprodukten. Fast ein Drittel der Landesfläche ist mit Wald bedeckt; die Forstwirtschaft kann aber den Inlandsbedarf bei weitem nicht decken. In der Industrie dominierte bis Ende der 1950er Jahre die in Deutschland seit jeher stark vertretene eisenschaffende Industrie in Verbindung mit dem Steinkohlenbergbau (Ruhrgebiet). Durch das Vordringen von Erdöl und Erdgas (vorwiegend aus dem Ausland) ging die Steinkohlenförderung zurück. Von diesen Strukturveränderungen waren v. a. das Ruhrgebiet und das Saarland betroffen. Der wichtigste Industriezweig der Grundstoff- und Produktionsgüterindustrie ist heute die chemische Industrie. Von besonderer Bedeutung sind in Deutschland die Investitionsgüterindustrien, zu denen Maschinenbau, Straßen- und Luftfahrzeugbau, Schiffbau, die elektrotechnische Industrie sowie die Herstellung von Büromaschinen und Datenverarbeitungsanlagen gehören. Nach Japan und den USA ist Deutschland der drittgrößte Automobilproduzent der Welt. Die Elektrotechnik gehört zu den Industriebereichen mit einem überdurchschnittlichen Wachstum. Ihre Produktionsstätten werden aber zunehmend ins Ausland verlagert. Von Bedeutung ist ferner die Textil- und Nahrungsmittelindustrie.

Deutschland ist ausgesprochen rohstoffarm. Wichtig sind die Braunkohlen-, Steinkohlen- und Salzlagerstätten, ferner gibt es geringe Mengen von Eisen-, Kupfer- und Zinnerz sowie Erdöl und Erdgas.

Deutschland ist mit rund 12% am Welthandel beteiligt. Der Außenhandel erzielt seit 1981 z. T. beträchtliche Exportüberschüsse. Haupthandelspartner sind die Mitgliedsstaaten der EU, insbesondere Frankreich, Großbritannien und die Niederlande, und die USA.

Bis zur Wiedervereinigung wurde das Wirtschaftsleben in der DDR von einem System der zentralen Verwaltungswirtschaft bestimmt, fest eingebunden in das Wirtschaftsbündnis *RGW* (Rat für gegenseitige Wirtschaftshilfe). Die Betriebe waren fast ausschließlich Volks- oder Genossenschaftseigentum. Mit der Wiedervereinigung Deutschlands, der Umstellung auf die Marktwirtschaft und der Einbindung in den westlichen Markt erfuhr die Wirtschaft der ehemaligen DDR eine völlige Umstrukturierung. Die Zahl der Beschäftigten ging im Zuge der Umstrukturierung stark zurück.

Geschichte: Der Landesname Deutschland ist entstanden durch allmähliche Bedeutungserweiterung des Wortes *deutsch.* Dieses, seit dem 8. Jh. belegt, bezeichnete ursprünglich nur die in einem Teil des Frankenreichs gesprochene germanische Sprache. Seit dem 11. Jh. wurde es auf deren Sprecher (»deutsche Leute«) und ihre Wohngebiete (»deutsche Lande«) übertragen. Das Wort *Deutschland* ist erst seit dem 15. Jh. geläufig. Das Frankenreich brach bald nach dem Tod von *Karl dem Großen* (814) auseinander. Es entstanden ein west- und

Dänemark
Sylt
Flensburg
Ostsee
Kieler Bucht
Husum
Nordsee
Fehmarn
Sassnitz
Kiel
Rügen
Mecklenburger Bucht
Helgoland
Heide
Schleswig-Holstein
Stralsund
Rostock
Mecklenburg-Vorpommern
Itzehoe
Cuxhaven
Lübeck
Wismar
Güstrow
Ostfriesische Inseln
Kleines Haff
Norden
Bremerhaven
Schwerin
Neubrandenburg
Emden
Wilhelmshaven
Hamburg
Müritz
Parchim
Oldenburg
Bremen
Prenzlau
Niederlande
Lüneburg
Ems
Elbe
Delmenhorst
Verden
Soltau
Brandenburg
Cloppenburg
Weser
Uelzen
Polen
Eberswalde
Meppen
Walsrode
Salzwedel
Oder
Lingen
Niedersachsen
Stendal
Celle
Nordhorn
Wolfsburg
Sachsen-Anhalt
Brandenburg
Berlin
Fürstenwalde
Rheine
Osnabrück
Minden
Hannover
Aller
Frankfurt (Oder)
Potsdam
Braunschweig
Burg
Weser
Hildesheim
Teutoburger Wald
Luckenwalde
Bielefeld
Salzgitter
Hameln
Magdeburg
Eisenhüttenstadt
Detmold
Bad Harzburg
Münster
Leine
Wittenberg
Guben
Rhein
Bocholt
Gütersloh
Halberstadt
Cottbus
Wesel
Nordrhein-Westfalen
Paderborn
Holzminden
Harz
Wernigerode
Dessau
Finsterwalde
Duisburg
Dortmund
Göttingen
Eisleben
Krefeld
Essen
Elbe
Delitzsch
Neiße
Mönchen-gladbach
Düsseldorf
Hagen
Münden
Nordhausen
Halle
Wuppertal
Arnsberg
Korbach
Sondershausen
Leipzig
Hoyerswerda
Solingen
Remscheid
Kassel
Mühlhausen
Meißen
Görlitz
Leverkusen
Bautzen
Köln
Bergisch-gladbach
Hessen
Zeitz
Weimar
Dresden
Aachen
Siegen
Gotha
Chemnitz
Freiberg
Düren
Bad Hersfeld
Marburg
Eisenach
Erfurt
Jena
Sachsen
Bonn
Thüringer Wald
Gera
Zwickau
Monschau
Werra
Thüringen
Gießen
Fulda
Fulda
Suhl
Plauen
Neuwied
Wetzlar
Belgien
Erzgebirge
Koblenz
Mosel
Rhein
Coburg
Hof
Wiesbaden
Frankfurt am Main
Kulmbach
Rheinland-Pfalz
Offenbach
Main
Schweinfurt
Tschechische Republik
Aschaffenburg
Luxemburg
Hunsrück
Bingen
Mainz
Bamberg
Bayreuth
Darmstadt
Würzburg
Trier
Main
Saar
Worms
Kitzingen
Bayerischer Wald
Ludwigshafen
Saarland
Mannheim
Kaiserslautern
Fürth
Nürnberg
Saarbrücken
Landau
Heidelberg
Baden-Württemberg
Ansbach
Pirmasens
Neumarkt
Karlsruhe
Heilbronn
Jagst
Pappenheim
Regensburg
Ludwigsburg
Frankreich
Pforzheim
Straubing
Stuttgart
Aalen
Ingolstadt
Baden-Baden
Donauwörth
Donau
Passau
Tübingen
Offenburg
Reutlingen
Bayern
Landshut
Lahr
Neckar
Schwarzwald
Ulm
Augsburg
Rhein
Schwäbische Alb
Inn
Biberach
Lech
Freiburg
Villingen-Schwenningen
Memmingen
München
Österreich
Landsberg
Salzach
Konstanz
Kempten
Rosenheim
Bodensee
Zugspitze
Schweiz
Alpen
0
50
100
150
200
250
300 km

ein ostfränkisches Reich, die Vorläufer Frankreichs und Deutschlands. Die deutsche Westgrenze, die im Wesentlichen der Sprachgrenze zwischen Deutschland und Frankreich entsprach, war damit praktisch fixiert. Die Ostgrenze hingegen war lange fließend. Um 900 verlief sie etwa an Elbe und Saale. In den folgenden Jh. wurde das deutsche Siedlungsgebiet weit nach Osten ausgedehnt. Die um 1350 erreichte Volksgrenze zwischen Deutschen und Slawen hatte bis zum Zweiten Weltkrieg Bestand.

Hochmittelalter: Der Übergang vom ostfränkischen zum deutschen Reich vollzog sich 911 mit der Wahl *Konrads I.*, der als erster deutscher König gilt. Der König wurde vom hohen Adel gewählt, sollte aber auch mit seinem Vorgänger verwandt sein. Der Reichsname lautete seit dem 11. Jh. »Römisches Reich«, seit dem 13. Jh. »Heiliges Römisches Reich«, seit dem 15. Jh. mit dem Zusatz »Deutscher Nation«. Dem Königtum standen weitgehend selbstständige Stammesherzogtümer gegenüber (Sachsen, Franken, Bayern, Schwaben). Gegen sie konnten sich erst die Ottonen *Heinrich I.* und *Otto I.* durchsetzen. Otto ließ sich 962 in Rom zum Kaiser krönen. Er begründete damit die Anwartschaft des deutschen Königs auf die Kaiserwürde und eine 300-jährige deutsche Herrschaft in Ober- und Mittelitalien. Der Idee nach war das Kaisertum universal, verlieh die Herrschaft über das ganze Abendland und hatte Vorrang vor dem Papsttum. Dieser Vorrang ging im Investiturstreit unter dem Salier *Heinrich IV.* verloren. Eine neue Blüte erlebte das Kaisertum unter den Staufern *Friedrich I., Heinrich VI.* und *Friedrich II.* Zugleich begann eine territoriale Zersplitterung, die die Zentralgewalt schwächte. Das bisher herrschende Lehnswesen verlor an Bedeutung. Geistliche und weltliche Fürsten wurden zu halbsouveränen Landesherren.

Spätmittelalter und Frühe Neuzeit: Es folgte eine Zeit des Gegen- und Doppelkönigtums (Interregnum). Seit *Rudolf I.*, dem ersten Habsburger auf dem Thron, wurde Hausmachtpolitik das Hauptinteresse jedes Königs. Das alleinige Königswahlrecht der 7 Kurfürsten setzte sich durch und wurde 1356 in der Goldenen Bulle *Karls IV.* endgültig festgelegt. Die großen Territorien entwickelten ihre Landeshoheit weiter. Die Städte gewannen dank ihrer wirtschaftlichen Macht an Einfluss, wozu auch ihr Zusammenschluss zu Bünden beitrug. Der wichtigste Städtebund, die Hanse, wurde im 14. Jh. zur führenden Macht im Ostseeraum. Im Fernhandel, im Bergbau und im Textilgewerbe entstanden frühkapitalistische Wirtschaftsformen. Seit 1483 war die Krone, obwohl das Reich formal eine Wahlmonarchie blieb, praktisch erblich im Hause Habsburg, der stärksten Territorialmacht. *Maximilian I.* nahm als Erster den Kaisertitel ohne Krönung durch den Papst an. Er bemühte sich um eine Reichsreform, der jedoch nur wenig Erfolg beschieden war; er konnte somit die fortschreitende Zersplitterung nicht aufhalten.

Deutschland: Im Magdeburger Dom befinden sich Statuen von Kaiser Otto I. und seiner ersten Gemahlin Editha.

Reformation und Gegenreformation: Das neue Weltgefühl der Renaissance und die Ideen des Humanismus ergriffen auch Deutschland. Das kritische Denken wandte sich zuerst gegen kirchliche Missstände. Die von *Luther* 1517 eingeleitete Reformation breitete sich rasch aus und wirkte weit über den religiösen Bereich hinaus. Sie beeinflusste den Reichsritteraufstand 1522/1523 und den Bauernkrieg 1525, die beide blutig niedergeschlagen wurden. Auf dem Kaiserthron saß *Karl V.*, durch Erbschaft (er war auch König von Spanien) Herr des größten Weltreichs seit Karl dem Großen. Seine weltpolitischen Interessen nahmen ihn so in Anspruch, dass er sich in Deutschland nicht durchsetzen konnte. Hauptnutznießer der Reformation waren die Landesfürsten. Sie erhielten im Augsburger Religionsfrieden 1555 das Recht, die Religion ihrer Untertanen zu bestimmen. Die protestantische Konfession wurde als gleichberechtigt mit der katholischen anerkannt. Deutschland war damals zu 80% protestantisch, doch konnte die katholische Kirche in der Folgezeit viele Gebiete zurückgewinnen (Gegenreformation). Die konfessionellen Gegensätze verschärften sich; es kam zur Bildung von Religionsparteien, der protestantischen Union (1608) und der katholischen Liga (1609). Ein lokaler Konflikt in Böhmen löste den Dreißigjährigen Krieg aus, der aus einem deutschen Religionskrieg zu einem europäischen Machtkampf wurde. Weite Teile Deutschlands wurden verwüstet und entvölkert. Im Westfälischen Frieden (1648) mussten Gebiete an Frankreich und Schweden abgetreten werden, die Schweiz und die Niederlande schieden endgültig aus dem Reichsverband aus, und die Landesfürsten erhielten alle wesentlichen Hoheitsrechte, darunter das Recht, Bündnisse mit ausländischen Mächten zu schließen.

Zeitalter des Absolutismus: Das Reich versank in einen Zustand politischer Ohnmacht. Die nahezu souveränen Territorialstaaten übernahmen als Regierungsform nach französischem Vorbild den Absolutismus, der eine straffe Verwaltung, geordnete Finanzverhältnisse und die Aufstellung stehender Heere ermöglichte. Die Wirtschaftspolitik des Merkantilismus ließ sie auch ökonomisch erstarken. Bayern, Brandenburg (das spätere Preußen), Sachsen (1697–1763 in Personalunion mit Polen) und Hannover (1714–1837 in Personalunion mit England) wurden zu eigenständigen Machtzentren. Österreich, das die angreifenden Türken abwehrte und Ungarn sowie Teile der türkischen Balkanländer erwarb, stieg zur europäischen Großmacht auf. Ihm erwuchs im 18. Jh. ein Rivale in Preußen, das unter *Friedrich dem Großen* zu einer Militärmacht ersten Ranges wurde. Beide Staaten gehörten mit Teilen ihres Gebiets nicht dem Reich an und betrieben europäische Großmachtpolitik.

Vom alten zum neuen Reich: 1789 brach die Französische Revolution aus. Der Versuch Preußens und Österreichs, mit Waffengewalt in Frankreich einzugreifen, scheiterte und führte zum Gegenstoß. Unter dem Ansturm der Heere *Napoleons* brach das Reich zusammen. Frankreich nahm sich das linke Rheinufer. Durch den Reichsdeputationshauptschluss 1803 verloren viele kleine Fürstentümer und Freie Städte ihre Selbstständigkeit zugunsten der Mittelstaaten. Die meisten von diesen schlossen sich 1806 unter französischem Protektorat zum Rheinbund zusammen. Im selben Jahr legte *Franz II.* die Kaiserkrone nieder; damit endete das Heilige Römische Reich Deutscher Nation. Die Französische Revolution griff zwar nicht auf Deutschland über, doch kam es in den Rheinbundstaaten und Preußen zu Reformen, die den Abbau der feudalen Gesellschaftsordnung einleiteten. Nach dem Sieg über Napoleon in den Befreiungskriegen 1813–1815 regelte der Wiener Kongress die Neuordnung Europas. Hoffnungen auf einen freien, einheitlichen deutschen Nationalstaat erfüllten sich nicht. An die Stelle des Reichs trat der Deutsche Bund, ein loser Zusammenschluss souveräner

Einzelstaaten, der alle Einheits- und Freiheitsbestrebungen bekämpfte. Diesen reaktionären Tendenzen wirkte eine moderne wirtschaftliche Entwicklung entgegen. Die französische Revolution von 1848 fand in Deutschland sofort ein Echo. In allen Bundesstaaten kam es zu Volkserhebungen, die den Fürsten Zugeständnisse abnötigten. Der in Frankfurt tagenden Nationalversammlung gelang jedoch nicht die Schaffung eines bürgerlichen Nationalstaates. Die alten Mächte setzten sich durch, die meisten Errungenschaften wurden rückgängig gemacht. Trotzdem erstarkte das liberale Bürgertum, gestützt auf seine wachsende ökonomische Kraft. Allerdings unterlag es 1862 dem preußischen Ministerpräsidenten *Bismarck* in einem Verfassungskonflikt. Bismarck arbeitete auf die nationale Einigung »von oben« hin. Im Deutschen Krieg 1866 wurde Österreich geschlagen. Der Deutsche Bund wurde aufgelöst, an seine Stelle trat der Norddeutsche Bund, der alle deutschen Staaten nördlich der Mainlinie umfasste. Der Widerstand Frankreichs wurde im Deutsch-Französischen Krieg 1870/1871 gebrochen. Die süddeutschen Staaten schlossen sich 1871 mit dem Norddeutschen Bund zum Deutschen Reich zusammen; König *Wilhelm I.* von Preußen wurde Deutscher Kaiser, Bismarck Reichskanzler.

Das Kaiserreich: Bismarck suchte besonders durch eine konsequente Friedens- und Bündnispolitik dem Reich eine gesicherte Stellung in dem neuen europäischen Kräfteverhältnis zu schaffen. Den demokratischen Tendenzen der Zeit stand er jedoch verständnislos gegenüber. Erfolglos bekämpfte er den linken Flügel des liberalen Bürgertums, den politischen Katholizismus und besonders die organisierte Arbeiterbewegung. Trotz der Entwicklung zu einem modernen Industrieland und trotz einer fortschrittlichen Sozialgesetzgebung behielt Deutschland viele Züge des feudal-absolutistischen Obrigkeitsstaates. 1890 wurde Bismarck von dem jungen Kaiser *Wilhelm II.* entlassen. Unter ihm erfolgte der Übergang zur »Weltpolitik«: Deutschland

Deutschland: Wilhelm I. wird in der Spiegelgalerie des Schlosses von Versailles am 18.1.1871 zum deutschen Kaiser ernannt.

wollte den Vorsprung der imperialistischen Großmächte aufholen und geriet dabei in Interessenkonflikte und letztlich in die Isolierung. In der Julikrise 1914 trug es Mitverantwortung dafür, dass es zum Ausbruch des Ersten Weltkriegs mit Deutschland und Österreich auf der einen, Frankreich, Russland, England und Italien auf der anderen Seite kam. Nach großen Anfangserfolgen zeigte sich Deutschland dem Mehrfrontenkampf nicht gewachsen, besonders seit dem Kriegseintritt der USA 1917. Dem militärischen Zusammenbruch folgte die Novemberrevolution 1918. Die Dynastien traten widerstandslos ab, Deutschland wurde Republik.

Die Weimarer Republik: Die Macht lag zunächst in den Händen sozialdemokratischer Politiker (F. *Ebert,* P. *Scheidemann* u. a.), die v. a. einen geordneten Übergang von der alten zur neuen Staatsform sichern wollten. Versuche linksradikaler Gruppen, die Revolution in sozialistische Richtung weiterzutreiben, wurden abgewehrt. Die 1919 in Weimar tagende Nationalversammlung schuf eine republikanische Verfassung. Der Versailler Vertrag entmachtete Deutschland militärisch, zwang es zur Abtretung großer Gebiete und legte ihm mit den Reparationen schwere wirtschaftliche Lasten auf. Die ersten Jahre der Republik waren gekennzeichnet durch

Inflation, soziale Unruhen und Umsturzversuche rechts- und linksradikaler Gruppen. Mit der wirtschaftlichen Erholung trat eine gewisse politische Beruhigung ein. Mit der Außenpolitik G. *Stresemanns* gewann Deutschland durch den Locarno-Vertrag (1925) und den Beitritt zum Völkerbund (1926) die politische Gleichberechtigung zurück. Doch wurden im Lauf der 1920er Jahre im Volk und im Parlament die Kräfte, die dem demokratischen Staat ablehnend gegenüberstanden, immer stärker. Der Niedergang der Weimarer Republik begann mit der Weltwirtschaftskrise 1929 und der damit einsetzenden Massenarbeitslosigkeit. Im Reichstag fanden sich keine regierungsfähigen Mehrheiten mehr. Die von A. *Hitler* geführte NSDAP wurde 1932 stärkste Partei. 1933 wurde Hitler mit Unterstützung konservativer Kreise Reichskanzler.

Die nationalsozialistische Diktatur: Hitler entledigte sich rasch seiner konservativen Bundesgenossen, sicherte sich durch ein Ermächtigungsgesetz, dem alle bürgerlichen Parteien zustimmten, nahezu unbegrenzte Befugnisse und errichtete eine auf Terror gestützte Diktatur. Zustimmung bei der Bevölkerung fand er durch die schnelle Beseitigung der Arbeitslosigkeit und durch außenpolitische Erfolge (1935 Rückkehr des Saarlands zu Deutschland, Einführung der Wehrpflicht, 1936 Rheinlandbesetzung, 1938 Inbesitznahme Österreichs und des Sudetenlandes). Sofort nach der Machtergreifung nahm Hitler die Verwirklichung seines antisemitischen Programms in Angriff. Es begann mit der schrittweisen Entrechtung der deutschen Juden und endete mit der Ermordung von 6 Mio. Juden aus mehreren europäischen Ländern während des Krieges. Um die Herrschaft über Europa zu erringen, entfesselte Hitler 1939 mit dem Angriff auf Polen den Zweiten Weltkrieg. Nach deutschen Siegen über Polen, Dänemark, Norwegen, Holland, Belgien, Frankreich, Jugoslawien, Griechenland und erfolgreichem Vordringen in der UdSSR und in Nordafrika kam es 1942 zur Wende des Krieges und zu Rückzügen an allen Fronten. 1944 scheiterte ein vornehmlich von Offizieren getragener Aufstand. Beim völligen Zusammenbruch des Reichs 1945 beging Hitler Selbstmord. Sein testamentarisch bestimmter Nachfolger K. *Dönitz* vollzog die bedingungslose Kapitulation.

Deutschland: 1926 sprach der Außenminister Gustav Stresemann vor der Völkerbundversammlung in Genf.

Das geteilte Deutschland: Die 4 Siegermächte (USA, UdSSR, Großbritannien, Frankreich) übernahmen die Regierungsgewalt. Deutschland wurde in 4 Besatzungszonen eingeteilt, Berlin von den 4 Mächten gemeinsam verwaltet. Die Gebiete östlich der Oder und der Lausitzer Neiße wurden polnischer und sowjetischer Verwaltung unterstellt. Ihre Bewohner sowie die in der Tschechoslowakei und in Ungarn lebenden Deutschen wurden größtenteils vertrieben. Die zunehmenden Gegensätze zwischen den Westmächten und der UdSSR führten 1948 zum Ende der Viermächte-Verwaltung in Berlin und ganz Deutschland. Die Teilung Deutschlands wurde 1949 durch die Gründung der *Bundesrepublik Deutschland* im Westen und der *Deutschen Demokratischen Republik* im Osten besiegelt. Bundeskanzler K. *Adenauer* betrieb die Eingliederung der Bundesrepublik in die westliche Gemeinschaft: 1955 wurde sie Mitglied der NATO, 1957 gehörte sie zu den Gründern der EG/EU. Bei anhaltendem wirtschaftlichem Aufschwung im Rahmen der sozialen Marktwirtschaft entwickelte sie sich zu einer stabilen parlamentarischen Demokratie. Unter Adenauers Nachfolger L. *Erhard* kam es 1966 zu einer wirtschaftlichen Rezession. Die damit verbundenen Differenzen im Regierungslager nötigten Erhard zum Rücktritt. Es wurde eine Regierung der Großen Koalition aus CDU/CSU und SPD unter Bundeskanzler K. G. *Kiesinger* gebildet. 1968 verabschiedete sie verfassungsändernde Notstandsgesetze, gegen die sich eine linke »außerparlamentarische Opposition« formierte. 1969 bildeten SPD und FDP eine Regierung unter W. *Brandt*. 1974 trat Brandt zurück, weil sich herausstellte, dass ein enger Mitarbeiter im Dienst der DDR-Spionage gestanden hatte. Neuer Bundeskanzler wurde H. *Schmidt*. 1982 zerbrach die SPD/FDP-Regierungskoalition. Ein konstruktives Misstrauensvotum gegen Schmidt hatte Erfolg. Neuer Bundeskanzler wurde der CDU-Vorsitzende H. *Kohl*. Er bildete eine Regierung aus CDU/CSU und FDP.

In der DDR wurde eine sozialistische Gesellschafts- und Wirtschaftsordnung nach sowjetischem Vorbild eingeführt, verbunden mit der Alleinherrschaft der kommunistischen SED unter ihrem Generalsekretär W. *Ulbricht*. 1953 kam es zu einem Volksaufstand, der von der sowjetischen Armee niedergeschlagen wurde.

Deutschland: Im November 1989 fiel die Berliner Mauer, die Ost- und Westberlin voneinander trennte. Die Menschen versammelten sich auf der Mauer, hier vor dem Brandenburger Tor, und feierten den Fall eines Bauwerks, das den Kalten Krieg zwischen Ost und West symbolisierte.

Bis 1961 flüchteten 3,5 Mio. Menschen aus der DDR in die Bundesrepublik. Nachdem von der DDR schon seit 1952 Grenzsperren errichtet worden waren, wurde 1961 der letzte Fluchtweg durch den Bau der Berliner Mauer abgeschnitten. Kontakte zwischen den beiden deutschen Staaten gab es nur auf niederer Ebene. Im Klima der internationalen Entspannung nahm Bundeskanzler W. Brandt 1970 Verhandlungen mit der DDR auf. Sie führten zu einem »geregelten Nebeneinander«, das einige menschliche Erleichterungen brachte. In der DDR trat unter Ulbrichts Nachfolge E. *Honecker* eine gewisse Konsolidierung ein, doch betrieb die Führung eine Politik strikter »Abgrenzung« gegenüber der Bundesrepublik, um bei den Bürgern keine Hoffnungen auf Wiedervereinigung aufkommen zu lassen. Die Parteidiktatur der SED blieb unangetastet.

Die Wiedervereinigung: Versorgungsmängel und der Widerstand der SED-Führung gegen die Reformpolitik M. *Gorbatschows* ließen in den späten 1980er Jahren die Missstimmung in der DDR wachsen. Als Ungarn 1989 die Grenze zu Österreich öffnete, begann eine Massenflucht von DDR-Bürgern in die Bundesrepublik. In Großstädten kam es zu Demonstrationen für Demokratie, Meinungs- und Reisefreiheit. Eine tiefe politische, ökonomische und moralische Krise des SED-Regimes wurde sichtbar. Die SED verzichtete auf ihr Machtmonopol, ihre gesamte Führung trat zurück. Die Grenze zur Bundesrepublik und die innerstädtische Grenze in Berlin wurden am 9. 11. 1989 geöffnet. Bundeskanzler H. *Kohl* entwickelte einen Stufenplan zur schrittweisen Vereinigung der beiden deutschen Staaten. Zunächst war nur eine Konföderation vorgesehen, doch angesichts des anhaltenden Übersiedlerstroms und des politischen und wirtschaftlichen Verfalls der DDR gewann die Forderung nach baldiger Herstellung voller staatlicher Einheit rasch an Boden. In der DDR formierten sich neue politische Parteien. In der ersten freien Volkskammerwahl am 18. 3. 1990 wurde die

CDU stärkste, die SPD zweitstärkste Partei. Eine Regierung der Großen Koalition unter Ministerpräsident L. *de Maizière* wurde gebildet. Sie verkündete als Ziel den Beitritt der DDR zur Bundesrepublik nach Artikel 23 des Grundgesetzes. Am 18. 5. 1990 schlossen die beiden deutschen Staaten einen Vertrag über die Bildung einer Währungs-, Wirtschafts- und Sozialunion, die am 1. 7. 1990 mit der Einführung der DM als alleiniges Zahlungsmittel wirksam wurde. Die UdSSR erklärte am 16. 7. ihr Einverständnis mit der NATO-Mitgliedschaft des vereinten Deutschland. Am 31. 8. wurde der »Einigungsvertrag« zwischen DDR und Bundesrepublik Deutschland unterzeichnet. Am 12. 9. schlossen die 4 Siegermächte des Zweiten Weltkriegs und die beiden deutschen Staaten den »Vertrag über die abschließende Regelung in Bezug auf Deutschland«, durch den die Siegerrechte erloschen und Deutschland seine volle Souveränität erlangte. Mit Anbruch des 3. 10. 1990 wurde die Wiedervereinigung Deutschlands in Berlin feierlich vollzogen.

Das vereinigte Deutschland: Bei der ersten gesamtdeutschen Bundestagswahl 1990 waren CDU, CSU und FDP erfolgreich. Die Regierungskoalition unter H. Kohl wurde fortgesetzt. Unmittelbar nach der Vereinigung schloss Deutschland mit der UdSSR Verträge über gute Nachbarschaft und über den bis 1994 abzuschließenden Abzug der sowjetischen Truppen. In einem Vertrag mit Polen erkannte es die Oder-Neiße-Grenze völkerrechtlich an. 1991 erklärte der Bundestag Berlin zum Parlaments- und Regierungssitz. 1992 wurde der Vertrag von Maastricht über den Ausbau der EG zu einer Europäischen Union geschlossen. Die Umstellung von der Zentralverwaltungs- zur Marktwirtschaft führte in der ehemaligen DDR zu großen wirtschaftlichen und sozialen Problemen (Betriebsstilllegungen, Arbeitslosigkeit). Nach der Bundestagswahl von 1994 blieb die bisherige Koalition mit geschrumpfter Mehrheit im Amt. In den östlichen Ländern erzielte die PDS beträchtliche Wahlerfolge. Im Zusammenhang mit Strukturveränderungen der Weltwirtschaft (der sogenannten Globalisierung) stieg die Zahl der Arbeitslosen auf über 4 Mio.

Bei der Bundestagswahl 1998 erlitt die von H. Kohl geführte Koalition eine schwere Niederlage. Die SPD bildete eine Regierung mit der Partei Bündnis 90/Die Grünen. Bundeskanzler wurde G. *Schröder* (SPD). 1999 fand der Umzug des Bundestages von Bonn nach Berlin statt. Außenpolitisch standen der NATO-Einsatz im Kosovo und die Weiterführung der europäischen Integration im Mittelpunkt. Nach den Anschlägen auf das World Trade Center und das Pentagon im September 2001 beschloss die Bundesregierung, die USA im Kampf gegen den internationalen Terrorismus zu unterstützen. Der Bundestag stimmte einer deutschen Beteiligung an einer internationalen Sicherheitstruppe für Afghanistan zu. Obwohl die CDU/CSU mit dem Kanzlerkandidaten E. *Stoiber* Stimmengewinne verzeichnete, konnte sich das rot-grüne Regierungsbündnis bei den Bundestagswahlen 2002 mit knapper Mehrheit behaupten. G. Schröder wurde erneut zum Bundeskanzler gewählt. Die deutsche Ablehnung eines militärischen Vorgehens gegen Irak belastete das Verhältnis zu den USA. In der Innenpolitik bestimmten Auseinandersetzungen über eine Reform der sozialen Sicherungssysteme *(Agenda 2010, Hartz-Gesetze)* und die hohe Arbeitslosigkeit die öffentliche Diskussion. 2005 stellte G. Schröder die Vertrauensfrage, um mit deren Scheitern eine Parlamentsauflösung und Neuwahlen zu erreichen. Bei diesen Neuwahlen büßte die rot-grüne Koalition wegen starker Verluste der SPD ihre Regierungsmehrheit ein. Auch die CDU/CSU musste unter Führung ihrer Kanzlerkandidatin A. *Merkel* erhebliche Stimmenverluste hinnehmen, so dass die angestrebte bürgerliche Mehrheit mit der FDP nicht zu Stande kam. CDU/CSU und SPD bildeten eine Große Koalition mit A. Merkel als Bundeskanzlerin. 2006 beschloss das Parlament die Föderalismus-, 2007 die Gesundheits- und Rentenreform. In der Außenpolitik standen 2007 die EU-Ratspräsidentschaft und der G8-Vorsitz sowie die Diskussionen um eine Verlängerung des Afghanistaneinsatzes der Bundeswehr im Vordergrund. Auch → »Genauer betrachtet«, Seite 16.

Devisen [Pl.], ausländische Zahlungsmittel, die an der Bank oder Börse zu bestimmten Wechselkursen gekauft und verkauft werden.

dezent, zurückhaltend, unaufdringlich.

Dezi [lat.], Kurzzeichen d, Vorsatzsilbe vor Einheiten mit der Bedeutung 10^{-1} (Zehntel); z. B. 1 Dezimeter (dm) = 10^{-1} m.

Dezibel [das], Kurzzeichen dB, eine Maßeinheit zur Angabe der Lautstärke einer Lärmquelle.

Dezimalsystem [das], *Zehnersystem,* in der Mathematik die Darstellung von Zahlen mit Hilfe der zehn Ziffern: 0, 1, 2, 3, 4, 5, 6, 7, 8, 9. Der Wert einer Ziffer wird durch die Stellung innerhalb der Zahl festgelegt. Die Zahl 457 ist z. B. die Summe aus $7 \cdot 1$ (Einer) + $5 \cdot 10$ (Zehner) + $4 \cdot 100$ (Hunderter). Das Dezimalsystem beruht auf dem Zählen mit den 10 Fingern. Es gelangte von Indien über Arabien im 12. Jh. nach Europa.

DGB [der], Abkürzung für Deutscher Gewerkschaftsbund, → Gewerkschaften.

Dhaka, *Dacca,* die Hauptstadt von Bangladesch, im Delta des Brahmaputra gelegen, 9,9 Mio. Einwohner.

Dia [das], Abkürzung für Diapositiv, ein fotografisch hergestelltes positives Bild auf einem durchsichtigen Träger (z. B. Glasplatte, Film), das mit einem Projektor auf einer Leinwand abgebildet und dabei vergrößert wird.

Diabetes [der] → Zuckerkrankheit.

Diadochen [Pl.], die Feldherren *Alexanders des Großen,* die nach Alexanders Tod das Reich unter sich aufteilten und sich anschließend gegenseitig bekämpften.

Diagnose [die], das Erkennen und Benennen einer Krankheit. Die richtige Diagnose ist immer die Voraussetzung für eine erfolgreiche Behandlung.

Diagonale [die], die Verbindungsstrecke zweier nicht benachbarter Ecken eines Vielecks oder Körpers (Flächendiagonale, Raumdiagonale).

Diagramm [das], *Schaubild,* die zeichnerische Darstellung von zahlenmäßigen Abhängigkeiten zwischen zwei oder mehreren Größen.

Diakon [der], in der katholischen Kirche ein Geistlicher, der die letzte Weihe vor der Priesterweihe empfangen hat; in der evangelischen Kirche ein Helfer bei der Gemeindearbeit. Die *Diakonie* ist der Einsatz der Kirchen für soziale Aufgaben.

Genauer betrachtet … Diamant

In der Natur entstehen Diamanten unter extrem hohem Druck und sehr hohen Temperaturen im Erdinneren. Die meisten Versuche, Diamanten künstlich herzustellen, beruhten daher darauf, diesen Zustand nachzuahmen. So wurde Kohlenstoff in den Kern einer Eisenkugel eingeschlossen. Durch plötzliches starkes Abkühlen sollte das Eisen sich zusammenziehen und den geschmolzenen Kohlenstoff zusammenpressen. Mit Sprengstoff erreichte man zwar hohe Temperaturen und einen hohen Druck, aber da der Druck schnell wieder abfiel, verwandelten sich die entstandenen Diamanten sofort wieder in Graphit. Heute wird präparierter Kohlenstoff mittels Explosionstechniken einer Temperatur bis zu 1775 °C und extrem hohem Druck von $30 \cdot 10^9$ Pascal ausgesetzt. So bilden sich kleine Diamanten, die sich aber nur für industrielle Zwecke eignen.

Diamant: Der farblose Diamant zeigt bei Lichteinfall alle Farben, so dass der Eindruck von »Feuer« entsteht.

Dialekt [der], *Mundart,* eine Sprechweise, die an einen bestimmten Landschaftsraum gebunden ist und sich stark von der Schrift- und Umgangssprache unterscheidet, z. B. Schwäbisch oder Hessisch.

Dialektik [die], ursprünglich die Kunst der Gesprächsführung, die das Ziel hat, durch Rede und Gegenrede zu einer Erkenntnis zu kommen. Später entwickelte sich die Dialektik zu einer Methode der Philosophie, die durch *Hegel* geprägt wurde. Einem Begriff oder einer Behauptung *(These)* wird eine Einschränkung oder Entgegnung *(Antithese)* gegenübergestellt, um dadurch zu einer neuen Aussage zu kommen, die möglichst die Summe beider Aspekte berücksichtigt *(Synthese).*

Dialog [der], ein Gespräch zwischen zwei oder mehreren Menschen. Gegensatz: *Monolog.*

Diamant [der], das härteste Mineral, es besteht aus reinem Kohlenstoff. Der natürliche Diamant kommt besonders in Afrika vor. Der Diamant, der wertvollste Edelstein, wird meist zum *Brillanten* geschliffen. Außerdem werden Diamanten in der Industrie zum Bohren, Schneiden und Schleifen verwendet. Seit 1955 werden Diamanten auch synthetisch hergestellt. Auch → Edelsteine, → »Genauer betrachtet«.

Diana, die Jagdgöttin der römischen Sagenwelt.

Diaphragma [das] → Empfängnisverhütung.

Diät [die], therapeutische Ernährungsmaßnahme zur Linderung oder Heilung bestimmter Krankheiten; dazu gehören auch die Fastenkur und die Reduktionsdiät zur Regulierung des Gewichts.

Diäten [Pl.], Tagegelder, Reisespesen.

Diaz, Bartolomëu, *um 1450, †1500; portugiesischer Seefahrer. Er umsegelte als erster Europäer 1487/ 1488 die Südspitze von Afrika.

Dichte [die], allgemein die Anzahl von etwas Zählbarem in einem bestimmten Rauminhalt oder auf einer bestimmten Fläche. Die Bevölkerungsdichte ist z. B. gleich der Anzahl der auf einer bestimmten Fläche lebenden Personen. In der Physik bezeichnet die Dichte das Verhältnis der Masse eines Körpers zu seinem Volumen.

Dichtung [die], *Poesie,* die Kunst, die die Sprache als Ausdrucksmittel einsetzt. Sie gliedert sich in die Gattungen *Lyrik, Epik* und *Dramatik.*

Dickens ['dikəns], Charles, *1812, †1870; englischer Erzähler. Dickens wuchs selbst in ärmlichen Verhältnissen auf und arbeitete als Kind in einer Fabrik. Er entdeckte die Welt der armen, benachteiligten Leute für die Literatur (z. B. »Oliver Twist«).

Diderot [-'ro], Denis, *1713, †1784; französischer Schriftsteller. Er war führender Kopf der französischen Aufklärung gab eines der bedeutendsten Werke der Epoche, die »Encyclopédie«, heraus, eine lexikalische Wissenssammlung, die breiten Bevölkerungsschichten zugänglich war. Diderot verfasste Romane, Dramen und philosophische Schriften.

Die Linke, Zusammenschluss von Linksparteien, PDS und WASG 2007 entstandene linkssoziale Partei.

Dienstleistung [die], eine wirtschaftliche Tätigkeit, die keine Waren hervorbringt. Z. B. gehören zum *Dienstleistungsgewerbe* Banken, Versicherungen und Gaststätten.

Diesel, Rudolf, *1858, †1913; deutscher Ingenieur. Er entwickelte 1892 den Dieselmotor.

Genauer betrachtet …
DIN

Die seit 1922 nach DIN festgelegten Formate sind:

DIN A0	84,1 x 118,9 cm
DIN A1	59,4 x 84,1 cm
DIN A2	42,0 x 59,4 cm
DIN A3	29,7 x 42,0 cm
DIN A4	21,0 x 29,7 cm
DIN A5	14,8 x 21,0 cm
DIN A6	10,5 x 14,8 cm
DIN A7	7,4 x 10,5 cm
DIN A8	5,2 x 7,4 cm
DIN A9	3,7 x 5,2 cm
DIN A10	2,6 x 3,7 cm

Dieselmotor [der], ein Verbrennungsmotor, der nach seinem Erfinder, Rudolf *Diesel,* benannt ist. Beim Dieselmotor wird nicht (wie beim *Ottomotor*) ein Luft-Kraftstoff-Gemisch, sondern reine Luft angesaugt. Diese wird in einem Zylinder mit Kolben so hoch verdichtet, dass die Temperatur auf 700–900 °C ansteigt. Durch eine Pumpe wird der Brennstoff (Dieselöl) eingespritzt, der sich bei der hohen Temperatur von selbst entzündet und verbrennt.

diffamieren, verleumden, übel nachreden.

Differenz [die], allgemein ein Unterschied, auch Streit; in der Mathematik ist die Differenz das Ergebnis einer *Subtraktion.*

Differenzialgetriebe [das], *Differentialgetriebe, Ausgleichsgetriebe,* ein Getriebe mit einem System von Zahnrädern, die bei einem Kraftwagen eine sichere Kurvenfahrt ermöglichen. Bei einer Kurvenfahrt legen die äußeren Räder einen größeren Weg zurück als die Räder an der Kurveninnenseite. Das Differenzialgetriebe sorgt bei der Übertragung der Antriebskraft dafür, dass sich die in der Kurve äußeren Räder schneller drehen als die inneren.

Differenzialrechnung [die], Teilgebiet der Mathematik, in dem die Eigenschaften von Funktionen untersucht werden, z.B. die Steigung in einem Punkt des Funktionsgraphen und die Lage von Hoch-, Tief- oder Wendepunkten *(Kurvendiskussion).*

Diffusion [die], allgemein Streuung, Verteilung, Ausbreitung, in der Physik das Bestreben von Gasen, Lösungen oder mischbaren Flüssigkeiten, sich gleichmäßig zu vermischen.

digital, *zahlenmäßig,* die Darstellung von stetig veränderlichen Größen mit Hilfe von Zahlen, z. B. die Angabe der Zeit mit Ziffern bei der *Digitaluhr.*

Digitale Revolution, siehe ZEIT-Beitrag → »Digitale Revolution: Die digitale Revolution«, Seite 30–33.

digitales Fernsehen, digitales System zur Übertragung von TV-Signalen mittels Kabel, Satellit oder erdgebundener Antenne. Es ermöglicht multimediale und interaktive Datendienste.

Digital Versatile Disc [die], Abkürzung DVD, eine Weiterentwicklung der → Compact Disc (CD), auf der Daten, v. a. Filme und Musik, in noch größerer Dichte als auf der CD und hervorragender Qualität abgespeichert werden können.

Was ist eine …
Diktatur

Eine Diktatur ist die Zusammenfassung der politischen Gewalt in der Hand einer Person oder in der Hand einer Gruppe unter Ausschaltung der verfassungsrechtlichen oder gewohnheitsrechtlichen Schranken (Gegensatz: Demokratie). Eine Diktatur wird häufig durch scheindemokratische Elemente, z.B. machtloses Parlament oder »stillgelegte« Verfassung, oder Volksentscheide, die im gewünschten Sinne manipuliert wurden, verschleiert. Den Übergang zur Diktatur bildet vielfach der autoritäre Staat.

Typen und Charakter von Diktatur: Diktatur kann durch eine Einzelperson (Diktator; »Führer«), Familie (Familien-Diktatur), Gruppe (beispielsweise Partei-Diktatur), durch Militärmachthaber (Militär-Diktatur; »Junta«) oder eine Gesellschaftsklasse (Klassen-Diktatur) ausgeübt werden. Mit Diktatur des Proletariats etwa beschreibt K. Marx die Übergangsphase zwischen bürgerlicher und klassenloser Gesellschaft. Im Marxismus-Leninismus wurde sie später als Staatsform umgedeutet. Diktatur als Dauerzustand ist meist durch Aufhebung der Gewaltenteilung, Übergang von Rechtsetzung und Gesetzgebung auf die Exekutive (Regierung und Verwaltung) und Vereinigung der wichtigsten Staatsämter bzw. Staatsfunktionen in einer Hand gekennzeichnet. Typisch für eine Diktatur sind die Ausschaltung des Parlaments, die Verstärkung des Strafrechtsschutzes zugunsten des Regimes und die Aufstellung von Milizen zur Durchsetzung diktatorischer Maßnahmen. Im modernen demokratischen Verfassungsrecht ist Diktatur auch als Fall eines vorübergehenden Zustands vorgesehen. Dazu gehört z.B. die Niederschlagung von inneren Unruhen im Land, der Verteidigungsfall oder die Behebung von naturbedingten Notständen (Ausnahmezustand). Für diese Fälle sind verschiedene Regularien vorgesehen (z.B. die Notstandsverfassung in Deutschland).

Historische Ausprägungen der Diktatur: Im antiken Rom gab es eine rechtmäßige zeitlich begrenzte Diktatur zur Abwendung von Notständen. Cäsar ließ sich im Bürgerkrieg allerdings zum Diktator auf Lebenszeit ernennen (45 v.Chr.). Auch Revolutionen mündeten in eine Diktatur, wie in England unter O. Cromwell 1649 und in Frankreich durch den Staatsstreich Napoleons (1799). Nach dem Ersten Weltkrieg hatte sich in vielen Staaten die Diktaturgewalt auf scheinbar legalem Weg zu einem verfassungswidrigen Dauerzustand entwickelt, z.B. in Italien (B. Mussolini), Türkei (K. Atatürk), Spanien (F. Franco), Portugal (A. Salazar) oder Ungarn (M. Hórthy). Die nationalsozialistische Diktatur in Deutschland (1933–1945) war formal durch verschiedene Notverordnungen des Reichspräsidenten sowie durch das vom Reichstag beschlossene Ermächtigungsgesetz legitimiert. An der Spitze stand der »Führer und Reichskanzler« A. Hitler, der alle wesentlichen Entscheidungen traf (»Führerstaat«). Staatsdoktrin war die nationalsozialistische Ideologie, Staatspartei die NSDAP. Nationalsozialistische Organisationen dominierten Wirtschaft, Gesellschaft und Kultur (totalitärer Staat).

Dilemma [das], eine Zwangslage.

Dilettanten [Pl.], Nichtfachleute, Laien, auch abwertend Stümper.

Dimension [die], allgemein Abmessung, Ausdehnung, auch die Bedeutung einer Sache. Die drei Dimensionen eines Körpers oder Raumes sind seine Länge, Breite und Höhe. In der Physik wird seit der → Relativitätstheorie die Zeit als vierte Dimension dazugezählt. Der vierdimensionale Raum ist aber nicht mehr vorstellbar, sondern nur durch mathematische Formeln zu erfassen.

DIN, Abkürzung für **D**eutsches **I**nstitut für **N**ormung e.V., ursprünglich für **D**eutsche **I**ndustrie **N**orm. Das Institut stellt Normen zur Vereinheitlichung von Bau- und Maschinenteilen, Werkstoffen, Maßen u.Ä. auf. Auch → »Genauer betrachtet«.

Dinosaurier [Pl., von griech. deinos, »schrecklich« und sauros, »Echse«], große → Reptilien, die im Erd-

Fortsetzung → Seite 34

So denken Computer: in Einsen und Nullen, in »an« und »aus«

Digitale Revolution

Die digitale Revolution

Von Gero von Randow

Es ist noch nicht lange her, da gab es keine Handys und kein Internet, keine Nintendos, Gameboys oder Playstations. Und Computer höchstens in ganz speziellen, riesigen Räumen, in denen Wissenschaftler mit weißen Kitteln ein und aus gingen.

Heutzutage sind Computer überall, als Werkzeug, Spielzeug, Unterhaltungsmaschine. Sie verbreiten Texte, Bilder, Filme und Klänge rund um die Welt. Oft werden diese am Computer verändert oder überhaupt erst erfunden, wie zum Beispiel die heutigen Trickfilme. Viele Computer sieht man noch nicht einmal, sie stecken winzig klein in den Geräten, sind aber deren Gehirn – zum Beispiel im iPod oder im CD-Player.

Die Veränderung, die das alles möglich machte, vollzog sich vorwiegend in den vergangenen dreißig Jahren und wird oft »digitale Revolution« genannt. »Revolution« bedeutet Umwälzung, also eine sehr gründliche Veränderung. »Digital« stammt aus der lateinischen Sprache, in der *digitus* das Wort für »Finger« ist. Was Finger mit Computern zu tun haben?

Um das zu verstehen, schaust Du am besten auf Deine Hände. Mit den Fingern kannst Du die Zahlen von eins bis zehn zeigen. Computer können auch Zahlen zeigen, haben aber einen besonderen Trick dafür. Er ist leicht zu lernen, und wenn man ihn beherrscht, kann man mit seinen Fingern nicht nur bis zehn zählen, sondern sämt-

liche Zahlen von *0 bis 1023* darstellen. Jeder Finger steht dabei für eine bestimmte Zahl:
Der rechte Daumen für die 1.
Der rechte Zeigefinger für die 2.
Der rechte Mittelfinger für die 4.
Der rechte Ringfinger für die 8.
Der rechte kleine Finger für die 16.
Jeder Finger stellt also immer das Doppelte des vorigen Fingers dar. Und so geht es weiter:
Der linke kleine Finger stellt die 32 dar.
Der linke Ringfinger die 64.
Der linke Mittelfinger die 128.
Der linke Zeigefinger die 256.
Der linke Daumen die 512.
Und jetzt zeigen wir mal ein paar Zahlen.
Die 1 ist einfach: Nur der rechte Daumen zeigt nach oben.
Die 7: Daumen, Zeige- und Mittelfinger rechts.
Die 9: Daumen und Ringfinger rechts.
Die 66: Ringfinger links, Zeigefinger rechts.

Und mit allen zehn Fingern kann man die 1023 zeigen, also die Summe aller einzelnen Fingerwerte. Der Computer hat natürlich keine Finger. Aber elektronische Schalter. Er hält nicht einen Finger hoch oder lässt ihn unten, sondern knipst einen seiner Schalter an oder aus. Mit zehn Schaltern nebeneinander, angeordnet wie die zehn Finger, stellt der Computer die Zahl 55 dann so dar: *aus – aus – aus – aus – an – an – aus – an – an – an.* (Rechne es selbst nach!)

Das Geheimnis der Dualzahlen

Computerprogrammierer sagen dabei nicht »aus« oder »an« sondern stattdessen »0« oder »1«. Die Zahl 55 sieht dann plötzlich so aus: 0000110111. Die ersten Nullen kann man weglassen, und dann haben wir 110111. Jetzt hast du das sogenannte »duale« oder auch »binäre« Zahlensystem gelernt! Das ist die Art, wie Zahlen

Der Begriff »digital« kommt vom lateinischen Wort für Finger, »digis«

im Computer auftauchen. Das Praktische daran ist, dass die 0 und die 1 nun eine elektrische Bedeutung haben. Bei 1 fließt Strom, bei 0 nicht. Computer können mit diesen Zahlen rechnen, indem sie ihre Schalter gemäß bestimmten Vorschriften (»Programmen«) an- und ausknipsen. Diese Schalter sind winzig. Viele Millionen von ihnen passen auf einen Quadratzentimeter.

Dualzahlen lassen sich wie eine Geheimschrift verwenden. Das Wort »dual« beispielsweise besteht aus vier Buchstaben, und jeder Buchstabe hat eine Stelle im Alphabet. Das d steht an vierter Stelle, wir könnten es als 4 verschlüsseln, oder im Dualsystem als 100. Und so weiter – verschlüssele einmal selbst das ganze Wort »dual«!

Man spricht von einem »Code«, wie in der Welt der Spione und Agenten. In dieser Welt sind übrigens auch die meisten Ideen für die Digitalisierung entstanden, nämlich als die Briten im Zweiten Weltkrieg die geheimen Funksprüche der Deutschen entschlüsselten. Nicht nur Buchstaben und ganze Wörter lassen sich in einen Code verwandeln, sondern auch Bilder, Töne, Temperaturen und noch viel mehr. Alles, was sich messen lässt (etwa die Helligkeit oder der Farbton von Teilen eines Bildes, oder Tonhöhe und Lautstärke eines Klanges), können wir auch in Dualzahlen umwandeln. Dann sind die Informationen so aufbereitet, dass der Computer etwas mit ihnen anfangen kann. Und er kann eine Menge mit ihnen anfangen. Er kann sie aufbewahren, löschen, weitergeben oder verändern – also alles das tun, was man »Informationsverarbeitung« nennt.

Verwandelte Informationen

Diese Informationsverarbeitung durch Maschinen, auch »Informationstechnik« genannt, manche sprechen von IT (und zwar auf Englisch: Ei Tie), ist der Kern aller Handys, Spielkonsolen, der Computertrickfilme, iPods und des Internets. Eigentlich eine ganz einfache Idee: Wandle eine Information in eine Zahl um, mit der eine elektrische Maschine etwas anfangen kann!

Und gerade weil die Idee so einfach ist, konnte sie sich so schnell und weltweit durchsetzen. Wie wird es weitergehen? Alle zwölf Monate wird sich die Zahl elektronischer Schalter, die auf einem Quadratzentimeter Platz hat, ungefähr verdoppeln. Wenn das so weitergeht, wäre im Jahre 2050 die Computerleistung sämtlicher heutiger Rechner

Winzige Rechenmaschine: Computerchips wie dieser messen oft nur wenige Millimeter

Kleine Klangcomputer: MP3-Player speichern Musik in Form endloser Zahlenreihen

der Firma Google in einem Kasten von der Größe eines Handys unterzubringen. Fragt sich nur, ob irgendwann eine Grenze erreicht ist und es kleiner nicht geht. Das weiß zurzeit niemand genau.

Roboter für die Drecksarbeit

Ebenso wenig wissen wir, welche neuen digitalen Geräte zur großen Mode werden könnten. Ein Handy, das in die Kleidung eingenäht und per Funk mit einem winzigen Ohrhörer verbunden ist, der wie Schmuck aussieht? Oder wird es Zeitungen geben, die sich wie die heutigen anfühlen, aber nicht aus Papier bestehen, sondern aus feinen, faltbaren Bildschirmfolien, die drahtlos die neuesten Nachrichten und Videos empfangen, Musik abspielen oder nach dem Wetter befragt werden können? An solchen Ideen wird in einigen Computerlabors gearbeitet. Interessant sind sie unter anderem für die Werbung: So könnte es in Zukunft eine Art digitale Reklame geben, die einen durch die Stadt spazierenden Menschen jeweils an dem Ort erreicht, wo sie besonders attraktiv erscheint, etwa die Sonderangebote eines Kaufhauses genau dann, wenn er in dessen Nähe gerät. Derartige Werbung wird zunächst auf Handys zu sehen sein, später vielleicht auf den Gläsern vernetzter Brillen. Ob die Menschen das überhaupt wollen?

Irgendwann wird vielleicht die meiste harte Drecksarbeit von Maschinen (Robotern) erledigt werden, die ihre Befehle digital entgegennehmen, die Umwelt mit Kameras und Fühlern abtasten, sich mit ihren Computern daraus ein Bild der Welt errechnen und einen Plan, wie sie die Befehle ausführen. Doch ob sich die Menschen dann mehr Zeit nehmen, sich umeinander zu kümmern, Zeit für Liebe und Trost und Fürsorge – darüber wird kein Computer entscheiden, da müssen sie schon selbst nachdenken.

mittelalter die beherrschende Tiergruppe bildeten und am Ende der Kreidezeit ausstarben. Es gab *Raubsaurier,* Fleischfresser, die sich auf zwei Beinen fortbewegten, bis zu 12 m lang und 8 m hoch, z. B. *Tyrannosaurus,* und vierfüßige *Pflanzenfresser.* Hierzu gehörten schwerfällige Tiere mit langem Hals und langem Schwanz, bis über 30 m lang, z. B. *Diplodocus,* sowie gepanzerte Echsen mit Knochenplatten und -stacheln, bis 8 m lang, beispielsweise *Stegosaurus,* und gehörnte, nashornähnliche Tiere wie *Triceratops.* Für ihr Aussterben gibt es bis heute keine gesicherte Erklärung. Siehe auch ZEIT-Beitrag → »Dinosaurier: Schreckliche Echsen«, Seite 36–39.

Diogenes von Sinope, *um 412 v. Chr., †um 323 v. Chr.; griechischer Philosoph. Der Zyniker Diogenes lehrte das Weltbürgertum und das Ertragen von Widerwärtigkeiten. Seine Gleichgültigkeit gegenüber Äußerlichkeiten zeigte er dadurch, dass er in einer Tonne lebte.

Dionysos [griech., »Sohn des Zeus«], in der griechischen Sagenwelt der Gott des Weines.

Dioxin [das], eine zusammenfassende Bezeichnung für bestimmte chemische Stoffe, die z. B. bei der Herstellung von Unkrautvernichtungsmitteln oder bei der Müllverbrennung entstehen. Dioxine sind sehr giftig.

Diphtherie [die], eine Infektionskrankheit, die durch Bakterien verursacht wird. Sie rufen Entzündungen der Schleimhäute im Hals- und Rachenraum hervor und können zu Erstickungsanfällen und Lähmungen führen. Vorbeugen kann man mit einer Impfung.

Diplom [das], Abkürzung Dipl., eine Urkunde über eine erfolgreich abgelegte Prüfung. An der Hochschule ist es eine Form des Studienabschlusses, z. B. Diplom-Ingenieur.

Diplomat [der], ein Beamter, der die politischen Interessen seines Landes im Ausland vertritt, z. B. als Botschafter. Er untersteht den Weisungen der Regierung, besonders des Außenministers. Im Ausland unterliegt er nicht der Gerichts barkeit des Gastlandes.

Disney: 1992 wurde der knapp 20 km² große Vergnügungspark Disneyland Paris eröffnet.

direkt, unmittelbar, geradlinig, spontan, ohne Umweg. Gegensatz: *indirekt.*

direkte Rede, Wiedergabe einer Aussage in unveränderter Form; bei Schrift meist in Anführungszeichen. Gegensatz: *indirekte Rede.*

Dirigenten [Pl.], Orchesterleiter, Chorleiter.

Diskette [die], *Floppy Disk,* ein kleiner, scheibenförmiger, magnetischer Datenträger für Personalcomputer, Speicherschreibmaschinen u. Ä.

Diskjockey ['diskdʒɔki, der, engl.], *Discjockey,* Abkürzung DJ, jemand, der in Diskotheken oder Radiosendungen die Musik auflegt und ansagt. Seit der Tanzmusik der 1980er–1990er Jahre sind DJs auch mit eigenen Musikproduktionen erfolgreich.

Distel: Die Knospe der Distel trägt spitze Stacheln.

Diskothek [die], *Disco,* ursprünglich Schallplattensammlung; seit den 1970er Jahren Bezeichnung für Tanzlokale, in denen die Musik von CDs, Schallplatten oder Tonbändern gespielt und oft von einem *Diskjockey* aufgelegt und angesagt wird.

diskriminieren, herabsetzen, verächtlich machen.

Diskus [der], eine Wurfscheibe im Sport, die aus Holz besteht und einen Metallkern hat. Der Diskus war schon im Altertum ein Sportgerät.

Diskussion [die], Aussprache oder Meinungsaustausch.

Disney, Walt, *1901, †1966; US-amerikanischer Filmproduzent. Er schuf in seiner Firma seit 1928 weltberühmte Zeichentrickfilme, deren Hauptfiguren u.a. *Mickey Mouse* (ab 1928) und *Donald Duck* (ab 1937) waren. Später drehte er auch Dokumentar- (»Die Wüste lebt«, 1953) und Spielfilme. 1955 errichtete er bei Los Angeles den Vergnügungspark *Disneyland,* nach dessen Vorbild weitere Parks, z.B. *Disney World* in Florida und *Disneyland Paris,* entstanden.

Disput [der], Wortwechsel, Streitgespräch.

Disqualifikation [die], ein Ausschluss, besonders von Sportlern bei Wettkämpfen wegen eines Regelverstoßes.

Dissertation [die], eine wissenschaftliche Arbeit zur Erlangung der Doktorwürde.

Dissident [der], **1.** eine Person, die keiner staatlich anerkannten Religionsgemeinschaft angehört. **2.** eine im Westen gebräuchliche Bezeichnung für einen politisch Oppositionellen in den kommunistischen Staaten Osteuropas (bis 1989/1990).

Dissonanz [die], Unstimmigkeit, Meinungsverschiedenheit, Missklang.

Distanz [die], Entfernung, Abstand.

Distel [die], eine Gattung der Korbblütler mit meist gezähnten Blättern, die Stacheln tragen.

Distichon [das], Zweizeilerversmaß antiker Herkunft; häufigste Form ist das *elegische Distichon* (auch *Elegeion*), bestehend aus einem *Hexameter* und einem *Pentameter.*

Disziplin [die], Selbstbeherrschung, Ordnung, Vorschriften und Regeln einhalten, auch eine sportliche oder wissenschaftliche Fachrichtung.

Dividende [die] → Aktie.

Division [die], eine der Grundrechenarten. Sie gibt an, wie oft eine Zahl in einer anderen enthalten ist. Sie ist die Umkehrung der Multiplikation. Der *Divident* wird durch den *Divisor* geteilt. Das Ergebnis ist der *Quotient.* Auch → Mathematik.

Dixieland ['diksilænd, der], eine Stilart des *Jazz.* Sie entstand um 1900 in den Südstaaten der USA. Weiße Musiker ahmten den New-Orleans-Jazz nach, der von schwarzen Musikern gespielt wurde.

Ländersteckbrief
Djibouti

Fläche:	23 200 km²
Einwohner:	807 000 = 35 je km²
Hauptstadt:	Djibouti
Religion:	Islam
Amtssprache:	Französisch, Arabisch
Währung:	1 Djibouti-Franc = 100 Centimes

Djibouti, Staat in Nordostafrika.

Die Bevölkerung des Staates am Golf von Aden

Fortsetzung → Seite 40

Das Skelett eines Tyrannosaurus Rex (Field Museum, Chicago)

Dinosaurier

»Schreckliche Echsen«

Von Christine Brinck

Am 31. Dezember 1853 versammelten sich in London zwanzig Berühmtheiten aus Literatur und Wissenschaft zu einem Abendessen der besonderen Art: Sie tafelten im Bauch eines Dinosauriers! Natürlich nicht in dem eines echten. Die Riesenechse, in der sie Platz nahmen, war ein Modell.

Geschaffen hatte es ein gewisser Benjamin Waterhouse Hawkins, ein Bildhauer, der von Prinz Albert, dem Prinzgemahl der englischen Königin Victoria, beauftragt worden war, Saurier in ihren vollen gigantischen Ausmaßen nachzubauen. In dreieinhalb Jahren erschuf Hawkins 33 lebensgroße Modelle, die im Park des Crystal Palace im Norden Londons aufgestellt wurden. Dort erregten sie ein ähnliches Aufsehen wie rund 140 Jahre später die Film-Dinosaurier aus Steven Spielbergs Film *Jurassic Park*.

Ein Land im Fossilienfieber

Ausgebrochen war das Saurierfieber in England allerdings schon einige Jahrzehnte zuvor – im Jahr 1809. Damals wurde im Süden des Landes ein riesiger Schienbeinknochen gefunden. Die Insel geriet daraufhin in einen wahren Fossilienrausch. 1819 wurden Zähne und weitere Knochen entdeckt. Ein Fossilienjäger mit dem Namen Gideon A. Mantell (1790 bis 1852) lieferte schließlich die erste wissenschaftliche Beschreibung eines Sauriers: des fleischfressenden Megalosaurus bucklandii, einer mörderischen Riesenechse, die dem berüchtigten Tyrannosaures Rex ähnelte. Mantells Rekonstruktion stützte sich dabei auf einzelne Knochenfunde. Wenig später dann wurde – ebenfalls von Mantell – das erste *komplett* erhaltene Saurierskelett beschrieben. Wissenschaftler hatten es in Sussex ausgegraben. Es handelte sich dabei um ein Exemplar des entenschnabeligen, pflanzenfressenden Sauriers Iguanodon.

Drachen- und Riesenknochen

Diese einem Leguan ähnelnde Echse war etwa zehn Meter lang, rund fünf Meter hoch und wog ungefähr fünf Tonnen. An Vorder- und Hinterfüßen hatte sie kleine Hufe, die Beine waren lang und kräftig. So konnte der Iguanodon bequem auf seinen Hinterbeinen stehen, um hochgewachsene Büsche und Pflanzen abzuweiden. Sein Bauch war dabei mächtig genug, um einer ganzen Dinner-Gesellschaft Platz zu bieten – und so diente denn auch Mantells Beschreibung des Iguanodons als Vorbild für den Nachbau, in dem 1853 die Londoner Wissenschaftselite speiste …

Dass einst solche gewaltigen Wesen die Erde bevölkert hatten, war damals noch eine ganz neue Erkenntnis. Auf den Namen Dinosaurier hatte sie 1842 der vergleichende Anatom Sir Richard Owen (1804 bis 1892) getauft. Das Wort bedeutet so viel wie »schreckliche Echsen«. In den Jahrhunderten zuvor hingegen hatten Menschen, die gewaltige Knochen oder Zähne gefunden hatten, meist geglaubt, auf Überreste von Fabelwesen gestoßen zu sein. So soll schon 1676 ein gewisser Pastor Plot einen kolossalen Schenkelknochen in England entdeckt haben. Die Menschen hielten den Fund damals für den Skelettrest eines Riesen. Auch die alten Griechen und Römer haben wahrscheinlich schon Saurierreste ausgegraben – was sie zu ihren Abbildungen von Greifen und anderen Ungeheuern animiert haben dürfte! Ebenso sind die angeblichen »Drachenknochen«, die man vor mehr als 2000 Jahren in Wucheng in der chinesischen Provinz Sichuan entdeckte, Hinweise auf frühe Fossilienfunde.

Tatsächlich sehen die Drachen aus unseren Sagen und Märchen manchen Saurierarten gar nicht so unähnlich. Sie sind riesengroß, sie sind echsenartig, sie haben lange Schwänze oder weit ausschwingende Flügel. Die Greife und die riesenhaften Raubvögel, die in den Wappen vieler Länder eine große Rolle spielen, sehen dabei wie Verwandte der Flugsaurier aus.

Computeranimierte Bestie: ein Velociraptor aus Steven Spielbergs Film »Jurassic Park«

Wir wissen heute von schätzungsweise 500 verschiedenen Saurierarten. Und permanent werden auf der ganzen Welt neue Knochenfunde gemacht. Denn als die Saurier vor 250 Millionen Jahren begannen, die Erde zu bevölkern, war diese noch ein Superkontinent, der Pangea genannt wurde. Erst später drifteten die Landmassen auseinander. Darum werden Saurierfossilien heute in aller Herren Länder auf allen Kontinenten gefunden – in Australien wie Asien, in Europa wie Amerika oder Afrika.

Die Vorfahren der Vögel

Die bisweilen kolossalen Tiere, die hoch wie ein Haus und lang wie zwei Busse sein konnten, bewegten sich auf zwei oder vier Füßen. Sie konnten schwerfällig sein wie der Seismosaurus hallorum (die »erderschütternde Echse«), der 37 Meter lang und bis zu 80 Tonnen schwer wurde – oder flink und mordlustig wie der Velociraptor, der in Spielbergs *Jurassic Park* eine unheimliche Rolle spielte.

Dieser nur truthahngroße Saurier gehörte zu den fleischfressenden Sauriern. Die schweren Riesen hingegen waren kuhähnliche Pflanzenfresser mit kleinen Köpfen und langen Hälsen, die von ebenso langen und mächtigen Schwänzen ausbalanciert wurden. Sie waren die größten Landtiere, die je auf der Erde herumstapften.

Doch die Saurier herrschten nicht nur zu Lande, sondern auch in der Luft. So sind sich die Wissenschaftler nach hundertjährigem Streit inzwischen weitgehend einig, dass unsere heutigen Vögel Nachkommen der gleichfalls eierlegenden Saurier sind. Sie stammen vermutlich von den sogenannten Maniraptoren, einer vogelartigen Dinosauriersorte, ab. Zahlreiche Ähnlichkeiten im Körperbau weisen auf diese Verwandtschaft hin: Die Anzahl der Öffnungen im Schädel ist identisch, auch die Struktur der Bein- und Fußknochen ähnelt sich stark, gemeinsam ist ihnen außerdem der aufrechte Stand. Das Schuppenkleid der Maniraptoren, so vermutet man, hat sich dabei im Lauf der Jahrmillionen in ein Federkleid verwandelt. In jüngster Vergangenheit hat man vor allem in China viele Fossilien von

Hinterbeine, so mächtig wie Säulen: Nachbildung eines Iguanodons

Tödliche Waffe im Überlebenskampf: die Klauen eines fleischfressenden Allosaurus

gefiederten Dinosauriern gefunden, die diese Vermutung bestätigen. Sie stammen allesamt aus der späten Jura- und frühen Kreidezeit, sind also 145 beziehungsweise 125 Millionen Jahre alt. Fliegen konnten die Maniraptoren aber vermutlich noch nicht. Die Federn dienten ihnen wahrscheinlich dazu, ihre Körpertemperatur zu regulieren. Der Urvogel Archaeopteryx indes, der vor ungefähr 150 Millionen Jahren lebte, hatte Federn und konnte auch fliegen. Dennoch gilt er unter vielen Wissenschaftlern nicht als der Vorfahr unserer Vögel, sondern eher als eine Sackgasse in der Entwicklung: Er verschwand wieder von der Erde – so wie die anderen Dinosaurier auch.

Das große Sterben

Warum diese riesigen stampfenden, rennenden und fliegenden Tiere vor 65 Millionen Jahren, gegen Ende der Kreidezeit, komplett ausstarben, ist immer noch umstritten. Zwei Erklärungen immerhin halten sich seit einiger Zeit: Erstens könnte ein Klimawechsel die Pflanzenwelt so verändert haben, dass die Saurier nicht mehr das richtige Futter fanden. Zweitens könnte eine astronomische Katastrophe wie der Zusammenstoß zwischen einem Asteroiden und der Erde die Ursache gewesen sein. Die Folgen eines solchen Aufschlages wären gewaltig gewesen: Eine Staubwolke hätte die Erde für eine Zeit von fünf Jahren in Finsternis gehüllt.

Aber: Ist die Sauriergeschichte damit wirklich an ihrem Ende angelangt? Ließen sie sich nicht wieder zum Leben erwecken? Indem man etwa aus alten Knochen die DNA der Tiere löst und neue Saurier züchtet? Nein – kein Turbobrüter und kein noch so fantastisches Labor können das schaffen! Dinos bleiben für immer die Gefangenen der Jura- und Kreidezeit. Umso lebendiger sind sie bis heute in unserer Fantasie.

(vorwiegend Afar und Issa; Muslime) lebt von nomadischer Viehzucht, Salzgewinnung, Fischfang und Handel.

Geschichte: Die 1892 geschaffene französische Kolonie *Französisch-Somaliland* wurde 1946 zum Überseeterritorium erklärt. 1967 erhielt das Gebiet unter dem Namen *Französisches Afar- und Issaterritorium* weitgehende Autonomie, 1977 die Unabhängigkeit unter dem Namen *Republik Djibouti*. Staatschef ist seit 1999 J. O. *Guelleh*. Frankreich ist in Djibouti weiterhin militärisch präsent.

Djibouti gehört zu den heißesten Gebieten der Erde, vielfach prägt aktiver Vulkanismus die Landschaft.

DNA [die], Abkürzung für **d**eoxyribo**n**ucleic **a**cid (deutsch DNS für **D**esoxyribo**n**uklein**s**äure); → Genetik, → Nukleinsäuren.

Döblin, Alfred, *1878, †1957; deutscher Schriftsteller. Er war maßgeblicher Erzähler des *Expressionismus* und verfasste mit »Berlin Alexanderplatz« den ersten modernen deutschen Großstadtroman.

Dock [das], eine Anlage, mit der Schiffe »trockengestellt« werden, um Reparaturen am Unterwasserteil des Schiffs durchzuführen.

Dogge [die], die *Deutsche Dogge* ist die größte Hunderasse mit 90 cm Schulterhöhe und muskulösem Körperbau.

Dogma [das], ein religiöser Glaubenssatz; eine ungeprüft übernommene Lehrmeinung.

Doktor [der], Abkürzung Dr., ein akademischer Titel, den eine Hochschule nach einer *Promotion* verleiht. Die Promotion umfasst die Anfertigung einer wissenschaftlichen Arbeit und eine mündliche Prüfung. Der Doktortitel kann auch ehrenhalber für ganz besondere Verdienste verliehen werden.

Doktrin [die], Lehre, Lehrsystem; der Grundsatz oder das Programm einer Politik.

doktrinär, auf einem Standpunkt beharrend.

Dolby-Verfahren [das], ein Verfahren, das z. B. bei Magnetbandgeräten das Grundrauschen verhindern soll.

Dolch [der], eine zweischneidige Stichwaffe mit fest stehendem Griff.

Dolde [die], ein Blütenstand, bei dem von einem Punkt, der Hauptachse, mehrere fast gleich lange Nebenachsen ausgehen.

Dollar [der], Zeichen $, seit 1792 die Währungseinheit der USA. Darüber hinaus ist der Dollar z. B. auch in Australien, Kanada, Taiwan, Neuseeland die Währungseinheit.

Dolmetscher [Pl.], Übersetzer, die Texte oder Gespräche von einer Sprache in eine andere übertragen.

Dolomiten [Pl.], eine Gruppe der Kalkalpen in Südtirol. Die höchste Erhebung ist der *Marmolada* mit 3343 m. Die Dolomiten sind ein beliebtes Urlaubsgebiet, besonders für Wintersportler.

Dom [der, lat., »Haus«], allg. eine Bischofskirche.

Domain [dɔu'mɛin; die], eindeutig definierter, adressierbarer Bereich des Internets. In der Adresse »www.bertelsmann.de« steht »bertelsmann« für die Institution und »de« für das Land Deutschland.

Domestikation [die] → Haustiere.

Ländersteckbrief
Dominica

Fläche:	751 km²
Einwohner:	80 000 = 107 je km²
Hauptstadt:	Roseau
Religion:	römisch-katholische Kirche
Amtssprache:	Englisch
Währung:	1 Ostkaribischer Dollar = 100 Cents

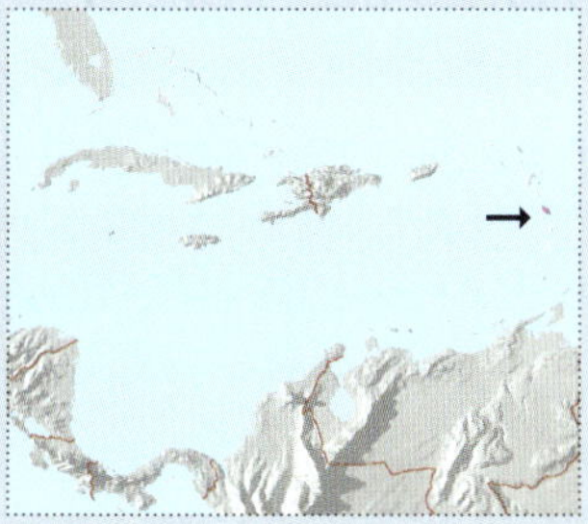

Dominica, Staat in der Karibik.

Dominica ist eine bergige, bewaldete Insel der Kleinen Antillen, nördlich von Martinique gelegen,mit feuchtheißem Tropenklima. Die Bewohner sind Mulatten und Schwarze; vorwiegend katholisch. Die Wirtschaft wird bestimmt durch Tourismus und Landwirtschaft (Anbau von Bananen, tropischen Früchten und Kakao); Nahrungsmittel-, Textil-, chemische Industrie.

Dominica wurde 1493 von Christoph Kolumbus entdeckt.

Geschichte: Die 1493 von Kolumbus entdeckte Insel geriet 1783 endgültig in britischen Besitz. 1967 erhielt Dominica den Status eines mit Großbritannien assoziierten Staates und 1978 die volle Unabhängigkeit.

Ländersteckbrief
Dominikanische Republik

Fläche:	48 442 km²
Einwohner:	9,0 Millionen = 186 je km²
Hauptstadt:	Santo Domingo
Religion:	römisch-katholische Kirche
Amtssprache:	Spanisch
Währung:	1 Dominikanischer Peso = 100 Centavos

Dominikanische Republik, Staat in der Karibik.

Landesnatur: Die Republik nimmt den Ostteil der Großen Antilleninsel *Hispaniola* ein. Von Nordwesten nach Südosten verlaufen Gebirgszüge, die durch Längstäler voneinander getrennt sind; im Südosten erstreckt sich die Küstenebene von Santo Domingo. An den Luvseiten der Gebirge wächst tropischer Regenwald, in den Hochtälern und in der südwestlichen Küstenebene Trockensavanne.

Dominikanische Republik: Schöne Palmenstrände wie hier in Punta Cana ziehen jedes Jahr viele Touristen an.

Bevölkerung: Die Bevölkerung spricht vorwiegend Spanisch und besteht zu 60% aus Mulatten, 28% Weißen, 12% Schwarzen. Rund 90% sind katholisch.

Wirtschaft: Für den Eigenbedarf wird v. a. Reis angebaut, für den Export Zucker, Kaffee, Kakao und Tabak; Bergbau: Nickel, Eisen, Steinsalz; hohe Zuwachsraten in Industrie und Tourismus.

Geschichte: Als Haiti, der westliche Teil der Insel Hispaniola, 1697 französisch wurde, blieb der Ostteil spanisch und machte sich 1821 unabhängig. 1822–1844 bei Haiti und 1861–1865 erneut spanisch, erfolgte 1865 die endgültige Unabhängigkeit der Dominikanischen Republik. Nach inneren Unruhen war die Dominikanische Republik 1916–1924 von den USA besetzt. 1930–1961 herrschte R. L. *Trujillo y Molina* diktatorisch. Nach Unruhen 1965 intervenierten die USA erneut. 1966–1978 und 1986–1996 regierte der konservativ-autoritäre Präsident J. *Balaguer.* Die Präsidentschaftswahlen 2004 gewann L. *Fernández Reyna.*

Dominion [dɔ'minjən, das, Pl. *Dominien,* lat., engl.], seit der Reichskonferenz von 1907 offiziell anerkannte und bis 1948 geltende Bezeichnung für einen sich selbst regierenden, nur noch durch die Krone mit dem Mutterland verbundenen Staat des → Commonwealth of Nations; z. B. Kanada (seit 1867), Australien (1900), Neuseeland (1907), Südafrikanische Union (1910), Ceylon (1948).

Dompfaff [der], *Gimpel,* einheimischer kräftiger, schwarzgrauer, im männlichen Geschlecht rotbäuchiger Finkenvogel.

Donar, *Thor,* der Herr der Gewitter und des Donners in der germanischen Göttersage.

Donatello, eigentlich *Donato di Niccolò di Betto Bardi,* * um 1385, † 1466; italienischer Bildhauer. Sein Werk war bahnbrechend für die italienische Bildhauerkunst des 15. Jh. Mit der David-Statue in Florenz schuf er die erste plastische Aktdarstellung seit der Antike und mit dem Denkmal des Gattamelata in Padua das erste Reiterstandbild der Renaissance.

Donau, der zweitlängste Fluss Europas, 2858 km lang. Die beiden Quellflüsse (*Brigach* und *Breg*) entspringen im Schwarzwald und vereinigen sich bei Donaueschingen. Die Donau durchfließt Süddeutsch-

Donau: Fahrten mit Ausflugsschiffen auf der Donau sind eine beliebte Attraktion für viele Touristen.

land, Österreich, die Slowakei, Ungarn, Serbien, Kroatien und Rumänien, wo sie streckenweise die Grenze zu Bulgarien bildet. In einem breiten Delta mündet sie ins Schwarze Meer. Die Donau ist der wichtigste Verbindungsweg zwischen Mittel- und Südosteuropa.

Dönerkebab [türk.], *Döner,* stark gewürztes Lamm- oder Rindfleisch vom Drehspieß, mit Salat und Soße im Fladenbrot serviert.

Donner [der] → Gewitter.

Don Quijote, der Held des gleichnamigen Romans von Miguel de *Cervantes.* Der »Ritter von der traurigen Gestalt« gerät ständig mit den realen Gegebenheiten in Konflikt und wird zum Gespött der Leute.

Doping [das, engl., »Drogen verabreichen«], die Einnahme von Medikamenten (z. B. Aufputschmittel, Anabolika) zur Leistungssteigerung im Sport. Doping kann zu schweren Gesundheitsschäden führen. Wird Sportlern Doping nachgewiesen, werden sie bei Wettkämpfen disqualifiziert, da sie sich den anderen Teilnehmern gegenüber unsportlich verhalten.

Dortmund, eine Industriestadt in Nordrhein-Westfalen, im östlichen Ruhrgebiet, 590 000 Einwohner.

Dosenpfand, im Jahre 2003 eingeführte Pfandpflicht auf Einweg-Getränkeverpackungen, die Mineralwasser, Bier und Erfrischungsgetränke enthalten.

Dostojewskij, Fjodor Michajlowitsch, * 1821, † 1881; russischer Dichter. Dostojewskij wurde wegen seines politischen Engagements zum Tode verurteilt und dann zu vier Jahren Haft in Sibirien begnadigt. In seinen Werken schildert er das Leid der Menschen und behandelt religiös-philosophische Fragen. Meisterhaft ist seine psychologische Einfühlung in die Menschen. Zu seinen Hauptwerken zählen »Schuld und Sühne«, »Der Idiot« und »Die Dämonen«.

Double [du:bl, das, franz., »Doppel«], eine Ersatzperson für Schauspieler im Film. Doubles übernehmen in den Kostümen der Schauspieler besonders gefährliche Szenen.

Download ['daunlɔud], Herunterladen einer Datei (z. B. aus dem Internet) auf den eigenen Computer.

Down-Syndrom [das], veraltet *Mongolismus,* eine Störung bei der Entwicklung des Embryos, die zu Verzögerungen und Einschränkungen der geistigen und körperlichen Entwicklung führt. Auffällig ist ein verändertes Aussehen infolge einer Schrägstellung der Augen. Die Ursache für das Down-Syndrom ist eine Veränderung bei den Chromosomen; das Chromosom 21 liegt hier 3-mal statt 2-mal vor *(Trisomie 21).* Durch gezielte Förderung kann Menschen mit Down-Syndrom zur Entfaltung ihrer Möglichkeiten verholfen werden.

Das Drachenfliegen kam in den 1960er Jahren in den USA und in Australien auf.

Drachenfliegen [das], *Hanggleiten,* eine Form des Flugsports mit einem Hängegleiter. Der Pilot hängt in Gurten unter dem Gerät und steuert mit seinem Gewicht und mit einem Steuerbügel. Er startet von einem Berg, und während er zu Tal segelt, nutzt er die Aufwinde an den Berghängen.

Drachme, die Währungseinheit in Griechenland bis 2002: 1 Drachme = 100 Lepta.

Drag and drop [dræg ænd drop], Funktion grafischer Benutzeroberflächen von Computern. Durch ein Icon auf dem Bildschirm symbolisierte Dateien lassen sich mit der Maus verschieben.

Drake [drɛik], Sir Francis, * um 1540, † 1596; englischer Seefahrer. Er umsegelte als Zweiter (nach Magalhães) die Erde und war entscheidend am Sieg über die spanische Armada beteiligt.

Was ist ein … Drama

Ein Drama ist ein Werk der Literatur, dessen Handlung von Schauspielern auf einer Theaterbühne dargestellt wird. Neben der Lyrik und der Epik gehört das Drama zu den Grundformen der Dichtung. Die Ausdrucksformen des Dramas sind sehr vielseitig und reichen von der Tragödie (Trauerspiel), Komödie (Lustspiel) und Tragikomödie über das Rührstück und das bürgerliche Trauerspiel bis zum epischen und absurden Theater. Gemeinsam ist allen Formen ein Konflikt, der entweder durch mehrere Personen verkörpert und im Dialog vermittelt oder als innerer Konflikt eines Helden im Monolog zum Ausdruck gebracht wird.

Entwicklung und Strukturen: Die Herkunft des Dramas liegt im kultischen Gesang und Tanz, so u.a. in den antiken Aufführungen zu Ehren des Gottes Dionysos. Das Drama des Mittelalters war mit der kirchlichen Liturgie verbunden, typische Formen waren das Passions- und das Mysterienspiel. Im 15. und 16. Jh. prägten sich diejenigen Strukturelemente aus, die im Weiteren die Form des Dramas bestimmten: Der äußere Aufbau gliedert sich in Akt und Auftritt bzw. Szene; der Handlungsaufbau verläuft (nach Aristoteles) von der Einleitung über den Wendepunkt bis zur Katastrophe. 1863 beschrieb der Schriftsteller G. Freytag in seinem Dramenmodell die Idealform des klassischen Dramas, das die Entwicklung der Handlung in fünf Stufen (Einleitung, Steigerung, Höhepunkt, fallende Handlung und Katastrophe) festlegte. Das moderne Drama entzieht sich mit seiner offenen Form einer allgemein verbindlichen Regelhaftigkeit.

Formen und Handlung: Während in der klassischen griechischen Tragödie das tragische Handeln der Menschen durch die Macht der Götter als unabwendbar erscheint, besteht die Handlung der späteren Dramen meist aus einem Konflikt zwischen unterschiedlichen Moral- und Wertvorstellungen. Im Mittelpunkt des Dramas des 20. Jahrhunderts steht dagegen oft der einzelne Mensch, der Schuld als Folge des eigenen Handelns auf sich geladen hat. Im Gegensatz dazu ist die Komödie im Bereich des Alltags angesiedelt, wichtiges Merkmal ist die Respektlosigkeit gegenüber Personen, Werten, Normen und Institutionen. Die Komödie endet heiter, in der Tragikomödie durchdringen sich Tragisches und Komisches wechselseitig. Das im 18. Jh. entstandene bürgerliche Trauerspiel behandelt schicksalhafte Ereignisse von Personen bürgerlichen Standes. Ganz andere Wege geht das epische Drama, das die politische Veränderung der Welt aufzeigen und zum politischen Engagement anregen will. Alle hergebrachten Theaterregeln außer Acht lässt das absurde Drama, das den Menschen als Fremden in der Welt sieht und die Sinnlosigkeit seines Daseins zum Thema hat.

Dramatik [die], eine Literaturgattung neben der Lyrik und der Epik, deren Werke die Form eines *Dramas* haben.

drastisch, kräftig, nachdrücklich.

Dreadlocks ['drɛd-, Pl.], Frisur mit verfilzten Zöpfen; Bestandteil der Rastafari- bzw. Reggaekultur.

Drehbuch [das], eine Arbeitsvorlage für die Herstellung eines Films, die neben den Texten auch Anweisungen für Geräusche, Bewegungen, Kameraeinstellungen oder Kamerabewegungen enthält.

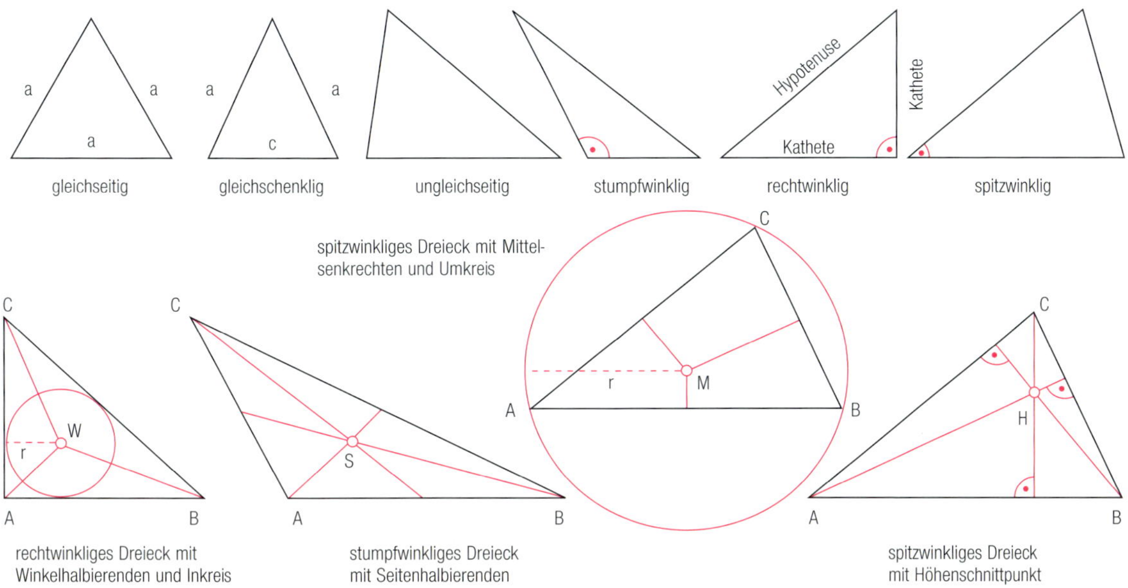

Dreieck: die verschiedenen Formen des Dreiecks

Drehmaschine [die], *Drehbank,* eine Werkzeugmaschine, bei der die eingespannten Werkstücke in eine Drehbewegung versetzt werden. Die Bearbeitung erfolgt durch schneidende oder spanende Werkzeuge, die längs oder quer zur Achse an dem Werkstück vorbeigeführt werden.

Drehstrom [der], *Dreiphasenstrom,* eine besondere Art des *Wechselstroms.* Beim Drehstrom sind drei um 120° phasenverschobene Wechselströme mit gleicher Spannung und gleicher Frequenz verkettet.

Dreieck [das], eine ebene, von 3 Geraden begrenzte Figur. Man unterscheidet: das *spitzwinklige Dreieck* (alle Winkel sind kleiner als 90°), das *rechtwinklige Dreieck* (1 Winkel beträgt 90°, die ihn begrenzenden Seiten heißen *Katheten,* die gegenüberliegende Seite *Hypotenuse*), das *stumpfwinklige Dreieck* (1 Winkel ist größer als 90°), das *ungleichschenklige Dreieck* (3 verschieden lange Seiten), das *gleichschenklige Dreieck* (2 gleiche Seiten) und das *gleichseitige Dreieck* (3 gleiche Seiten). Die Summe der Winkel im Dreieck beträgt 180°. Der Flächeninhalt ist das halbe Produkt aus einer Seite und der zugehörigen Höhe.

Dreieinigkeit [die], *Dreifaltigkeit,* in der christlichen Glaubenslehre die göttliche Einheit von Vater, Sohn und Heiligem Geist.

Dreiklang [der], ein Zusammenklang aus drei Tönen, aufgebaut aus einem Grundton und der darüber liegenden Terz und Quinte.

Dreisatz [der], ein Verfahren zur Berechnung einer 4. Größe aus 3 bekannten. Beispiel: 2,5 kg Kartoffeln kosten 2 Euro. Wie viel kosten 8 kg Kartoffeln?

Lösung durch Dreisatz:

1. 2,5 kg kosten 2 Euro
2. 1 kg kostet $\frac{2\text{ Euro}}{2{,}5}$
3. 8 kg kosten $\frac{2\text{ Euro}}{2{,}5} \cdot 8 = 6{,}40$ Euro

Dreisprung [der], ein leichtathletischer Sprungwettbewerb. Der erste Sprung ist flach und weit, der zweite bringt eine leichte Höhensteigerung, der dritte ist ein voller Weitsprung. Es wird entweder links – links – rechts oder rechts – rechts – links gesprungen.

Was war der ...
Dreißigjährige Krieg

Der Dreißigjähriger Krieg ist die Sammelbezeichnung für mehrere Kriege, die 1618–1648 überwiegend auf deutschem Boden geführt wurden. Aus religiösen Gegensätzen entstanden, entwickelte sich der Dreißigjährige Krieg durch das Eingreifen Schwedens und Frankreichs zu einem Machtkampf um die europäische Stellung der → Habsburger.

*Mit dem Prager Fenstersturz vom 23.5.1618, hier in einem Kupferstich von Matthäus Merian (*1593, †1650) dargestellt, begann der Dreißigjährige Krieg.*

Vorgeschichte und Ausbruch: Die Verschärfung der Gegensätze zwischen Katholiken und Protestanten seit dem Augsburger Religionsfrieden (1555), mit dem das Luthertum als Konfession anerkannt wurde, führte 1608/1609 zu einer Verhärtung der Fronten: Die Protestanten gründeten die Union, die Katholiken die Liga. Trotz ihrer Gegensätze kämpften beide gemeinsam gegen die Machtbestrebungen des habsburgischen Kaisers. Hinzu kamen ungelöste internationale Konflikte, vor allem zwischen Spanien und Frankreich um die Führungsrolle in Europa, zwischen Dänemark und Schweden um die Vorherrschaft an der Ostsee sowie der Unabhängigkeitskampf der Niederlande gegen Spanien. 1618 empörte sich Böhmen gegen Versuche der Rekatholisierung seitens des habsburgischen Landesherrn Ferdinand II. Zwei königliche Statthalter wurden aus einem Fenster der Prager Burg (Prager Fenstersturz, 23. 5. 1618) geworfen. Die Böhmen wählten mit Kurfürst Friedrich V. von der Pfalz einen protestantischen Gegenkönig. Da sie Unterstützung u.a. bei der Union fanden, wandte sich Ferdinand II. an die Liga und Spanien.

Kriegsverlauf: Im Böhmisch-Pfälzischen Krieg (1618–1623) wurde Friedrich am Weißen Berg bei Prag besiegt (1620); er verlor Böhmen und die Pfalz. Diesen Erfolg wollte Ferdinand II. zur Festigung der kaiserlichen Macht und zur Gegenreformation in Norddeutschland nutzen. Dagegen griff Christian IV. von Dänemark ein, unterstützt von England und den Niederlanden. Nach Siegen im Dänischen Krieg (1623–1630) unter den Feldherrn Tilly und Wallenstein (1626) versuchte Ferdinand, den Protestantismus dauerhaft zu verdrängen. Gustav II. Adolf von Schweden nahm jedoch den Machtzuwachs des Kaisers in Norddeutschland und die Bedrohung des Protestantismus nicht hin und stieß im folgenden Schwedischen Krieg (1630–1635) bis Süddeutschland vor, wurde aber von Wallenstein zurückgeschlagen und fiel in der für Schweden siegreichen Schlacht bei Lützen (1632). 1634 wurde Wallenstein ermordet und die Schweden bei Nördlingen geschlagen. Der letzte Abschnitt des Dreißigjährigen Kriegs, der Französische Krieg (1635–1648), wurde durch das Eingreifen Frankreichs ausgelöst, das sich mit Schweden und weiteren Gegnern der Habsburger verbündete.

Westfälischer Frieden und Kriegsfolgen: Beendet wurde der Dreißigjährige Krieg nach mehrjährigen Verhandlungen in Münster und Osnabrück durch den Westfälischen Frieden (1648): Frankreich dehnte sein Gebiet auf Kosten des Reichs und der Habsburger im Elsass und in Lothringen aus, Schweden erhielt Zugang zu den Mündungen von Oder, Elbe und Weser, die Schweiz und die Niederlande schieden endgültig aus dem Reichsverband aus. Auf Kosten von Kaiser und Reich wurden die deutschen Territorialstaaten gestärkt. In Europa begann sich die Ära habsburgischer Vormacht ihrem Ende zuzuneigen; Frankreich trat das Erbe an. Der Augsburger Religionsfriede wurde bestätigt. Für die Zeitgenossen markierte die gesellschaftliche und wirtschaftliche Katastrophe des Dreißigjährigen Krieges einen tiefen und lang nachwirkenden Einschnitt. Viele Menschen kannten Frieden als allgemeinen Zustand nur noch aus Erzählungen. Zudem mussten sie ihre persönlichen Erlebnisse und Schicksale – Vermögens- und Heimatverluste, Folterungen und Vergewaltigungen, Tod vieler Familienmitglieder und enger Verwandter – verarbeiten. Die Bevölkerung verringerte sich auf gut 60% des Vorkriegsstandes, die Sachwertverluste lagen noch höher. Erst nach drei Generationen war im Großen und Ganzen der alte Bevölkerungsstand wieder erreicht.

Dresden, Stadt in Sachsen, beiderseits der Elbe, mit rund 484 000 Einwohner. Das Kultur- und Industriezentrum wurde nach großen Zerstörungen im Zweiten Weltkrieg weitgehend wieder aufgebaut. Heute ist Dresden Hauptstadt des Landes Sachsen.

Drittes Reich, eine oft gebrauchte Bezeichnung der Nationalsozialisten für ihr Regime in Deutschland von 1933–45. Als erstes Reich wird das mittelalterliche Heilige Römische Reich Deutscher Nation, als zweites das Deutsche Reich Bismarcks von 1871 gerechnet.

Dresden: Die Semperoper gehört zu den bedeutendsten deutschen Opernbühnen.

Dritte Welt [die], eine andere Bezeichnung für die Entwicklungsländer. Die *Erste* und *Zweite Welt* wird von den kapitalistischen und sozialistischen Industrieländern gebildet. Da innerhalb der Dritten Welt große Wohlstandsunterschiede bestehen, bezeichnet man die ärmsten Länder oft als *Vierte Welt.*

Drogen, im ursprünglichen Sinn als Heilmittel eingesetzte meist getrocknete Pflanzen oder ihre Teile, seltener tierische oder mineralische Präparate. Im heutigen allgemeinen Sprachgebrauch *Rauschmittel* oder *Rauschgifte,* d.h. chemische Stoffe, die durch ihre Wirkung auf das Zentralnervensystem einen Erregungs- bzw. Rauschzustand o.Ä. herbeiführen, der gekennzeichnet ist durch gehobene Stimmung, körperliches Wohlgefühl und Vergessen der Realität, bei den Halluzinogenen darüber hinaus noch durch halluzinatorische Erscheinungen. Die Wirkung der Drogen beruht auf einer akuten Vergiftung, nach deren Abklingen es zu Niedergeschlagenheit, Verstimmung und Unlustgefühlen kommt. Das physiologische oder psychische Bedürfnis nach erneuter Einnahme von Drogen führt zur Abhängigkeit (Sucht). Die wichtigsten Gruppen der Drogen sind: 1. Cannabis-Produkte:

Marihuana und Haschisch; Hauptwirkstoff: Tetrahydrocannabinol (THC); – 2. Halluzinogene: Atropin, LSD (Lysergsäurediethylamid), Mescalin, Psilocybin, Ololiuqui, Dimethyltryptamin (DMT), Ketamin und Phencyclidin; – 3. Kokain und seine moderne Variante Crack; – 4. Aufputschmittel (Stimulantia, Psychotonika): Weckamine, Amphetamine wie Benzedrin, Pervitin, Preludin, Captagon, Percoffedrinol, Metamphetamin (Ice), DOM (Dimethoxymethylamphetamin), eine Synthese aus Mescalin und Amphetamin, auch STP genannt (Abkürzung für Serenity = Heiterkeit, Tranquillity = Ruhe, Peace = Frieden), MDA, MMDA und MDMA oder Ecstasy; – 5. Opiate: Opium, Morphium, Codein, Heroin, Methadon, Dolantin; – 6. Beruhigungsmittel: Barbiturate, Bromverbindungen, Tranquilizer wie Valium, Librium u. a. dämpfende Mittel; – 7. Schnüffelstoffe (Sniffles): meist Dämpfe von Lösungsmitteln wie Aceton, Ethylacetat, Toluol, Xylol, Benzin, Trichlorethylen, Tetrachlorethylen, Butan, Hexan, Verdünnungsmittel für Farben und Alleskleber; 8. Alkohol (→ Alkoholkrankheit); – 9. Nicotin. Auch → Abhängigkeit.

Dromedar [das] → Kamele.

Droste-Hülshoff, Annette Freiin von, * 1797, † 1848; deutsche Dichterin. Sie schrieb vor allem religiöse Lyrik, eindrucksvolle Naturgedichte, Balladen und Novellen, von denen »Die Judenbuche« besonders bekannt ist.

Druck [der], eine physikalische Größe, die das Verhältnis einer Kraft zu einer Fläche, auf die sie senkrecht wirkt, angibt. Die Einheit des Drucks ist das *Pascal* (Pa), der Druck bei Flüssigkeiten und Gasen wird in *Bar* (bar) gemessen. Der *hydrostatische Druck* ist der allseitig in einer Flüssigkeit herrschende Druck. Er nimmt mit der Tiefe zu, z. B. bei Wasser um rund 1 bar alle 10 m.

drucken, das Vervielfältigen von Texten und Bildern durch Druckverfahren. Als Grundlage für den Druck wird vor allem Papier verwendet. Man unterscheidet drei Hauptverfahren: *Hochdruck* (hoch stehende Teile der Druckform werden eingefärbt), *Tiefdruck* (die Vertiefungen in der Druckform werden eingefärbt) und *Flachdruck* (eine flache Druckform wird an den Stellen chemisch behandelt, die dann eingefärbt werden sollen). Zum Flachdruck gehört auch der besonders häufig gebrauchte *Offsetdruck*. Hierbei wird das Druckbild zunächst seitenverkehrt auf einen Zwischenträger (ein straff auf einen Zylinder gespanntes Gummidrucktuch) und von dort sofort auf das Papier gebracht.

Drüsen [Pl.], Organe bei Pflanzen, Tieren und Menschen, die bestimmte Absonderungen *(Sekrete)*

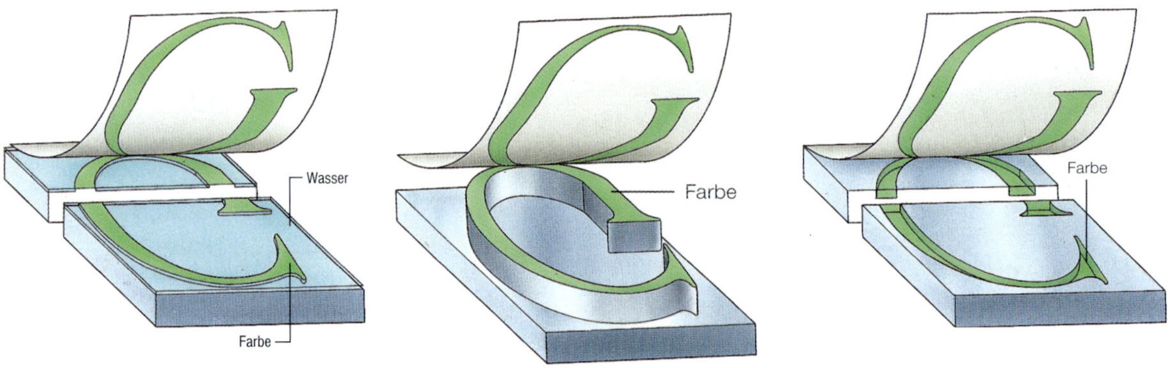

Schema der drei wichtigsten Druckverfahren: Flachdruck oder Offsetdruck (links), Hochdruck (Mitte) und Tiefdruck (rechts)

bilden. Man unterscheidet Drüsen, die ihre Sekrete über Ausführungsgänge absondern (z. B. Schweiß, Tränen) oder direkt ins Blut abgeben (z. B. Hormone) wie die Schilddrüse.

Dschihad [der], Verteidigung und Verbreitung des islamischen Glaubens mit geistigen und bisweilen auch militärischen Mitteln. In der Regel einseitig als »Heiliger Krieg« übersetzt, bezeichnet Dschihad das »Sichbemühen auf dem Wege Gottes«, d. h. vor allem die persönliche Anstrengung, ein Gott wohlgefälliges Leben zu führen.

Dschingis-Chan → Tschingis Chan.

DSL, Abk. für engl. *Digital Subscriber Line*, Datenübertragungstechnologie, die hohe Übertragungsraten unter Verwendung der Kupferdoppeladern des Telefonnetzes erlaubt.

DTP [das] → Desktoppublishing.

Dualsystem [das], in der Mathematik ein systematisches Verfahren zur Bezeichnung natürlicher Zahlen mit Hilfe der Ziffern 0 und 1. Das Dualsystem wird besonders zur Darstellung von Zahlen in elektronischen Rechenanlagen benutzt. Die Ziffer 1 wird durch einen Spannungszustand, die 0 durch das Fehlen von Spannung dargestellt.

Dezimalzahl		*Dualzahl*
1 =	$1 \cdot 2^0 =$	1
2 =	$1 \cdot 2^1 + 0 \cdot 2^0 =$	10
3 =	$1 \cdot 2^1 + 1 \cdot 2^0 =$	11
4 =	$1 \cdot 2^2 + 0 \cdot 2^1 + 0 \cdot 2^0 =$	100
5 =	$1 \cdot 2^2 + 0 \cdot 2^1 + 1 \cdot 2^0 =$	101
6 =	$1 \cdot 2^2 + 1 \cdot 2^1 + 0 \cdot 2^0 =$	110
7 =	$1 \cdot 2^2 + 1 \cdot 2^1 + 1 \cdot 2^0 =$	111
8 =	$1 \cdot 2^3 + 0 \cdot 2^2 + 0 \cdot 2^1 + 0 \cdot 2^0 =$	1000
9 =	$1 \cdot 2^3 + 0 \cdot 2^2 + 0 \cdot 2^1 + 1 \cdot 2^0 =$	1001
10 =	$1 \cdot 2^3 + 0 \cdot 2^2 + 1 \cdot 2^1 + 0 \cdot 2^0 =$	1010

Dublin ['dʌblin], Hauptstadt und wichtigster Hafen der Republik Irland, an der Mündung des Flusses Liffey in die Irische See, 496 000 Einwohner.

Dudelsack [der], ein altes, aus Asien stammendes Blasinstrument, das heute hauptsächlich in der schottischen Volks- und Militärmusik verwendet wird. Durch ein Blasrohr wird Luft in einen Ledersack geleitet und gelangt dann durch Armdruck in klingende Pfeifen.

Der Dudelsack gehört zur Folklore Bulgariens ebenso wie die landestypische Tracht.

Duisburg, eine Industriestadt in Nordrhein-Westfalen, 507 000 Einwohner. Duisburg liegt an der Mündung der Ruhr in den Rhein und am Beginn des Rhein-Herne-Kanals. Die Stadt hat den größten Binnenhafen der Welt.

Dummy [dʌmi, der, engl.], **1.** eine Gummipuppe, die beim → Crashtest eingesetzt wird. **2.** *Blindband,* ein Buch mit leeren Seiten zur Festlegung der äußeren Gestaltung.

Dumping [dʌmping, das, engl.], der Verkauf von Waren zu überaus niedrigen Preisen, mit dem Ziel, Konkurrenten vom Markt zu verdrängen.

Düne: Durch den Wind entstehen immer wieder neue Formen von Dünen wie hier in der Sahara.

Dunant [dy'nã], Henry, ursprünglich *Jean Henri*, * 1828, † 1910; schweizerischer Kaufmann und Philanthrop. Er gründete das *Rote Kreuz* und den CVJM (Christlicher Verein Junger Männer). Im Jahre 1901 erhielt Dunant zusammen mit F. *Passy* den ersten Friedensnobelpreis.

Düne [die], eine vom Wind gebildete Anhäufung von losem Sand an flachen Küsten oder als Binnendünen vor allem in Wüsten, 30–50 m, gelegentlich über 300 m hoch. *Wanderdünen* verändern ihre Lage und können sich bis zu 1 m pro Stunde bewegen.

Dünger [der], Stoffe, die dem Boden zugeführt werden, um die von den Pflanzen verbrauchten Nährstoffe zu ersetzen. *Natürliche Dünger* sind vor allem Stallmist, Kompost und *Gründüngung*. Reine *mineralische Dünger* werden auch synthetisch hergestellt (auch *Kunstdünger*).

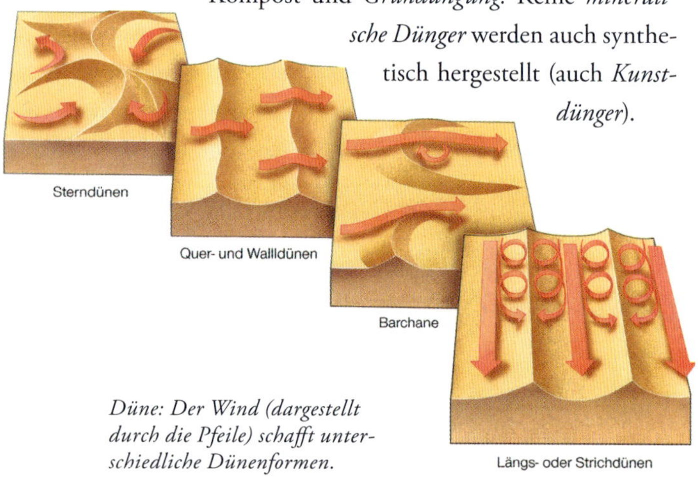

Düne: Der Wind (dargestellt durch die Pfeile) schafft unterschiedliche Dünenformen.

Dur [das], ein Tongeschlecht; es umfasst alle Tonarten, deren Tonleitersystem neben 5 Ganztonschritten 2 Halbtonschritte aufweist, und zwar von der 3. zur 4. und von der 7. zur 8. Stufe. Der *Dur-Dreiklang* besteht aus Grundton, großer Terz und reiner Quinte; Gegensatz: *Moll*.

Wer war ... Albrecht Dürer

Der deutsche Maler und Grafiker Albrecht Dürer (*1471, †1528) gehört zu den herausragendsten Künstlern der Renaissance. Dürer erhob die deutsche Kunst durch seine Vielseitigkeit, handwerkliche Sorgfalt und künstlerisches Empfinden zu europäischem Rang. Sein Werk umfasst rund 125 Gemälde, 100 Kupferstiche, 350 Holzschnitte und mehr als 1000 Handzeichnungen. Durch seine Auseinandersetzung mit dem Menschenbild der Antike und der Kunst der Renaissance gelangte er in seinen Werken zu einem neuem Verständis

Dieses Selbstbildnis zeigt Dürer mit 27 Jahren.

vom Menschen als Individuum. Als erster deutscher Künstler veröffentlichte er kunsttheoretische Schriften. Sein vielleicht wichtigster Beitrag war die Loslösung der Grafik von der Buchillustration, so dass Holzschnitt und Grafik gleichberechtigt neben das Gemälde traten. Neben seinen bedeutenden Selbstporträts sind v.a. seine Holzschnitte zur »Apokalypse« (1498) und zur »Passion Christi« (1511), seine Kupferstiche »Adam und Eva« (1504), »Ritter, Tod und Teufel« (1513) und »Melancolia« (1514) sowie seine zeichnerischen Studien des »Feldhasen« (1502) und der »Betenden Hände« (1508) besonders berühmt.

Dürer lebte überwiegend in seiner Geburtsstadt Nürnberg. Zuerst bildete ihn sein Vater, ein Goldschmied, dann der Maler M. Wolgemut aus. Reisen führten Dürer u.a. nach Colmar, Basel und Straßburg sowie zweimal nach Italien und in die Niederlande. Bereits zu Lebzeiten hochgeehrt, arbeitete er ab 1512 auch für Kaiser Maximilian I.

Dürrenmatt, Friedrich, * 1921, † 1990; schweizerischer Dramatiker. Er wurde besonders durch satirische, groteske Stücke mit gesellschaftskritischem Anspruch bekannt. Zu seinen Hauptwerken gehören: »Der Besuch der alten Dame«, »Die Physiker«, »Der Meteor«.

Düse [die], eine sich allmählich verengende Auslassöffnung für Flüssigkeiten oder Gase. Die Querschnittverengung führt zu einer Erhöhung der Strömungsgeschwindigkeit. In Raketen und Strahltriebwerken strömen durch Verbrennung erzeugte heiße Gase durch eine Düse und erzeugen Schub, der sich aus dem Produkt von Gasmasse und Strömungsgeschwindigkeit ergibt.

Düsseldorf, Hauptstadt des Bundeslandes Nordrhein-Westfalen, westlich des Bergischen Landes am rechten Rheinufer, 573 000 Einwohner. Die Stadt ist ein Bildungs- und Kulturzentrum mit zahlreichen Museen, Opernhaus, Schauspielhaus u.a. Darüber hinaus ist Düsseldorf eine wichtige Industrie- und Messestadt.

DVD [die] → Digital Versatile Disc.

DVD-Player [-'plɛiər, der], ein Gerät, das Bilder digital aufzeichnen und wiedergeben kann. Unterstützt werden verschiedene optische Speicher wie z.B. DVD-R und DVD-RAM.

Dynamik [die], **1.** Schwung, Triebkraft. **2.** in der Physik die Lehre von den Bewegungen und Kräften, ein Teil der Mechanik. **3.** in der Musik die Veränderung der Tonstärke, z.B. forte (laut) und piano (leise).

Dynamit [das], ein 1867 von A. *Nobel* erfundener Sprengstoff aus Nitroglyzerin, Kieselgur und Soda.

Dynamo [der], ein älterer Name für → Generator.

Dynastie [die], eine Familie, die in einem Land über mehrere Generationen den Herrscher stellt.

Albrecht Dürers Kupferstich von Adam und Eva unter dem Baum der Erkenntnis, nachdem sie von den verbotenen Früchten gegessen haben.

E

E, fünfter Buchstabe des Alphabets (Vokal).

eBay® [ˈiːbɛi,], Internet-Auktionsplattform; bietet weltweit einen virtuellen Marktplatz für den Verkauf beliebiger Produkte.

Ebbe [die], Absinken des Meeresspiegels im Wechsel der → Gezeiten.

Ebenholz [das], wertvolles Edelholz verschiedener Bäume aus Afrika und Asien.

Eber [der], ein männliches Schwein.

Ebert, Friedrich, *1871, †1925; deutscher Politiker (SPD). Als erster deutscher Reichspräsident stärkte er 1919–1925 durch seine bedachtsame Amtsführung die Demokratie der Weimarer Republik. Er behielt dieses Amt bis zu seinem Tode.

E-Book [ˈiːbuk, das], Abkürzung für englisch *Electronic Book*, → elektronisches Buch.

Ebro, längster Fluss Spaniens (910 km). Er entspringt im Kantabrischen Gebirge und mündet bei Tortosa ins Mittelmeer.

Echnaton, *Achenaten, Amenophis IV.,* 1351–1334 v. Chr.; ägyptischer König der 18. Dynastie, verheiratet mit Nofretete. Echnaton ging als religiöser Erneuerer in die Geschichte ein. Er führte die alleinige Verehrung des Sonnengottes Aton ein und verlegte die Hauptstadt von Theben nach dem neu gegründeten Amarna. Nach Echnatons Tod wurden seine Erneuerungen rückgängig gemacht.

Echo [das], *Widerhall,* die Reflexion von Schallwellen an Hindernissen.

Echolot [das], ein Gerät zur Messung von Wassertiefen oder zur Ortung von Fischschwärmen. Eine Schallquelle sendet Impulse aus, die von einem Gegenstand (z. B. Fischschwarm) reflektiert werden. Aus der Zeitspanne bis zum Echoempfang kann man die Entfernung berechnen, wenn die Schallgeschwindigkeit im Wasser berücksichtigt wird.

Echsen [Pl.], eine Unterordnung der → Reptilien. Neben *Eidechsen* und *Schleichen* zählen außerdem u. a. die Familien der *Agamen, Chamäleons, Geckos, Warane* und *Leguane* zu den Echsen.

E-Commerce [ˈiːkɔməːs, der, von engl. *electronic commerce,* »elektronischer Handel«], das Handelswesen, in dem der Kauf und Verkauf aller Arten von Waren vom Computer aus *online* im Datennetz (v. a. im *Internet*) abgewickelt wird.

Ecstasy [ˈɛkstəzi, engl., »Ekstase, Rausch«], eine *Designerdroge* mit aufputschender Wirkung, die besonders von Jugendlichen auf Techno-Partys eingenommen wird.

Ländersteckbrief
Ecuador

Fläche:	283 561 km²
Einwohner:	13,4 Millionen = 47 je km²
Hauptstadt:	Quito
Religion:	römisch-katholische Kirche
Amtssprache:	Spanisch
Währung:	1 US-Dollar = 100 Cents

Ecuador, Staat in Südamerika.

Landesnatur: Zwischen dem feuchtheißen pazifischen Küstentiefland (Costa) im Westen und dem Amazonastiefland (Oriente) im Osten erstrecken sich die beiden Hauptketten der Anden mit zahlreichen Vulkanen wie dem Chimborazo (6267 m) und dem

Cotopaxi (5897 m), die ein dicht besiedeltes Hochbecken (Sierra) einschließen.

Ecuador: Der traditionelle Ackerbau im Hochland dient hauptsächlich der Selbstversorgung.

Bevölkerung: Die Bevölkerung ist zum größten Teil katholisch. Sie setzt sich zusammen aus 35% Mestizen, 20% Indianern, 25% Weißen, 5% Schwarzen und 15% Mulatten.

Wirtschaft: Die Landwirtschaft liefert Bananen, Kaffee, Kakao, Zucker, Reis, Baumwolle für den Export. Im Hochland wird v. a. Viehzucht betrieben. Die Hochseefischerei ist bedeutend. Bei den Bodenschätzen steht Erdöl an erster Stelle. Die Industrie erzeugt Nahrungsmittel, Textilien, Leder- und Metallwaren. – Haupthafen ist Guayaquil; internationale Flughäfen haben Quito und Guayaquil.

Geschichte: Als die nördliche Provinz des Inkareichs wurde das Gebiet 1533/1534 für Spanien erobert. Erst 1822 beseitigte S. *Bolívar* die spanische Herrschaft in Ecuador, das sich 1830 unter J. J. *Flores* zur selbstständigen Republik erklärte. Nach 1875 machte Ecuador eine Zeit innerer Unruhen durch. In einem Grenzkrieg mit Peru büßte das Land 1942 einen Teil seines Territoriums ein. Maßgeblicher Politiker wurde in der Folgezeit J. M. *Velasco Ibarra,* der zwischen 1934 und 1972 fünfmal das höchste Staatsamt ausübte, allerdings mehrmals vom Militär gestürzt wurde. 1978 trat durch Volksabstimmung eine neue Verfassung in Kraft (1998 revidiert). Die Schwäche der staatlichen Institutionen und die Unzufriedenheit der Bevölkerung mit der sozialen Lage führten seit Mitte der 1990er Jahre zu häufigen Wechseln im Präsidentenamt und zu inneren Unruhen. 2005 wurde Präsident L. *Gutiérrez* des Amtes enthoben. Die Bevölkerung wählte 2006 den linken Politiker R. *Correa* zum Staatschef.

Genauer betrachtet ...
Edelsteine

Name	Härte	Farbe	Vorkommen	Eigenschaften
Diamant	10	farblos, bei Lichteinfall alle Farben	Australien, Südafrika	wertvollster Edelstein, hohe Lichtbrechung verleiht »Feuer«
Saphir	9	blau, grünblau	Sri Lanka	ein besonders harter Stein
Smaragd	7,5	gelbgrün, blaugrün	Südamerika, Südafrika, Ural	ein spröder Stein
Rubin	9	rot	Myanmar, Thailand, Sri Lanka	ein sehr seltener Stein

senanziehung) erklärt und die physikalischen Vorstellungen über die Struktur von Raum und Zeit grundlegend änderte. U.a. sagt die allgemeine Relativitätstheorie voraus, dass Licht im Gravitationsfeld von Körpern mit großer Masse (wie der Sonne) abgelenkt wird. Einsteins Ruhm begann 1919 mit der experimentellen Bestätigung der Lichtablenkung. Parallel zu seiner wachsenden Popularität war er in Deutschland antisemitisch beeinflussten Angriffen ausgesetzt. Als Pazifist und Zionist bezog er auch zu politischen Fragen Stellung. 1939 unterzeichnete er zusammen mit anderen Wissenschaftlern einen Brief, der den US-amerikanischen Präsidenten auf die Möglichkeit zum Bau einer Atombombe hinwies. Er selbst war an der Realisierung nicht beteiligt.

Albert Einstein ist der Begründer der Relativitätstheorie.

Eintagsfliegen [Pl.], zarte, schlanke Insekten, die meist nur wenige Stunden leben. Sie »tanzen« oft in großer Zahl über Gewässern, wo sie sich paaren und ihre Eier ablegen.

Einzahl [die] → Singular.

Einzeller [Pl.], Lebewesen, die aus nur einer Zelle bestehen. Zu ihnen gehören Bakterien, Amöben, Wimper-, Geißel- und Sporentierchen, Wurzelfüßer und manche Algen.

Eis [das], der feste Aggregatzustand von Wasser. Es bildet sich, wenn Wasser auf 0 °C oder kälter abgekühlt wird. Eis nimmt mehr Raum ein und ist leichter als Wasser.

Eisbär [der], im Küstenbereich der nördlichen Polarzone beheimateter Bär mit weißlichem Fell. Er erreicht eine Länge von 2,50 m und ein Gewicht von 450 kg. Der Eisbär ist ein guter Schwimmer und ernährt sich besonders von Robben und Fischen. Die Jungtiere kommen in Schneehöhlen zur Welt.

Eisbär: Wegen der Nahrungsarmut in der Arktis muss der Eisbär oft weite Wanderungen unternehmen.

Eisberge [Pl.], im Meer schwimmende, abgebrochene Randstücke polarer Gletscher oder der Eismassen des Südpols, bis zu 100 m hoch. Nur etwa ⅛ der Berge ragt aus dem Wasser.

Eisbrecher [der], Spezialschiff mit starkem Motor und hohem Gewicht sowie einem verstärkten, flach ansteigenden Bug. Das Schiff schiebt sich auf die Eisflächen und bricht sie durch sein Gewicht auf.

Eisen [das, lat. ferrum], ein chemisches Element mit dem Zeichen Fe. Ein wichtiges, häufig vorkommendes Metall, in der Natur meist in gebundener Form als Erz. In Hochöfen wird Roheisen hergestellt, das zu Gusseisen oder Stahl weiterverarbeitet wird. Reines

Eisenbahn: Der ICE 3 gehört zur neuesten Generation der Hochgeschwindigkeitszüge.

Eisen glänzt silbergrau, ist weich und rostet bei Feuchtigkeit.

Eisenbahn [die], ein an Schienen gebundenes Verkehrsmittel, das hohe Lasten mit großer Geschwindigkeit und wenig Energieaufwand über weite Entfernungen befördern kann.

Die Eisenbahn ist aus den Holzspurbahnen der spätmittelalterlichen deutschen Bergwerke hervorgegangen. Die eigentliche Entwicklung der Schienenbahn begann nach der Erfindung der Dampfmaschine durch James *Watt*. Die erste *Dampflokomotive* erbaute im Jahr 1804 der Engländer Richard *Trevithick*. Am 7. 12. 1835 fuhr in Deutschland die erste Dampflokomotive, der »Adler«, mit einem Personenzug von Nürnberg nach Fürth. Den Höhepunkt erreichte der Eisenbahnbau in Deutschland zwischen 1870 und 1880. Bis ins 20. Jh. hinein waren Dampflokomotiven die einzigen Antriebsmaschinen der Eisenbahn. Sie waren im Allgemeinen mit einer Kolbendampfmaschine ausgestattet, die mit Kohle, Öl oder Kohlenstaub befeuert wird. Der deutsche Ingenieur Rudolf *Diesel* entwickelte 1892 den Dieselmotor, die ersten *Diesellokomotiven* wurden aber erst ab 1923 in Betrieb genommen. Diesellokomotiven werden durch Spezialdieselmotoren betrieben. Die *Elektrolokomotive*, die heute auf fast allen wichtigen Strecken im Einsatz ist, bekommt über den Stromabnehmer den elektrischen Strom aus der Oberleitung oder einer Stromschiene.

Eisenhower [-hauə], Dwight David, * 1890, † 1969; US-amerikanischer Offizier und Politiker (Republikaner). Als Oberbefehlshaber der US-Truppen gewann Eisenhower im Zweiten Weltkrieg den Kampf gegen NS-Deutschland und wurde danach Oberbefehlshaber US-Besatzungstruppen in Deutschland. Als Präsident der USA (1953–1961) führte er das Land in den Wohlstand und beendete er den Koreakrieg, begann aber amerikanische Truppen nach Vietnam zu schicken.

Eisenman [-mæn], Peter, * 1932; US-amerikanischer Architekt. Er schuf streng geometrische Entwürfe, bei denen sich die Funktion des Bauwerks der Form unterordnet. Zu seinen Arbeiten gehört u. a. das Holocaust-Mahnmal in Berlin.

Eisenzeit [die], der letzte vorgeschichtliche Abschnitt nach der Steinzeit und der Bronzezeit, der durch die allgemeine Verwendung des Werkstoffs *Eisen* gekennzeichnet ist. Er dauerte etwa vom 8. Jh. bis zum 1. Jh. v. Chr.

Eisheilige [Pl.], einige Tage im Mai, an denen häufig ein Kälterückfall auftritt; in Norddeutschland 11.–13. Mai, in Süddeutschland 12.–15. Mai.

Eishockey [das], ein Torspiel auf einer Eisfläche. Eine Mannschaft besteht aus 20 Feldspielern und 2 Torhütern; 6 Spieler dürfen gleichzeitig auf dem Feld sein. Die Spieler versuchen mit ihren gebogenen Schlägern eine Hartgummischeibe *(Puck)* ins gegnerische Tor zu schlagen. Die Eisfläche misst 30 x 60 m, die Spielzeit beträg 3 mal 20 Minuten.

Eislauf [der], das Laufen mit Schlittschuhen auf dem Eis. Der Sport umfasst die Disziplinen *Eiskunstlauf* und *Eisschnelllauf*. Ein Wettbewerb im Kunstlauf

(Einzellauf oder Paarlauf) besteht aus dem Kurzprogramm und der Kür.

Eismeer [das], der zentrale Teil des Nordpolarmeers.

Eisprung [der], *Ovulation,* das Platzen des Bläschens, das im Eierstock das heranwachsende Ei umgibt. Dadurch wird das Ei aus dem Eierstock ausgestoßen und ist nun für eine Befruchtung bereit. Hormonpräparate zur → Empfängnisverhütung (»Pille«) verhindern den Eisprung.

Eiszeit [die], eine Periode der Erdgeschichte, in der ausgedehnte Landgebiete von Gletschern bedeckt waren. Durch einen anhaltenden Temperaturrückgang waren Gletscher zu einem alles bedeckenden Inlandeis zusammengeflossen. In Europa gab es mehrere solcher Perioden. Die jüngste Eiszeit dauerte von etwa 600 000 v. Chr. bis 12 000 v. Chr. und hatte die Vereisung der gesamten nördlichen Erdhalbkugel zur Folge. Durch die schiebenden Eismassen wurden weite Gebiete Europas, Nordamerikas und Nordasiens verändert: Moränen wurden abgelagert, Täler umgeformt und Seen gebildet.

Eiter [der], eine Körperabsonderung an entzündeten Stellen. Er besteht aus den abgestorbenen Erregern und zugrunde gegangenen weißen Blutkörperchen.

Elche können mehr als 600 kg wiegen, sie sind ausdauernde Läufer und ernähren sich von Blättern und Kräutern.

Eiweiße [Pl.], *Proteine,* lebensnotwendige Nahrungsstoffe, deren Bausteine die Aminosäuren sind. Heute sind 20 Aminosäuren bekannt, die, unterschiedlich kombiniert, eine riesige Zahl verschiedener Eiweiße ergeben. Mit der Nahrung nehmen wir pflanzliche und tierische Eiweiße auf, die bei der Verdauung in Aminosäuren zerlegt werden. Diese werden wieder zu körpereigenen Eiweißen verknüpft. Wichtige Eiweißträger sind Milch, Eier, Fleisch, Fisch, Hülsenfrüchte.

Ejakulation [die], *Samenerguss,* die Samenentleerung aus dem männlichen Glied.

EKG, Abkürzung für → **E**lektro**k**ardio**g**ramm.

Ekstase [die], rauschhafte Verzückung, Taumel.

Ekzem [das], ein nicht ansteckender, juckender Hautausschlag, der sich oft auf eine Allergie zurückführen lässt.

Elastizität [die], die Eigenschaft einiger Stoffe, unter Kraft einwirkung ihre Form zu verändern und selbsttätig wieder ihre ursprüngliche Form anzunehmen, wenn die Krafteinwirkung nachlässt.

Elba, eine Insel im Mittelmeer, vor der Küste Westitaliens, 32 000 Einwohner. 1814–1815 war die Insel der Verbannungsort *Napoleons I.*

Elbe [die], ein großer mitteleuropäischer Strom, 1165 km lang. Die Elbe entspringt im Riesengebirge, in der Tschechischen Republik, und mündet bei Cuxhaven in die Nordsee.

Elch [der], die größte Hirschart, mit gewaltigem Schaufelgeweih. Der Elch lebt meistens als Einzelgänger in den nordischen Wäldern Europas, Asiens und Amerikas.

E-Learning → Telelearning.

Electronic Publishing [ilɛk'trɔnik 'pʌbliʒiŋ], Veröffentlichung von Informationen in elektronischen Medien, v. a. in Netzwerken wie dem Internet.

Elefanten [Pl.], die letzte noch lebende Familie der im Tertiär und Quartär weit verbreiteten Rüsseltiere (z. B. *Mammut*). Elefanten leben heute noch in

Indien und Afrika. Der Afrikanische Elefant ist größer und hat größere Ohren als der Asiatische. Der bis zu 2 m lange Rüssel, der aus Nase und Oberlippe gebildet wird, dient als vielseitiges Werkzeug bei der Nahrungsaufnahme, zum Trinken und als Waffe. Elefanten leben in Herden, die von einem erfahrenen Weibchen geführt werden. Sie werden besonders wegen ihrer wertvollen Stoßzähne aus Elfenbein gejagt und sind daher heute in ihrem Bestand bedroht.

Elektrizität → Seite 63, auch → »Genauer betrachtet«, Seite 65.

Elefant: Der Afrikanische Elefant kann ein Gewicht von bis zu 7,5 t erreichen.

Elektrolyse [die], das Zersetzen einer gelösten oder geschmolzenen Verbindung durch Gleichstrom. Die Flüssigkeit *(Elektrolyt)* enthält positiv geladene Teilchen, die zur negativen Elektrode *(Kathode)* wandern, und negativ geladene Teilchen, die zur positiven Elektrode *(Anode)* wandern. Die Elektrolyse wird z. B. zur Gewinnung von Metallen, bei der Elektroanalyse und zum Galvanisieren (z. B. Verchromen, Versilbern) verwendet.

elektromagnetische Wellen [Pl.], sich in Raum und Zeit ausbreitende, miteinander verkoppelte elektrische und magnetische Felder, wie Röntgenstrahlen, Radio- oder Lichtwellen. Die Wellen, die sich im Vakuum mit Lichtgeschwindigkeit ausbreiten, werden nach der Wellenlänge und der Frequenz unterschieden, deren Produkt gleich der Ausbreitungsgeschwindigkeit ist.

Elektromotor [der], eine elektrische Maschine zur Umwandlung von elektrischer in mechanische Energie, die als Umkehrung des elektrischen Generators betrachtet werden kann. Die Drehbewegung des *Ankers* (auch *Läufer* oder *Rotor*) im fest stehenden *Stator (Ständer)* kommt durch die anziehenden und abstoßenden Kräfte von Magnetfeldern zustande. Die Magnetfelder entstehen durch elektrische Ströme in den Rotor- und Statorwicklungen, bei einfachen Gleichstrommotoren wird das Statorfeld auch von Permanentmagneten erzeugt.

Elektron [das], ein negativ geladenes Elementarteilchen, das in gebundener Form in der Hülle von Atomen vorkommt. In elektrischen Leitern gibt es frei bewegliche Elektronen, die bei einem Spannungsgefälle vom Elektronenüberschuss zum Elektronenmangel wandern. Diese Wanderung von Elektronen entspricht dem Stromfluss.

Elektronenmikroskop [das], ein Vergrößerungsgerät, bei dem statt Lichtstrahlen Elektronenstrahlen benutzt werden. Die das Objektiv verlassenden Elektronen tasten das Objekt ab und entwerfen sein Bild auf einem Leuchtschirm. Ein elektronisches Abbild übersteigt mit 500 000facher Vergrößerung die eines Lichtmikroskops (bis etwa 1500fach) bei weitem.

Elektronenröhre [die], ein 1902 von dem englischen Physiker J. A. *Fleming* (* 1849, † 1945) entwickeltes Gerät zur Steuerung elektrischer Ströme. Die einfachste Elektronenröhre ist die *Diode,* sie dient der Gleichrichtung von Wechselströmen. Sie besteht aus einer luftleer gepumpten Glasröhre mit zwei *Elektroden* (Anode und Kathode) im Innern. Von der durch ein dünnes Heizdrähtchen erhitzten negativen Kathode fließen Elektronen zur positiv geladenen Anode.

Bei der *Triode,* einer Verstärkerröhre, befindet sich zwischen Anode und Kathode eine durchlässige Elektrode, das *Gitter.* Der Stromfluss zwischen Anode und Kathode kann über eine Steuerspannung geregelt werden. Elektronenröhren haben mit der Erfindung des → Transistors an Bedeutung verloren und werden heute nur noch für Spezialaufgaben verwendet.

Elektronenvolt [das], Kurzzeichen eV, eine Energieeinheit, die z.B. in der Elementarteilchenphysik benutzt wird.

Elektronik [die], ein Gebiet der *Elektrotechnik,* das sich mit der Leitung von Elektrizität in Form von Elektronen im Vakuum, in Gasen und Halbleitern sowie mit der Verstärkung und Steuerung von Strömen und

Fortsetzung → Seite 65

Mehr wissen ...

Die unsichtbare Kraft: Elektrizität

Waren die Erscheinungen der Elektrizität für den Menschen in früherer Zeit Magie oder Zauberei, so ist ihre Nutzung für uns heute eine Selbstverständlichkeit, ja sogar eine Notwendigkeit. Alle Geräte des modernen Lebens – von Haushaltsgeräten wie dem Staubsauger oder der Waschmaschine bis zur Stereoanlage, dem Farbfernseher oder dem Personalcomputer – werden mit elektrischem Strom betrieben. Ohne Elektrizität läuft kein Spielcomputer und leuchtet keine Glühlampe.

Wie ensteht elektrischer Strom?

Reibt man einen Luftballon an einem feinen Wollpulli, so besitzt er die Fähigkeit, an anderen Gegenständen zu haften. Schon im antiken Griechenland wurde das gleiche Phänomen beobachtet, wenn man ein Stück Bernstein an einem Fell rieb. Da das griechische Wort für Bernstein *Elektron* ist, wurde dieser Effekt Elektrizität genannt. Wie kommt es zu diesem Phänomen?

Zwei Körper ziehen sich gegenseitig an, wenn sie unterschiedlich elektrisch geladen sind. Sie stoßen sich ab, wenn sie gleichnamig elektrisch geladen sind. Die Ladungen können *positiv* (+) oder *negativ* (–) sein. Haftet der Luftballon also beispielsweise an der Zimmerdecke, so ist er anders geladen als die Zimmerdecke. Wie aber kann ein Luftballon aus Gum mi, der sicherlich nicht leitend ist, elektrisch geladen sein? In festen Körpern sitzen die kleinsten Teilchen, die Atome, sehr dicht nebeneinander. Ein Atom ist aus dem Atomkern und der Atomhülle aufgebaut. Der Atomkern besteht meist aus *Neutronen* und einer bestimmten Anzahl positiv geladener *Protonen.* Die Atomhülle besteht in der Regel aus der gleichen Anzahl negativ geladener *Elektronen.* Der Atomkern zieht die Elektronen der Atomhülle an. Bei gleicher Anzahl von Protonen und Elektronen ist das Atom insgesamt elektrisch neutral.

Bei nicht leitenden Stoffen sitzen die Elektronen ganz dicht an den Atomkernen auf festen Plätzen. Die Atomhüllen der einzelnen Atome berühren sich, kein Elektron kann sich von seinem Platz an der Atomhülle fortbewegen. Nur an der Oberfläche eines solchen Stoffes ist es möglich, einige Elektronen abzureißen. Dies passiert, wenn der Luftballon am Wollpulli gerieben wird. Da nun einige Elektronen fehlen, ist der Stoff plötzlich positiv geladen. Es gibt jetzt mehr positiv geladene Protonen im Atomkern, als noch Elektronen in der Atomhülle vorhanden sind. Der Luftballon kann so an einem anderen Gegenstand haften.

In leitenden Materialien, wie beispielsweise Metallen, sind die Atome so angeordnet, dass die äußeren Elektronen der Atomhülle nicht mehr von den Atomkernen festgehalten werden können. Die Elektronen aller Atomkerne können sich fast frei im Material bewegen, mit anderen Elektronen die Plätze tauschen und von ihnen auch verschoben werden. Diese freie Beweglichkeit der Leitungselektronen macht das Material elektrisch leitend. Das ist auch der Grund, weshalb ein Aluminium-Luftballon nicht durch Reibung haftfähig gemacht werden kann. Wird an der Oberfläche des leitenden Aluminiums ein Elektron herausgerissen, so können ganz leicht andere Elektronen diesen Platz einnehmen und so die elektrische Ladung wieder ausgleichen.

Der Stromkreis:

Wenn Leitungselektronen in eine bestimmte Richtung fließen, nennt man das elektrischen Strom. Die Leitungselektronen bewegen sich vom Minuspol einer Stromquelle mit Elektronenüberschuss zum Pluspol mit Elektronenmangel (physikalische Stromrichtung). Man kann sich eine Stromquelle gut als »Elektronenpumpe« vorstellen. Stromquellen sind z. B. Batterien, der Dynamo eines Fahrrades oder ein Generator im Kraftwerk. Strom kann aber immer nur dann fließen, wenn der *Stromkreis* geschlossen ist. Von einem Pol der Stromquelle fließt der Strom durch den Verbraucher, z. B. durch eine Glühlampe, einen Elektromotor oder ein Radio, zurück zum anderen Pol der *Stromquelle*. Einen solchen Stromkreis bezeichnet man als *Gleichstromkreis*. In einem *Wechselstromkreis* ändert sich die Stromrichtung dagegen in jeder Sekunde viele Male. Da nur Wechselstrom auf hohe Spannungen transformiert werden kann, ist in Mitteleuropa der Strom aus der Steckdose immer Wechselstrom.

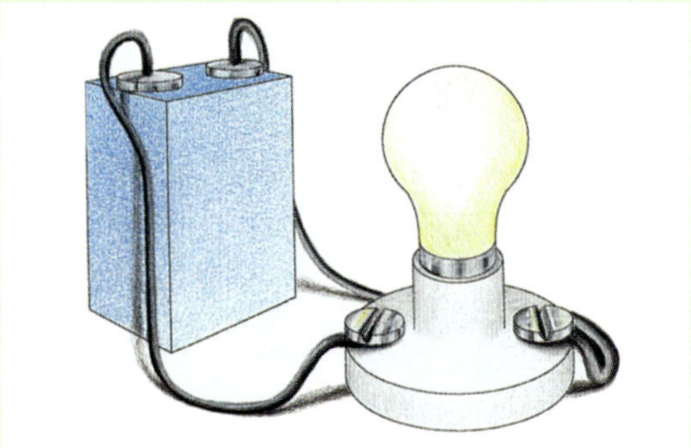

Aufbau eines einfachen elektrischen Stromkreises

Die »Kraft«, mit der die Stromquelle die Elektronen im Stromkreis »pumpt«, wird *Spannung* genannt. Die Einheit der Spannung wird nach dem italienischen Physiker Alessandro Graf *Volta* (1745–1827) mit *Volt* (V) bezeichnet. Die Menge des Stromflusses, also die Anzahl der Elektronen, die in einer Sekunde durch einen bestimmten Leiterquerschnitt hindurchfließen, ist die *Stromstärke*. Zu Ehren des Franzosen A. M. *Ampère* wurde die Einheit der Stromstärke als *Ampere (A)* bezeichnet. Nach dem *Ohm'schen Gesetz* gilt, dass durch einen Leiter umso mehr Strom fließt, je höher die »angelegte« Spannung ist.

Umgang mit Elektrizität:

Grundsätzlich kann jeder elektrische Strom lebensgefährlich sein, bereits ein Wechselstrom von nur 40 Milliampere (mA) kann zum Herzkammerflimmern und damit zum Tod führen. Nur der elektrische Strom aus (Taschenlampen-)Batterien (1,5 V bis 4,5 V) und vom Trafo der elektrischen Spielzeugeisenbahn (bis 12 V) ist ungefährlich. Gefährlich sind Wechselspannungen ab etwa 60 V, z. B. die Netzspannung in der Steck dose (230 V) und die Ablenkspannung in einem Farbfernseher (15 000 V). Diese Spannungen können, wie erst recht die Spannung einer Hochspannungsleitung (110 000 V bis 480 000 V) und die Spannung eines Blitzes (mehrere Millionen Volt), tödlich wirken.

Da in einem Kraftwerk zur Erzeugung von Strom sehr viel Energie verbraucht wird, sollte man bei der Benutzung von Elektrizität immer darauf achten, dass elektrischer Strom nicht unnötig verbraucht wird. Zum Energiesparen ein kleines Beispiel: Würden alle Fernsehgeräte in Deutschland nachts immer richtig ausgeschaltet und nicht in der Stand-by-Bereitschaft weiterlaufen, so könnte auf ein ganzes Kernkraftwerk verzichtet werden!

Genauer betrachtet ...
Elektrizität

Elektrische Größe	Formelzeichen	Einheit	Definition
Ladung	Q	Coulomb (C)	Elementarladung: $Q_e = 1{,}602 \cdot 10^{-19}$ C
Stromstärke	I	Ampere (A)	$I = \frac{Q}{t}$
Spannung	U	Volt (V)	$U = \frac{W}{Q}$
Elektrische Leistung	P	Watt W)	$P = U \cdot I$
Elektrische Arbeit	W	Joule (J) oder Wattsekunde (Ws)	$W = U \cdot I \cdot t$
Widerstand	R	Ohm (Ω)	$R = \frac{U}{I} \Leftrightarrow U = R \cdot I$

Die Stromstärke I und die Zeit t sind Basisgrößen des Internationalen Einheitensystems (SI).

Spannungen befasst. Unter Elektronik versteht man außerdem die Entwicklung und Anwendung elektronischer Bauelemente wie Transistoren, Widerstände und integrierte Schaltungen (→ Mikroelektronik). Anwendungsgebiete der Elektronik sind die Nachrichtentechnik, Mess- und Regeltechnik, Computertechnik und Unterhaltungselektronik.

elektronische Datenverarbeitung [die] → Datenverarbeitung.

elektronische Musik [die], mit elektronischen Klangmitteln erzeugte Musik. Man unterscheidet zwischen einer Musik, die mit elektronischen Musikinstrumenten gemacht wird (beispielsweise elektronische Orgel, Synthesizer), und einer Musik, die im Studio mittels elektronischer Apparaturen, besonders mit dem Computer, erzeugt wird.

elektronisches Buch [das], *E-Book*, ein kleiner, flacher Computer, der Buchtexte Seite für Seite auf z. B. einem LCD-Bildschirm (Flüssigkristallanzeige) darstellt.

Elektrosmog, Bezeichnung für elektromagnetische Felder in der Umgebungsluft, die durch Hochspannungsleitungen, Elektrogeräte, Computer, Mobiltelefone etc. entstehen. Über mögliche gesundheitliche Gefährdungen gibt es zum jetzigen Zeitpunkt keine gesicherten Erkenntnisse.

Elektrotechnik [die], ein Zweig der Technik, der sich mit der Anwendung der Elektrizität beschäftigt: elektrische Energietechnik und Nachrichtentechnik.

Element [das], allgemein der Grundbestandteil eines zusammengesetzten Ganzen. *Chemische Elemente* sind Grundbestandteile der Materie. Sie können mit

Hilfe chemischer Methoden nicht in einfachere Stoffe zerlegt werden.

Aus Elfenbein wurden seit alters wertvolle Schnitzereien gefertigt, wie dieser buddhistische Mönch.

Elementarteilchen [Pl.], ursprünglich die Bezeichnung für die Teilchen → Elektron, → Proton und → Neutron, die das *Atom* aufbauen und lange als unteilbar galten. Nachdem man entdeckt hatte, dass auch Protonen und Neutronen aus kleineren Teilchen *(Quarks)* zusammengesetzt sind, ist es heute die Bezeichnung für alle atomaren Teilchen, die als unteilbar angesehen werden.

Elfen [Pl.], in nordischen Sagen kleine Geisterwesen wie Zwerge, Kobolde, auch wohlgesinnte weibliche Geister.

Elfenbein [das], die Knochenmasse der Stoßzähne von Elefanten, dem ausgestorbenen Mammut, Walross, Nilpferd und Narwal. Das Material ist sehr begehrt, da daraus wertvolle Schnitzereien (z. B. Kämme, Schachfiguren) oder auch Billardkugeln gefertigt werden können.

Elfter September, *11. 9. 2001*, Tag der von islamistischen Selbstmordattentätern mit entführten Passagiermaschinen auf das *World Trade Center* in New York und das *Pentagon* in Washington verübten Terroranschläge.

El Greco → Greco.

Eliot ['ɛljet], Thomas Stearns, * 1888, † 1965; US-amerikanisch-englischer Schriftsteller. Er gilt als Erneuerer der angloamerikanischen Lyrik und des religiösen Dramas; in seinem Gedicht »Das wüste Land« (1922) stellt er die Sinnlosigkeit und die Sinnsuche der modernen Welt dar. 1948 erhielt er den Literaturnobelpreis.

? *Wer war …*
Elisabeth I.

Elisabeth I. (* 1533, † 1603) war 1558–1603 Königin von England. Elisabeth, Tochter Heinrichs VIII. und der Anna Boleyn, wurde nach dem Tod Marias der Katholischen 1558 vom Parlament als Thronfolgerin anerkannt. Elisabeth machte die von Maria begonnene Rekatholisierung rückgängig und stellte 1559 die anglikanische Staatskirche wieder her. Danach ergriff sie im schottischen Bürgerkrieg Partei gegen die katholische Königin Maria Stuart, die sie 1568 inhaftieren und 1587 hinrichten ließ. Elisabeth besaß große politische Fähigkeiten und hatte bei der Auswahl ihrer Berater eine glückliche Hand. Ihre vermittelnde Politik suchte mit Erfolg die Ansprüche von Staat, Verwaltung und Gesellschaft in Einklang zu bringen. Außenpolitisch unterstützte Elisabeth den Freiheitskampf der Niederlande und den Bourbonen Heinrich IV. in den Auseinandersetzungen um den französischen

Thron. Die letzten 15 Jahre der Herrschaft Elisabeths standen im Zeichen des Krieges gegen Spanien. Mit dem Sieg über die spanische Flotte, die Armada, 1588 konnte Elisabeth schließlich die Grundlage für den Aufstieg Englands zur führenden Seemacht legen.

Elisabeths Regierungszeit, in der Shakespeare lebte, der wirtschaftliche Wohlstand zunahm sowie richtungsweisende Sozialgesetze (Armenrecht, Gewerbeverfassung) erlassen wurden, heißt nach ihr das Elisabethanische Zeitalter.

Elisabeth I. blieb ihr Leben lang unverheiratet, um die Selbstständigkeit Englands nicht zu gefährden.

Elisabeth II. * 1926, seit 1952 Königin von Großbritannien und Nordirland. Elisabeths Regierungszeit ist von umwälzenden historischen Ereignissen wie dem Untergang des britischen Empire und der Gründung des Commonwealth geprägt. Aus ihrer Ehe mit Prinz *Philip* gingen vier Kinder hervor, deren private Probleme, v. a. der Unfalltod *Dianas,* die Monarchie in den 1990er Jahren ins Wanken brachte.

Elisabeth von Österreich wurde zu ihrer Zeit und darüber hinaus für ihre märchenhafte Schönheit, ihre Anmut und Ausstrahlung bewundert.

Elisabeth von Österreich, *Si(s)si,* * 1837, † 1898, Kaiserin von Österreich und Königin von Ungarn. Die Tochter Herzogs *Maximilian* von Bayern ging als schöne Märchenprinzessin in die Geschichte ein. Sie heiratete 1854 den österreichischen Kaiser *Franz Joseph I.*, fühlte sich am Wiener Hof aber nie wohl und entfremdete sich von ihrer Umwelt und ihrem Ehemann. 1898 wurde sie von einem italienischen Anarchisten in Genf ermordet.

Elle [die], **1.** ein altes Längenmaß, das regional große Unterschiede aufwies, meist zwischen 50 und 80 cm. **2.** Unterarmknochen zwischen Hand- und Ellenbogengelenk; er liegt parallel zur *Speiche.*

Ellington ['ɛliŋtən], Duke (Edward Kennedy), * 1899, † 1974; afroamerikanischer Jazzmusiker. Er war einer der bedeutendsten und einflussreichsten Jazzmusiker in der ersten Hälfte des 20. Jh.; er schuf einen typischen Orchesterstil und setzte als Erster die menschliche Stimme als Instrument ein.

Ellipse [die], eine geschlossene ebene Kurve, die bei einem schrägen Schnitt durch einen Kegel entsteht, mit zwei festen Brennpunkten. Die Summe der Abstände eines beliebigen Punktes der Ellipse von beiden Brennpunkten ist immer gleich.

El Niño [ɛl 'ninjo], warmer Küstenstrom, der hauptsächlich zur Weihnachtszeit vor der peruanischen Küste auftaucht; auch der unregelmäßig stattfindende Einbruch von tropischem Warmwasser in den kalten Humboldtstrom; verursacht weltweit schwere Naturkatastrophen.

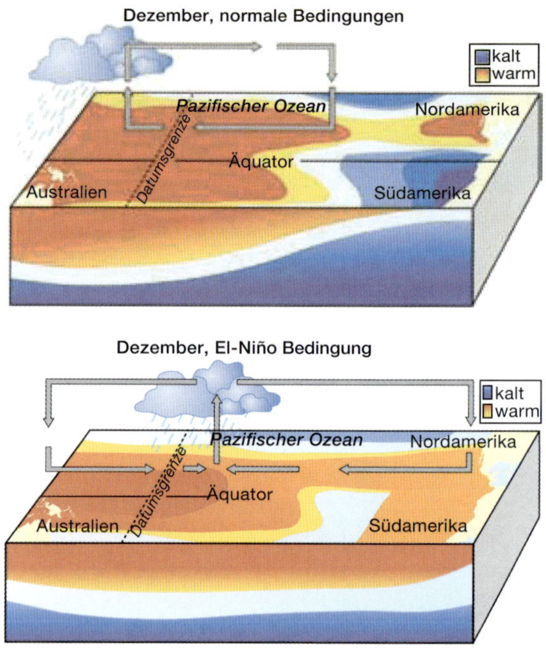

El Niño

Ländersteckbrief El Salvador

Fläche:	21 041 km²
Einwohner:	7,0 Millionen = 333 je km²
Hauptstadt:	San Salvador
Religion:	römisch-katholische Kirche
Amtssprache:	Spanisch
Währung:	1 El-Salvador-Colón = 100 Centavos

El Salvador, Staat in Mittelamerika.

Landesnatur: Hinter einem schmalen, zumeist versumpften Küstenstreifen erheben sich die Küstenkordillere (bis 2381 m hoch) und die Zentralamerikanischen Kordillere, die ein dicht besiedeltes zentrales Hochland einschließen. Randtropen, wechselfeuchtes Klima. Das Land ist stark erdbebengefährdet.

Bevölkerung: Die Bevölkerung besteht zu 89% aus Mestizen, 10% sind Indianer, 1% Weiße. Die Bewohner sind vorwiegend Katholiken.

Wirtschaft: Die Landwirtschaft liefert v. a. Kaffee, Baumwolle, Zucker, Sisal, Kakao. Die Industrie ist weiter entwickelt als in den übrigen mittelamerikanischen Staaten. – Hauptseehafen ist *Acajutla*.

Geschichte: 1524 wurde El Salvador von Spanien erobert. 1823–1839 war es Mitglied der Zentralamerikanischen Konföderation, seit 1841 selbstständige Republik. Nach vorübergehender Militärherrschaft trat 1983 eine neue Verfassung in Kraft. Der langjährige Bürgerkrieg mit der linken Guerilla *FMLN* konnte 1992 beendet werden. 2004 wurde A. E. *Saca* zum Präsidenten gewählt.

Elsass [das], eine Landschaft in Frankreich, zwischen dem Oberrhein und den Vogesen. In seiner wechselvollen Geschichte gehörte das Elsass zu Deutschland (z. B. 1871–1919) oder Frankreich.

Elster [die], ein schwarzweißer, bis 45 cm großer Rabenvogel mit langem Schwanz, der in Europa und weiten Teilen Asiens und Nordamerikas verbreitet ist. Die Elster ist ein Allesfresser, der auch die Eier und Jungvögel anderer Singvögel frisst.

Email [e'maj, das], *Emaille,* ein glasharter Überzug für Metall zum Schutz oder zur Dekoration. Der Überzug besteht aus einer Glasmasse und Metalloxiden, die die Farbe beeinflussen. Dieses Gemisch wird in Pulverform aufgetragen und bei hohen Temperaturen eingebrannt.

E-Mail ['iːmɛil, die, engl.], Abkürzung für englisch *Electronic Mailing,* elektronische Post, ein Verfahren zum Austausch von Daten und Nachrichten über ein Datennetz.

Emanzipation [die], die rechtliche Gleichstellung und die praktische Befreiung einer Klasse oder Gruppe (z. B. der Sklaven, der Frauen) aus einem Abhängigkeits- und Unterdrückungsverhältnis. Seit dem Ende des 19. Jh. wird von der Frauenbewegung die Gleichberechtigung der Frau mit dem Mann angestrebt. Zu den Forderungen gehörten vor allem das Wahlrecht für Frauen, das Recht auf Studium, die Gleichberechtigung in der Ehe sowie das Recht auf gleichen Lohn für gleiche Arbeit. Siehe auch ZEIT-Beitrag →»Emanzipation: Die Frau ist frei geboren«, Seite 70–73.

Elster: Bei vielen Menschen ist die Elster nicht beliebt, da sie die Singvögel aus Gärten vertreibt.

Embargo [das], das Verbot der Ausfuhr bestimmter Waren in bestimmte Länder. So sollen durch wirtschaftlichen Druck politische Ziele erreicht werden.

Emblem [das], ein Hoheitszeichen, Wahrzeichen, eine Firmenmarke.

Embolie [die], der plötzliche Verschluss eines Blutgefäßes durch einen Pfropf aus geronnenem Blut, z. B. nach einer Operation. Dieser Verschluss verhindert die weitere Versorgung des hinter der verstopften Stelle liegenden Körpergewebes mit Blut. Wenn Herz oder Lunge betroffen sind, kann dies zum Tode führen.

Embryo [der], der Keimling von Pflanzen, Tieren und vom Menschen. Beim Menschen bezeichnet man die Frucht nach der Befruchtung bis zum Ende des 2. Monats als Embryo, danach spricht man vom *Fetus.*

Emigration [die], die freiwillige oder zwangsweise Auswanderung in ein anderes Land, vor allem aus politischen, religiösen oder wirtschaftlichen Gründen.

Emission [die], **1.** in der Physik die Aussendung von Teilchen oder Strahlen. **2.** im Umweltschutz das Ausströmen von schädlichen Stoffen in die Außenluft, z. B. der Ausstoß von Rauch aus dem Schornstein. **3.** im Bankwesen die Ausgabe von Wertpapieren.

Emoticon → Smileys.

Empfängnis [die], die Befruchtung einer weiblichen Eizelle durch eine männliche Samenzelle.

Empfängnisverhütung [die], alle Maßnahmen, die verhindern, dass es beim Geschlechtsverkehr zu einer Schwangerschaft kommt. Die sicherste Form der Empfängnisverhütung ist die hormonale Verhütung. Dabei wird dem Körper der Frau ein Hormongemisch zugeführt, das den Eisprung verhindert. Die Hormone werden meistens in Form der *Antibabypille (»Pille«)* verabreicht, die regelmäßig nach einem bestimmten Schema eingenommen werden muss. Hormonale Verhütungsmittel sind rezeptpflichtig und können körperliche und seelische Nebenwirkungen verursachen. Darum müssen sie in ihrer Zusammensetzung auf

Fortsetzung → Seite 74

Bis zur Gleichberechtigung der Frauen war es in Deutschland ein weiter Weg. Seit 2005 hat das Land zum ersten Mal eine Bundeskanzlerin: Angela Merkel von der CDU

Emanzipation

»Die Frau ist frei geboren«

Von Margrit Gerste

Emanzipation ist, nach Immanuel Kant, der »Ausgang des Menschen aus seiner selbstverschuldeten Unmündigkeit«. So hat er es bestimmt, jener Königsberger Philosophie-Professor, der von 1724 bis 1804 lebte und noch heute als größter deutscher Philosoph gilt. Was meinte Kant? Menschen müssten gebildet sein, etwas wissen, damit sie selbstständig denken und selbstverantwortlich handeln könnten.

Kant sprach von Menschen, meinte aber eigentlich: MÄNNER. Frauen waren für ihn keine vernunftbegabten Wesen, waren nicht in der Lage, vernünftig zu handeln. Noch der größte Trottel unter den Männern oder der geringste Tagelöhner konnte also theoretisch – durch Bildung und Lernen – zum selbstständigen Bürger aufsteigen. Frauen aber konnten und durften das nicht, angeblich aus »natürlichen« Gründen.

Nützlicher Unsinn

Kant war keine Ausnahme. Wie er, haben die großen Geister vor ihm und nach ihm, Philosophen, Dichter, Naturwissenschaftler und sonstige Gelehrte, die unser Denken prägten, den größten Unsinn gesagt und geschrieben, wenn es um Frauen ging. Warum wurde das über Jahrtausende nicht bemerkt, warum hat es ihrem Ansehen bis heute nicht geschadet? Ganz einfach: Es war nützlicher Unsinn. Nützlich für ein ganzes

Geschlecht: nützlich für die Männer. Es sicherte ihre Macht, wenn die Frauen brav zu Hause blieben, sich um die Kinder kümmerten und ihre Meinung für sich behielten. »Dem Manne der Staat, der Frau die Familie!« Diese Parole des 19. Jahrhunderts ist, obwohl wir jetzt eine Kanzlerin haben und rechtliche Gleichstellung von Frauen und Männern, noch immer nicht verhallt.

»Dem Mann an Rechten gleich«

Wann begannen Frauen, sich zu emanzipieren, gegen ihr angeblich »natürliches« Sklaventum zu rebellieren und die Männerherrschaft infrage zu stellen? Ihre Befreiung fing an mit der Französischen Revolution 1789, dem einschneidendsten Ereignis unserer modernen europäischen Geschichte, bei der der französische König mit dem Schlachtruf »Freiheit, Gleichheit, Brüderlichkeit« weggejagt wurde. Die damals veröffentlichte »Erklärung der Menschenrechte« meinte wieder »Männerrechte«, aber diesmal fiel es jemandem auf: Olympe de Gouges, einer klugen, mutigen und schönen Frau, die 1791 eine Gegenschrift verfasste. Sie hieß »Die Erklärung der Rechte der Frau und Bürgerin«. Olympe de Gouges forderte darin erstmals die vollkommene rechtliche, politische und soziale Gleichstellung in diesen schönen Worten: »Die Frau ist frei geboren und bleibt dem Mann an Rechten gleich.« Oh, wie lange das in der Praxis noch dauern würde! Am 3. November 1793 ließ das Revolutionstribunal Olympe de Gouges köpfen, in einem Zeitungsnachruf stand: »Ein Staatsmann wollte sie sein; das Gesetz wird diese Verschwörerin wohl dafür bestraft haben, dass sie vergessen hatte, was sich für ihr Geschlecht ziemt.«

Doch das Versprechen von Freiheit und Gleichheit war in der Welt. In den Revolutionen gegen die Fürsten des 19. Jahrhunderts kämpften Frauen mit auf den Barrikaden, wie etwa in Deutschland Emma Herwegh, die 1848 mit ihrem Mann und einer Freiwilligen-Truppe nach Baden zog, um den Aufständischen zu helfen.

Unter den »Achtundvierzigerinnen« waren viele Frauenrechtlerinnen wie zum Beispiel Louise Otto-Peters. Frauenorganisationen und -zeitschriften wurden gegründet. Frauen saßen auf den Tribünen der Nationalversammlung in der Frankfurter Paulskirche und in den regionalen Parlamenten, als die Deutschen zum ersten Mal versuchten, eine Demokratie zu werden, in der alle Bürger – und Bürgerinnen! – Wahlrecht hatten. Es war der Beginn der ersten Frauen-

Die sozialistischen Politikerinnen Clara Zetkin (links) und Rosa Luxemburg, 1910

bewegung. Sie forderte neben dem Wahlrecht für Frauen das Recht auf Bildung und auf bezahlte Arbeit.

Die Bewegung entfaltete und spaltete sich in der schwierigen Zeit der Industrialisierung, also der neuen Massenproduktion von Waren in Fabriken: Die Unternehmer brauchten dafür billige Arbeitskräfte, und die allerbilligsten waren Frauen und Kinder. Die »Frauenfrage« wurde je nach Herkunft und politischem Standpunkt beantwortet. Da gab es die »bürgerliche« Frauenbewegung mit Helene Lange, nach der heute etliche Schulen benannt sind: Sie wollte höhere Bildung für Frauen, ihre Zulassung zum Studium und zu akademischen Berufen. Aber sie zweifelte nicht an der »natürlichen« Arbeitsteilung – Kinder und Haushalt: Frauensache!

So waren Frauen auch in der Meinung vieler politisch aktiver Frauen zuerst Mütter. Diese besondere Sicht und Wertschätzung der Mutterschaft war eine deutsche Spezialität. In anderen Ländern war das anders: In keiner europäischen Sprache gibt es zum Beispiel das Schimpfwort »Rabenmutter« für Frauen, denen auch der Beruf wichtig ist und die sich außerhalb des Hauses und des Haushalts betätigen. Bei uns schon.

Doch es gab auch radikalere Frauen, Hedwig Dohm etwa, die Schwiegermutter des berühmten Schriftstellers Thomas Mann. Mit Schärfe und Witz kämpfte sie schon in den siebziger Jahren des 19. Jahrhunderts für die volle private und staatsbürgerliche Gleichberechtigung.

»Warum ist die Frau gleichgestellt Idioten und Verbrechern?«, fragte Hedwig Dohm 1876. »Nein, nicht Verbrechern. Der Verbrecher wird nur zeitweise seiner politischen Rechte beraubt, nur die Frau und der Idiot gehören in dieselbe politische Kategorie.« Damit meinte sie, dass Frauen, ebenso wie Verbrecher, nicht wählen durften.

Wahlrecht für alle – endlich!

Die Arbeiterfrauen hatten zum Teil andere Probleme als die gebildeten, bürgerlichen Frauenrechtlerinnen. Sie wollten vor allem die Not der Fabrikarbeiterinnen lindern. Ihre großen Wortführerinnen waren Rosa Luxemburg und Clara Zetkin. Die beiden Frauen gehörten vor dem und im Ersten Weltkrieg auch zur internationalen Frauen-Antikriegsbewegung.

1918 bekamen Frauen in Deutschland das Wahlrecht. In politische Macht verwandelten sie es aber nicht. Sie wählten genauso unklug wie die Männer! Die Nationalsozialisten erhielten 1933 ebenso viele Stimmen von Frauen wie von Männern. Adolf Hitler hatte ihnen versprochen, in seinem Staat könnten Frauen wieder »echte« Frauen sein, sich »Mutterkreuze« verdienen (in-

Viele Frauen sind heute im Beruf erfolgreich, aber manche erleben immer noch Benachteiligungen durch ihre männlichen Chefs

Die SPD-Politikerin Elisabeth Selbert (1896-1986) kämpfte erfolgreich dafür, dass der Satz »Männer und Frauen sind gleichberechtigt« in unsere Verfassung aufgenommen wurde

dem sie besonders viele Kinder bekamen) und in NS-Frauenorganisationen sogar ein bisschen Macht ausüben.

Neue Frauen, neue Männer

Nach dem Zweiten Weltkrieg, als die Nazidiktatur zerschlagen war, geschah etwas Sensationelles, und es war vor allem einer Frau zu verdanken. Die Sozialdemokratin Elisabeth Selbert sorgte dafür, dass der schlichte, aber heiß umkämpfte Satz »Männer und Frauen sind gleichberechtigt« in das Grundgesetz kam. Was natürlich erst einmal gar nichts hieß: In den fünfziger Jahren ging alles ziemlich traditionell weiter, die Frauen kümmerten sich um die Familien und hatten mit Politik nicht viel im Sinn. Dann kamen, in den sechziger Jahren, die Studentinnen und Studenten. Sie wollten das Land verändern: Sie wollten es moderner und toleranter machen und mehr Rechte für die Bürger erkämpfen – und für die Frauen. Diejenigen, die sich besonders dafür einsetzten, nannten sich nun nicht länger Frauenrechtlerinnen, sondern nach amerikanischem Vorbild Feministinnen. Die berühmteste unter ihnen: die Journalistin Alice Schwarzer.

Diese zweite deutsche Frauenbewegung hat unser Leben sehr verändert. Frauen erkannten, dass ihr Verhältnis zu Freund, Ehemann und ihren Kindern ihre öffentliche Rolle und ihre Lebenschancen bestimmt. Darüber mussten sie sich erst einmal selbst klar werden. Heute geht die Frauenfrage beide Geschlechter an – Frauen *und* Männer, Mädchen *und* Jungen sind nun aufgefordert, sich von ihren althergebrachten Rollen zu lösen und zu überlegen, wie sie eigentlich frei und gleichberechtigt zusammenleben können. Der große Immanuel Kant, der ewige Junggeselle, würde vielleicht sogar, lebte er heute, auch dem »Weibe« Vernunft und Emanzipation zutrauen.

Empfängnisverhütung: Vier verschiedene Methoden:
1. Kondom (oben links), 2. Scheidendiaphragma (oben rechts),
3. Intrauterin-Pessar, auch Spirale genannt (unten links),
4. Antibabypille (unten rechts)

jede Frau abgestimmt sein. Etwas weniger zuverlässig sind das Intrauterinpessar, das Kondom oder die Temperaturmethode. Das *Intrauterinpessar (»Spirale«)* ist ein Körper aus Metall oder Kunststoff in Form einer Spirale, Schleife u. Ä., der vom Frauenarzt in die Gebärmutterhöhle eingesetzt wird. Hier verhindert er die Einnistung des Eis oder die Befruchtung. Um Nebenwirkungen oder Schädigungen zu verhindern, muss ein Intrauterinpessar regelmäßig vom Frauenarzt kontrolliert werden. Das *Kondom* ist ein dünner Überzug für das männliche Glied, der die Spermien zurückhält. Beim Kondom sollte man auf das Herstellungsdatum, auf die Qualität und die richtige Anwendung achten. Bei der *Temperaturmethode* muss die Frau morgens nüchtern die Körpertemperatur messen. Da die Körpertemperatur vom 1.–2. Tag nach dem Eisprung 0,5 °C höher ist als in der ersten Zyklushälfte, können die fruchtbaren Tage bestimmt werden. Weniger zuverlässig sind dagegen *chemische Stoffe* (z. B. Schaumspray), die vor dem Geschlechts verkehr in die Scheide eingeführt werden und die Spermien abtöten, und das *Diaphragma,* eine Gummimembran, die in die Scheide eingeführt und über den Gebärmutterhals gestülpt wird. Zu den unzuverlässigen Methoden zählt der *unterbrochene Beischlaf (Coitus interruptus),* wobei der Penis vor dem Samenerguss aus der Scheide gezogen wird, und die *Knaus-Ogino-Methode,* bei der die unfruchtbaren Tage ausgenutzt werden. Da alle Methoden zur Empfängnisverhütung Vor- und Nachteile haben, sollte man sich persönlich vom Arzt beraten lassen.

Empire [das], **1.** [ˈɛmpaiə], das frühere britische Reich. **2.** [ãˈpiːr], ein Kunst- und Modestil in Frankreich zur Zeit Napoleons I., ein geradliniger, strenger Stil, der sich auf die Antike bezog.

Emu [der], ein großer straußenähnlicher, flugunfähiger Laufvogel Australiens. Er kann im schnellen Lauf bis 55 km/h erreichen.

Emulsion [die], die feine Verteilung einer Flüssigkeit in einer anderen, nicht mit ihr mischbaren Flüssigkeit, z. B. Öl-in-Wasser-Emulsion (Milch) oder Wasser-in-Öl-Emulsion (Butter).

Ende, Michael, * 1929, † 1995; deutscher Schriftsteller. Er schrieb fantasievolle Erzählungen für Kinder, Jugendliche und Erwachsene: »Jim Knopf und Lukas, der Lokomotivführer«, »Momo«, »Die unendliche Geschichte«.

Endlagerung [die], die endgültige Einlagerung der nicht wiederverwertbaren radioaktiven Abfälle, die bei der Erzeugung von Kernenergie entstehen.

Endorphine, *endogene Morphine,* körpereigene Wirkstoffe, die im Zentralnervensystem gebildet werden und opiatähnliche, schmerzlindernde Wirkung haben.

Was ist … Energie

Energie ist nach einer älteren Definition die Fähigkeit, Arbeit zu verrichten. Heute definiert man Energie als eine Messgröße, die auf verschiedene Weise in Erscheinung treten kann, deren Zahlenwert aber immer gleich bleibt. Es gibt also unterschiedliche Energieformen, die nicht erzeugt oder vernichtet, aber ineinander umgewandelt werden können. So wird u. a. zwischen Lage-, kinetischer, mechanischer, elektrischer, magnetischer, chemischer, Kern- oder Ruhe-Energie unterschieden. Die Einheit der Energie ist das Joule (J) bzw. die Wattsekunde (Ws). Die Teilchen- und Kernphysik benutzt zudem die Einheit Elektronenvolt (eV). Der Energiebegriff wurde Anfang des 20. Jh. erweitert. Die Erkenntnis, dass Atome nicht stetig Energie in Form von Lichtstrahlung aufnehmen oder abgeben, sondern nur ganz bestimmte (»diskrete«) Energiebeträge, führte zum Begriff des Energiequantums. Das Äquivalenzprinzip der Relativitätstheorie besagt schließlich, dass Masse und Energie gemäß der Formel $E = m \cdot c^2$ äquivalent sind: Der gesamte Energiebetrag, der von einem Körper freigesetzt wird, ist demnach das Produkt aus seiner Masse m und dem Quadrat der Lichtgeschwindigkeit im leeren Raum. Auf dieser Formel basiert z. B. die Gewinnung von Kernenergie.

Energieerzeugung: Die Umwandlung einer Energieform in eine andere beruht auf dem physikalischen Satz von der Erhaltung der Energie. Er besagt, dass Energie nicht verloren gehen kann, sondern nur in eine andere Energieform umgewandelt wird. Darauf beruhen z. B. Generatoren zur Erzeugung elektrischer Energie. Bei jeder Umwandlung tritt Energieverlust ein, da ein Teil der Energie als Wärme verloren geht. Jede Freisetzung von Energie bedeutet auch eine Energieumwandlung. Die heute in Haushalten und Industrie benötigte elektrische Energie entsteht überwiegend durch Verbrennung fossiler Brennstoffe, z. B. Erdöl und Erdgas, oder durch Kernbrennstoffe wie Uran, was teilweise mit erheblichen Umweltproblemen verbunden war und ist. Bei den erneuerbaren Energien wird die in Wind, Wasser und Sonnenstrahlung vorhandene Energie in elektrische umgewandelt. Letztlich stammt jede erneuerbare Energie von der Sonne, weswegen man hier tatsächlich von einer »unerschöpflichen Energiequelle« sprechen kann. Diese Energieform wird jedoch u. a. wegen hoher Kosten und Wetterabhängigkeit bisher nur in geringem Maß genutzt. Trotz des technischen Fortschritts, der zu immer effizienterer Nutzung von Energie führt, gibt es immer noch einen enormen Entwicklungsbedarf, da derzeit ein Vielfaches der Energiemenge verbraucht wird, die erneuerbare Energiequellen zur Verfügung stellen können. Somit ist das Thema »Energiesparen« zu einem festen Bestandteil der öffentlichen Diskussion geworden.

Energiebedarf der Organismen: Alle Organismen nehmen aus ihrer Umwelt Stoffe auf, verarbeiten sie und geben andere Stoffe ab. Die aufgenommenen Stoffe sind Energielieferanten, da die in ihnen enthaltene chemische Energie für verschiedene Arbeitsleistungen verwendet wird (Betriebsstoffwechsel). Eine Tafel Schokolade bei-spielsweise hat rund 2100 kJ. Dieselben Substanzen dienen zum Aufbau oder zur Erneuerung von Strukturen des Organismus (Baustoffwechsel). Beide Vorgänge sind miteinander verzahnt und voneinander abhängig. Die Fülle aller Stoffumsetzungen im Organismus ist der Stoffwechsel (Metabolismus).

Energiewirtschaft [die], der Wirtschaftszweig, der sich mit der Bereitstellung der für den privaten und industriellen Verbrauch benötigten Energie befasst. Seine Aufgabe sind die Erschließung und Bereitstellung von Energiequellen und Energievorräten. Die bedeutendste Energiequelle ist heute die Elektrizität, die aus Kohle, Rohöl oder Wasserkraft gewonnen wird. In der Industrie kommt dem Gas eine besondere Bedeutung zu. Die → Kernenergie hat einen relativ geringen Anteil an der Energieversorgung. In Zukunft wird eine größere Nutzung der erneuerbaren Energiequellen angestrebt, da dies mit einer geringen Umweltbelastung verbunden ist, z. B. → Sonnenenergie, Windenergie, Gezeitenenergie und geothermische Energie.

engagieren [ãga'ʒiːrən], **1.** jemanden verpflichten. **2.** sich ernsthaft für etwas einsetzen.

Engels, Friedrich, * 1820, † 1895; deutscher Sozialist, engster Mitarbeiter von Karl *Marx.* Der Sohn eines Fabrikanten trat 1847 dem »Bund der Kommunisten« bei und verfasste 1848 mit K. Marx das »Kommunistische Manifest«. Nach der Teilnahme an dem gescheiterten pfälzischen Aufstand floh er 1849 nach England und wurde nach dem Tode von Marx zum Führer der marxistischen Bewegung.

England, das Stammland des Vereinigten Königreichs von → Großbritannien und Nordirland.

Enklave [die, franz., »Einschluss«], der Gebietsteil eines fremden Staates, der vom eigenen Staatsgebiet umschlossen wird. Gegensatz: *Exklave.*

Entdeckungsgeschichte [die], berichtet von der Entdeckung und Erforschung bisher unbekannter Gebiete der Erde. In der Frühzeit brach man nach fremden Ländern auf, um mit ihnen Handel zu treiben oder kriegerische Eroberungen zu machen, auch Abenteuerlust spielte eine Rolle; wissenschaftliches Interesse kam erst später hinzu.

Den Phöniziern, Karthagern, Griechen und Römern waren der Mittelmeerraum, das Schwarzmeergebiet und der Vordere Orient gut bekannt, zum Teil auch die Küsten Afrikas. Im 4. Jh. v. Chr. kam *Alexander der Große* bis nach Indien, und *Pytheas von Massilia* erreichte England und Norwegen, vielleicht auch die Ostsee. Im 8. Jh. entdeckten irische Mönche Island. Wikinger erreichten im 10. Jh. Grönland, und Leif *Eriksson* betrat um 1000 erstmals amerikanischen Boden, doch ging die Kenntnis von dieser Entdeckung wieder verloren. Marco *Polo* bereiste im 13. Jh. Persien, Zentralasien und China und kam bis an die Küste des Stillen Ozeans. Arabische Reisende besuchten Mittelafrika und Madagaskar; der Marokkaner Ibn *Battuta* gelangte im 14. Jh. nach Ostasien und Indonesien.

Die große Zeit der Entdeckungen begann gegen Ende des 15. Jh. Die Seefahrer machten sich neue Erfindungen wie Kompass und Astrolabium zunutze. Führend waren zunächst Portugiesen und Spanier. 1487/1488 umsegelte Bartolomëu *Diaz* die Südspitze Afrikas. 1492 entdeckte *Kolumbus* die mittelamerikanischen Inseln, später auch das süd- und mittelamerikanische Festland, das er für Indien hielt. Das nordamerikanische Festland fand 1497 Giovanni *Caboto.* Vasco da *Gama* erreichte nach der Umschiffung Afrikas 1498 Indien auf dem Seeweg. 1519–1522 umsegelte Fernão de *Magalhães* erstmals die Welt. Im 16. Jh.

Enten: Das Männchen der Brautente hat ein grün schimmerndes Federkleid.

folgten viele weitere Entdeckungen; um 1600 konnten 40% der Festlandfläche und die Hälfte der Meeresfläche der Erde als bekannt gelten.

Im 17. und 18. Jh. übernahmen Holländer und Engländer die Führung, erreichten Australien, Tasmanien, Neuseeland und die Südsee. James *Cook* erforschte besonders den Stillen Ozean und entdeckte zahlreiche Inseln Ozeaniens (1768/1780). Im 19. und 20. Jh. gelang u. a. die Durchfahrt vom Europäischen Nordmeer bis zur Beringstraße (Adolf Erik von *Nordenskiöld*, 1878/1879). 1909 erreichte Robert Edwin *Peary* als Erster den Nordpol, 1911 Roald *Amundsen* – wenige Wochen vor seinem Rivalen Robert *Scott* – den Südpol. Vivian *Fuchs* und Edmund *Hillary* durchquerten 1957 die gesamte Antarktis auf dem Landweg. Große Fortschritte machte im 20. Jh. die Erforschung der Tiefsee. In jüngster Zeit haben die von Forschungssatelliten gelieferten Aufnahmen neue Erkenntnisse über die Gestalt der Erdoberfläche gebracht.

Enten [Pl.], Schwimmvögel, die über die ganze Erde verbreitet sind. Die Männchen *(Erpel)* haben oft ein farben prächtiges, metallisch glänzendes Gefieder, die Weibchen sind dagegen meist unscheinbar. Enten sind gute Schwimmer, da ihre Zehen durch Schwimmhäute verbunden sind. Ihre überwiegend pflanzliche Nahrung weiden sie vom Gewässerboden ab, indem sie mit dem Vorderkörper eintauchen und dabei den Schwanz senkrecht aus dem Wasser strecken. Die meist weiße Hausente stammt von der *Stockente* ab, die in Europa am weitesten verbreitet ist.

Entwicklungshilfe [die], Hilfeleistungen der Industrieländer oder internationaler Organisationen an die *Entwicklungsländer* mit dem Ziel, deren wirtschaftliche und soziale Verhältnisse zu verbessern. Im Mittelpunkt der Hilfe steht die Kapitalhilfe, meist die Gewährung von Krediten. Von großer Bedeutung ist aber auch die Entsendung von Planern und Beratern sowie der Aufbau eines allgemein und berufsbildenden Schulsystems. Dabei geht man zunehmend dazu über, Hilfe zur Selbsthilfe zu leisten. Das bedeutet, dass man die Menschen in die Lage versetzt, sich in Zukunft selbst zu versorgen. In Deutschland ist das Bundesministerium für wirtschaftliche Zusammenarbeit für die Entwicklungshilfe zuständig. Die Ergebnisse der Entwicklungshilfe sind den Erwartungen aber bisher nicht nachgekommen. Darum fordern die Entwicklungsländer immer deutlicher eine neue Weltwirtschaftsordnung, die ihre Interessen stärker berücksichtigt, um einen Konflikt (Nord-Süd-Konflikt) zwischen den Industrieländern und den Entwicklungsländern zu vermeiden.

Entwicklungsländer: Auf Mülldeponien suchen Straßenkinder nach Dingen, die noch zu gebrauchen sind.

Entwicklungsländer [Pl.], *Dritte Welt,* Länder, deren wirtschaftlicher Entwicklungsstand weit hinter dem der Industriestaaten zurücksteht. In diesen Ländern leidet ein Großteil der Bevölkerung oft unter Armut und Hunger; die Lebenserwartung der Menschen ist relativ niedrig, der Anteil der Analphabeten an der meist rasch wachsenden Bevölkerung hoch. Die Wirtschaftsstruktur ist geprägt durch eine einseitige Orientierung auf Landwirtschaft und Bergbau; die zumeist sehr hohe Auslandsverschuldung hemmt die weitere wirtschaftliche Entwicklung dieser Länder. Die Gruppe der Entwicklungsländer ist äußerst uneinheitlich. Daher gliedert man als Sondergruppen die am meisten unterentwickelten Länder (engl.: least developed countries, Abk. LDC) und die Schwellenländer aus. Die *am meisten unterentwickelten Länder* umfassen eine Gruppe von über 40 Staaten, die zum Großteil im mittleren Afrika, daneben aber auch in Süd- und Mittelasien (z. B. Afghanistan, Bangladesch, Vietnam) liegen. Als *Schwellenländer* bezeichnet man Länder, deren Industrialisierung schon weit fortgeschritten ist und die somit an der »Schwelle« zu einem Industrieland stehen. Zu ihnen gehören viele latein-amerikanische Staaten (z. B. Brasilien, Mexiko), die europäischen Staaten Griechenland und Portugal sowie vor allem die ost- und südostasiatischen Staaten (z. B. Singapur, Malaysia, Taiwan), die in den letzten Jahren ein besonders hohes Wirtschaftswachstum erzielen konnten. Eine Sonderstellung nehmen die Länder des ehemaligen Ostblocks ein, die sich alle in einer mehr oder weniger schweren Umstellungskrise befinden.

Entzündung [die], ein Abwehrvorgang des Körpers gegen schädigende Reize (z. B. Infektion mit Bakterien, Insektenstiche, Sonnenbrand). Das angegriffene Gewebe wird stärker durchblutet. Weiße Blutkörperchen vernichten die geschädigten Zellen und die eingedrungenen Erreger *(Eiterbildung).*

Enzian [der], eine Gattung von Gebirgspflanzen mit meist blauen oder violetten, glockenförmigen Blüten auf kurzem Stiel.

Enzyklika [die], ein Rundschreiben des Papstes an die Bischöfe oder an alle Gläubigen.

Enzyklopädie [die], ein umfassendes Nachschlagewerk, das das Wissen der Zeit nach Themen oder nach dem Alphabet geordnet darstellt.

Enzyme [Pl.], *Fermente,* in den Zellen von Pflanzen, Tieren und Menschen gebildete Eiweißstoffe, durch deren Wirkung die gesamten chemischen Umwandlungen im Organismus erst ermöglicht werden. Man kennt heute etwa 1000 Enzyme. Für fast jede Reaktion ist ein besonderes Enzym zuständig.

Epidemie [die], eine Seuche, die schnelle Ausbreitung einer Infektionskrankheit in einem bestimmten Gebiet, z. B. können Cholera, Typhus oder Grippe als Epidemie auftreten.

Was ist …
Epik

Epik ist die Sammelbezeichnung für verschiedene Formen der erzählenden Literatur. Charakteristisch für die gesamte Epik ist die im Vergleich zum Drama und zur Lyrik große Vielfalt. Zu den epischen Großformen gehört das in Versen verfasste Epos, die früheste schon in der Antike bekannte Form erzählender Dichtung, und der in Prosa geschriebene Roman. Dieser zeichnet sich aus durch große Ausführlichkeit im Detail, nebeneinanderlaufende oder ineinanderverwobene Handlungsstränge, einen großen Reichtum an Figuren sowie auch philosophische oder essayistische Einlagen. Zu den mittleren Formen zählen Novelle und Erzählung, zu den Kurzformen Kurzgeschichte, Ballade und Romanze. Einfache Formen sind Märchen, Sage, Legende, Fabel, Schwank, Witz und Rätsel.

Handlung und Erzählverhalten: Dem epischen Geschehen liegt ein erfundenes, vergangenes Geschehen zugrunde, d. h., epische Texte geben keine tatsächlichen Ereignisse wieder, sondern stellen Begebenheiten dar, die so hätten geschehen können. Aus diesem Grund wird als Zeitform meist die Vergangenheit (Präteritum) gewählt. Epische Texte erzählen auch Geschichten, die sich über große Zeiträume erstrecken. Mit Mitteln der Zeitraffung und Zeitdehnung, der Rückblende und Vorausdeutung kann das Erzähltempo verändert und die Abfolge der Ereignisse verkehrt werden.

Erzählperspektiven: Das Geschehen kann aus verschiedenen Blickwinkeln erzählt werden. Beim Erzähler, der mit dem Autor nicht identisch sein muss, handelt es sich um eine erdachte (fiktive) Figur, die als Vermittler zwischen Autor und dem Geschehen steht. Außerdem überbrückt sie den Abstand zwischen Ereignissen und dem Zuhörer bzw. dem Leser und ermöglicht dem Autor verschiedene Erzählweisen. Häufiger ist der Er-Erzähler (in der dritten Person), seltener der Ich-Erzähler. Der Erzähler kann allwissend sein und in das Geschehen eingreifen (auktoriale Erzählsituation); er kann die Handlungen durch die Figuren selbst erschließen (personale Erzählsituation) oder als Erzähler gar nicht mehr zu erkennen sein (neutrale Erzählsituation). Die erlebte Rede und der innere Monolog entwickelten sich aus der personalen und neutralen Erzählperspektive.

Epilepsie [die], eine in Anfällen auftretende Erkrankung des Gehirns, bei der es zu plötzlicher Bewusstlosigkeit, Krämpfen und Gliederzucken kommt. Die Epilepsie kann ererbt oder erworben sein, z. B. durch Gehirnschädigungen bei der Geburt, Infektionen oder Verletzungen des Gehirns. Durch Medikamente können die Anfälle unterdrückt werden.

Epilog [der], Schlusswort, Schlussrede, Schlussteil eines Romans oder Dramas.

Episode [die], ursprünglich im Bühnenspiel oder Roman eine eingeschobene (Neben-)Handlung; heute allgemein ein belangloses Geschehen.

Epistel [die], ein Brief, besonders die Briefe der Apostel im Neuen Testament.

Epizentrum [das], der Ort an der Erdoberfläche, der direkt über dem Zentrum eines Erdbebens liegt.

Epoche [die], ein Zeitabschnitt, eine Periode, ein geschichtlicher Zeitraum, der durch ein besonderes Ereignis, eine herausragende Person, eine geistige oder künstlerische Tendenz gekennzeichnet ist.

Epos [das], eine Form der *Epik,* eine in Versen abgefasste längere Erzählung, die meist von Helden oder Göttern handelt und vor historischem oder sagenhaftem Hintergrund spielt. Bekannte Beispiele sind die »Ilias« und die »Odyssee« von Homer, die »Göttliche Komödie« von Dante oder das »Nibelungenlied«. In neuerer Zeit wurde das Epos vom Roman abgelöst.

Equalizer ['ikwəlaizə, der, engl.], ein mehrstufiger Entzerrer in Hifi-Anlagen, bei dem bestimmte Bereiche des Klangspektrums einzeln ausgesteuert werden können. Dadurch soll eine bessere Anpassung an die Raumakustik erreicht werden.

Erasmus von Rotterdam, Desiderius, * 1469, † 1536; niederländischer Gelehrter, ein Hauptvertreter des *Humanismus.* Er verfasste philosophische Abhandlungen und brachte u. a. eine Ausgabe des Neuen Testaments in griechischer Sprache heraus.

Erbsünde [die], nach christlicher Lehre der sündenhafte Zustand, in den die Menschen durch Adams Ungehorsam geraten sind. Sie wird durch die Taufe aufgehoben.

Erdbeben [das], die Erschütterung der Erdoberfläche, die von tieferen Zonen der Erdkruste ausgeht. Man kennt Beben, die durch den Einsturz von Hohlräumen entstehen, solche, die durch Vulkanismus entstehen, und tektonische Beben, die durch Verschiebungen von großen Gesteinsschollen der Erdkruste verursacht werden. Direkt über dem Zentrum des Erdbebens, das bis 700 m tief liegen kann, befindet sich an der Erdoberfläche das *Epizentrum.* Hier wird das Beben am stärksten empfunden. Bei Seebeben liegt das Zentrum unter dem Meeresboden. Diese Beben rufen oft große Flutwellen hervor. Erdbeben breiten sich in Wellen z. T. über die ganze Welt aus. Sie können mit Seismographen gemessen werden. Die Erdbebenstärke wird nach der *Mercalli-* oder *Richterskala* gemessen. Auf der Erde gibt es bestimmte Zonen, in denen häufig Erdbeben auftreten. → Auch »Genauer betrachtet«, Seite 80.

Erde → Seite 84.

Erdgas [das], ein Gemisch aus leicht entzündlichen Gasen, vor allem *Methan.* Es besteht wie Erdöl aus Kohlenwasserstoffen und ist auch auf ähnliche Weise entstanden. Die Gase sammeln sich in den Hohlräumen über Erdöllagerstätten und strömen unter Druck an die Erdoberfläche. Erdgas wird immer bedeutender als Energielieferant und als Ausgangsstoff für Produkte der Petrochemie. Die USA unterhalten das größte Erdgasnetz der Welt.

Erdgeschichte [die] → Erdzeitalter.

Erdnuss [die], aus Südamerika stammender Schmetterlingsblütler. Die Samen werden roh oder geröstet gegessen und zur Ölgewinnung ausgepresst.

Erdöl [das], ein hell- bis schwarzbraunes, dünn- bis dickflüssiges Gemisch von Kohlenwasserstoffen, das sich in unterirdischen Hohlräumen oder lockeren Gesteinen ansammelt. Es entstand in vorgeschichtlicher Zeit, vermutlich aus Ablagerungen von pflanzlichen und tierischen Kleinstlebewesen auf dem Meeresboden. Erdöl wird durch Tiefbohrungen gewonnen und durch Pipelines zu den *Raffinerien* befördert. Es hat besondere Bedeutung für die Energiegewinnung, wird aber auch zu Arzneimitteln oder Kunststoffen weiterverarbeitet. Ein Rückstand der Erdölverarbeitung ist der *Asphalt.*

Genauer betrachtet …
Erdbeben

Jahr	Ort und Land	Tote
2001	Gujarat (Indien)	25 000
2003	Bam (Iran)	35 000
2004	Indischer Ozean (Indonesien, Thailand, Sri Lanka, Indien, Malediven)	250 000
2005	Kaschmir (Pakistan)	75 000
2006	Java (Indonesien)	5 000
2007	Pisco (Peru)	500

Genauer betrachtet …
Erdteile

Name	Fläche in Mio. km²	Einwohner in Mio.
Afrika	30,30	906
Amerika	42,30	892
Asien	44,80	3957
Australien und Ozeanien	8,60	33
Europa	9,80	676
Antarktis	13,20	–
insgesamt	**149,00**	**6464**

Erdteile [Pl.], *Kontinente,* die Festlandsgebiete der Erde, die meist durch Meere voneinander getrennt sind, nur Europa und Asien gehen ineinander über (Eurasien). Man unterscheidet: Europa, Asien, Afrika, Amerika, Australien und Antarktis. Auch → »Genauer betrachtet«.

Erdung [die], die Verbindung eines Pols elektrischer Anlagen oder Teilen von Geräten und Maschinen mit der Erde. Bei fehlerhaften Geräten wird so der elektrische Strom direkt abgeleitet, und die Berührung des Geräts ist ungefährlich.

Erdzeitalter [Pl.], Abschnitte der Erdgeschichte, die anhand der Altersbestimmung von Gesteinsschichten der Erdkruste und der in ihnen enthaltenen → Fossilien bestimmt werden. Auch → »Genauer betrachtet«.

Erektion [die], das Anschwellen und die Versteifung des männlichen Gliedes *(Penis)* und des weib-

Genauer betrachtet …

Erdzeitalter

Beginn vor Mio. Jahren	Dauer in Mio. Jahren	Erdzeitalter	Formation	Abteilung	Erdgeschichtliche Vorgänge
2	2	Neo- oder Känozoikum (Erdneuzeit)	Quartär	Holozän (Alluvium, Nacheiszeit)	Postglazialer Meeresspiegelanstieg Entwicklung der heutigen Küstenlinien
				Pleistozän (Diluvium, Eiszeit)	Vereisung der Nordhalbkugel, Hebung der zentraleuropäischen Mittelgebirge, abklingender Vulkanismus
65	63		Tertiär	Jungtertiär (Neogen): Pliozän, Miozän	Alpidische Gebirgsbildung auf der ganzen Erde, starker Vulkanismus, Einbruch des Mittelländischen Meeres
				Alttertiär (Paläogen): Oligozän, Eozän, Paläozän	
135	70	Mesozoikum (Erdmittelalter)	Kreide	Obere Kreide	Ablagerungen des Kreidemeeres, Beginn der alpidischen Gebirgsbildung, auflebender Vulkanismus
				Untere Kreide	
190	55		Jura	Malm (Weißer Jura)	Weite Meeresüberflutungen (Tethys im Bereich Mittelmeer–Alpen)
				Dogger (Brauner Jura)	
				Lias (Schwarzer Jura)	
220	30		Trias	Keuper	Keine größeren tektonischen Ereignisse, wüstenhaftes Festland herrscht vor
				Muschelkalk	
				Buntsandstein	
280	60	Paläozoikum (Erdaltertum)	Perm	Zechstein Rotliegendes	Abklingen der variszischen Gebirgsbildung, Vereisung auf der Südhalbkugel, Kali- und Salzablagerungen in Zechstein-Meeren
350	70		Karbon	Oberkarbon	Rückgang der Meeresüberflutungen, Vereisung der Südhalbkugel, variszische Gebirgsbildung mit starkem Vulkanismus, große Sumpfwälder als Grundlage späterer Steinkohlebildung
				Unterkarbon	
400	50		Devon	Oberdevon	Weite Meeresüberflutungen, Ausklingen der kaledonischen, Beginn der variszischen Gebirgsbildung
				Mitteldevon	
				Unterdevon	
440	40		Silur (Gotlandium)	Obersilur	Kaledonische Gebirgsbildung (besonders in Nordeuropa), Vulkanismus, Salze in Nordamerika und Sibirien
				Untersilur	
500	60		Ordovizium	Oberordovizium	Beginn der kaledonischen Gebirgsbildung, zum Teil Vulkanismus
				Unterordovizium	
580	80		Kambrium	Oberes Kambrium	Ablagerung der ersten fossilführenden Sedimente
				Mittleres Kambrium	
				Unteres Kambrium	
~2600	2000	Präkambrium (Proterozoikum, Urzeit)	Algonkium (Jungproterozoikum)	Oberes Algonkium, Jungalgonkium	Erste gebirgsbildende und vulkanische Vorgänge
				Unteres Algonkium, Altalgonkium	
~4500	1900		Archaikum (Altproterozoikum)		Bildung der Urkontinente und Urmeere
		Erdurzeit			Erde im Zustand eines glühenden Planeten

lichen Kitzlers *(Klitoris)* bei sexueller Erregung. Sie kommt dadurch zustande, dass vermehrt Blut in die *Schwellkörper* strömt.

Erfurt, Hauptstadt Thüringens, 202 000 Einwohner. Erfurt war im Mittelalter Mitglied der *Hanse* und ist heute ein Wirtschafts-, Kultur- und Verkehrszentrum.

Grönland
(Dän.)
Island
Alaska
(USA)
Kanada
Vereinigte Staaten von Amerika
Irland
Portugal
Marokko
Sahara
Mauretanien
Senegal
Gambia
Guinea-Bissau
Guinea
Sierra Leone
Liberia
Côte
d' Ivoire
Hawaii
(USA)
Kuba
Bahamas
Dominik.
Rep.
Jamaika
Haiti
Puerto Rico
(USA)
Mexiko
Belize
Guatemala
Honduras
El Salvador
Nicaragua
Costa Rica
Panama
Trinidad u.
Tobago
Venezuela
Guyana
Suriname
Franz.-Guyana
Kolumbien
Ecuador
Galapagos
Polynesien
Marquesas
Franz.-Polynesien
Tahiti
Tuamotu
(Frankr.)
Brasilien
Peru
Bolivien
Paraguay
Chile
Osterinsel
Uruguay
Argentinien
1 Serbien
2 Montenegro
0
1000
2000
3000
4000
5000
6000 km
Antarktis

Norwegen
Schweden
Finnland
Estland
Lettland
Litauen
Russland
Weißrussland
Polen
Tschech. Rep.
Slowakei
Ukraine
Österreich
Ungarn
Moldova
Kroatien
Rumänien
Bulgarien
Italien
Makedonien
Albanien
Griechenland
Türkei
Georgien
Armenien
Aserbaid.
Russland
Kasachstan
Mongolei
Usbekistan
Kirgisien
Turkmenistan
Tadschikistan
China
Nordkorea
Südkorea
Japan
Zypern
Syrien
Libanon
Israel
Irak
Iran
Jordanien
Afghanistan
Libyen
Ägypten
Saudi-Arabien
Pakistan
Nepal
Bhutan
Katar
Ver. Arab. Emirate
Bangladesch
Myanmar
Taiwan
Indien
Oman
Laos
Tschad
Eritrea
Jemen
Vietnam
Philippinen
Sudan
Thailand
Kambodscha
Zentralafrikan. Rep.
Äthiopien
Sri Lanka
Brunei
Malaysia
Somalia
Dem. Rep. Kongo
Äquatorial-guinea
Uganda
Kenia
Rep. Kongo
Ruanda
Burundi
Tansania
Indonesien
Osttimor
Papua-Neuguinea
Salomonen
Marshall-Inseln
Mikronesien
Karolinen
Gilbert-Inseln
Melanesien
Madagaskar
Angola
Sambia
Malawi
Mosambik
Mauritius
Namibia
Simbabwe
Botswana
Réunion (Frankr.)
Swasiland
Lesotho
Südafrika
Australien
Vanuatu
Fidschi
Neukaledonien (Frankr.)
Neuseeland

Mehr wissen ...

Unser »blauer Planet«: die Erde

Die Erde ist von der Sonne aus gesehen nach Merkur und Venus der dritte und an Umfang der größte der inneren Planeten unseres Sonnensystems. Als Folge einmaliger chemisch-physikalischer Bedingungen und eines mittleren Sonnenabstands von 149,6 Mio. km ist die Erde der einzige belebte Planet unseres Sonnensystems. Mit einer durchschnittlichen Oberflächentemperatur von 15 °C (zum Vergleich: Venus +470 °C, Neptun –200 °C) nimmt die Erde eine für die Entfaltung von Lebensformen günstige Mittelstellung ein.

Während ihres Mondflugs 1972 machten die Astronauten von Apollo 17 die erste Aufnahme der Erde in ihrer gesamten Sphäre.

Bewegungen der Erde:

Die Erde umkreist die Sonne mit einer durchschnittlichen Geschwindigkeit von 29,78 km in der Sekunde in 365 Tagen, 5 Stunden, 48 Minuten und 46 Sekunden auf einer schwach elliptischen Bahn. Außerdem rotiert die Erde von Westen nach Osten in 23 Stunden, 56 Minuten und 4 Sekunden einmal um ihre eigene Achse. Der dabei jeweils der Sonne zugekehrte Teil ihrer Oberfläche hat Tag, der abgewandte Nacht. Infolge der Schrägstellung der Erdachse zur Bahn der Erde um die Sonne ergibt sich der wechselnde Sonnenstand im Verlauf des Jahres, was zur Entstehung von *Jahreszeiten* und zur unterschiedlichen Dauer von Tag und Nacht führt. Nur am 21. März und 23. September, wenn die Sonne am Äquator im Zenit steht, sind Tag und Nacht gleich lang. Am 21. Juni steht die Sonne am nördlichen Wendekreis (23° 26′) im Zenit, auf der Nordhalbkugel ist Sommer, nördlich des Polarkreises (66° 34′) geht die Sonne überhaupt nicht unter. Im Jahresverlauf werden die Tage auf der Nordhalbkugel wieder kürzer und erreichen am 23. September die Tagundnachtgleiche. Am 21. Dezember herrscht vom Nordpol bis zum nördlichen Polarkreis die Polarnacht, d.h., die Sonne geht überhaupt nicht auf.

Größe und Gestalt:

Die Erde hat die Form einer an den Polen leicht abgeplatteten Kugel. Daher ist der Äquatorradius mit 6378 km größer als der Polarradius mit 6356 km und der Äquatorumfang mit 40 075 km größer als der Meridianumfang mit 40 007 km. Die Oberfläche der Erde beträgt 510 Mio. km^2, davon bestehen nur 29% (149 Mio. km^2) aus Festland, 71% (361 Mio. km^2) sind von Wasser bedeckt. Dabei ist die Verteilung auf den beiden Halbkugeln ungleichmäßig: Während auf der Nordhalbkugel 100 Mio. km^2 (39%) aus Festland bestehen und 155 Mio. km^2 (61%) mit Wasser bedeckt sind, beträgt die Festlandsfläche auf der Südhalbkugel nur 49 Mio. km^2 (19%), die Wasserfläche dagegen mit 206 Mio. km^2 (81%). Die mittlere Höhe des Festlands beträgt 875 m, die größte Höhe 8846 m; die mittlere Tiefe des Meeres liegt bei

3790 m, die größte gemessene Tiefe beträgt 11 034 m. Der Orientierung auf der Erde und der geographischen Ortsbestimmung dient ein Gradnetz aus Längen- und Breitengraden. Dabei verlaufen die 360 *Längenkreise (Meridiane)* durch den Nord- und Südpol und sind alle gleich lang. Ihr Abstand *(Längengrad)* beträgt am Äquator 111,31 km und ist am Pol gleich Null. Vom Äquator, der die Erdkugel in eine Nord- und Südhalbkugel teilt, zählt man nach Norden und Süden je 89 polwärts kürzer werdende Breitenkreise, der 90. Breitenkreis ist der geographische Pol. Ihr Abstand *(Breitengrad)* beträgt am Äquator 110,56 km, am Pol infolge der Abplattung der Erde 111,68 km.

Aufbau der Erde:

Die Erde hat einen Inhalt von 1083,3 Mrd. km^3, ihr Gewicht beträgt 5970 Trillionen Tonnen. Untersuchungen über die Fortpflanzungsgeschwindigkeit von Erdbebenwellen ergeben einen schalenförmigen Aufbau der Erde. Die äußere *Erdkruste* ist bis zu 70 km stark und besteht aus festen Gesteinen. Die Schicht nennt man *Erdmantel*. Sie reicht bis in eine Tiefe von 2900 km und besteht aus nicht flüssigem, doch fließfähigem Gesteinsmaterial. Die innerste Schale der Erde nennt man *Erdkern*. Der äußere Teil des Erdkerns besteht aus flüssigem Material, der innere Kern beginnt bei 5100 km Tiefe und ist fest. Die Temperatur steigt im Erdinnern mit der Tiefe und erreicht im Erdkern Werte von über 5000 °C.

Der Schalenaufbau der Erde mit innerem Kern, äußerem Kern, Erdmantel und Erdkruste. Die Blockdiagramme hier unten zeigen den genaueren Aufbau der Kruste: der linke Block stellt die kontinentale Kruste dar, der rechte Block skizziert die ozeanische Kruste.

Entstehung und Geschichte:

Die Erde entstand vor rund 4,5 Mrd. Jahren aus einer Staub- und Gaswolke gemeinsam mit der Sonne und den übrigen Planeten. Das Alter der ältesten Krustenbildung wird mit rund 3,75 Mrd. Jahren angegeben. Innere (endogene) Kräfte (z. B. Vulkanismus) und von außen wirkende (exogene) Kräfte (z. B. Wind und Wasser) formen und verändern die Erdoberfläche. So hat sich das Bild der Erde im Laufe ihrer Geschichte durch das Wandern der Kontinente sowie durch die großen Gebirgsbildungsvorgänge stark gewandelt. Gleichzeitig haben globale Klimaänderungen mit ihrem Wechsel von Kalt- und Warmzeiten die Verwitterungsverhältnisse auf der Erde geprägt, vor allem die Bedingungen für die Entfaltung von Lebensformen beeinflusst. Von diesen Veränderungen zeugen die Ablagerungen, von der fortschreitenden Entwicklung der Lebensformen die eingeschlossenen Fossilien. Die ersten Spuren des Lebens mögen etwa 3,35 Mrd. Jahre alt sein. Vor vermutlich 8 Mio. Jahren belebten die ersten Vormenschen die Erde.

Erhard, Ludwig, * 1897, † 1977; deutscher Wirtschaftswissenschaftler und Politiker (CDU). Er war 1949–1963 Bundeswirtschaftsminister und 1963 bis 1966 Bundeskanzler. Durch die Einführung der sozialen Marktwirtschaft war er maßgeblich am raschen Aufbau der deutschen Wirtschaft nach dem Zweiten Weltkrieg (»Wirtschaftswunder«) beteiligt.

Ländersteckbrief Eritrea

Fläche:	124 324 km²
Einwohner:	4,6 Millionen = 37 je km²
Hauptstadt:	Asmera
Religion:	Islam, koptisches Christentum
Amtssprache:	Arabisch, Tigrinya
Währung:	1 Nakfa = 100 Cents

Eritrea, Staat in Ostafrika.

Hinter einer trockenheißen Küstenzone erhebt sich das Bergland von Eritrea. Der Westen wird von einem gemäßigt trockenen Hochland eingenommen. Die Bevölkerung (Tigre, Tigrinya u. a.) bekennt sich v. a. zum Islam und zum koptischen Christentum. Die Landwirtschaft (Getreide, Kaffee, Baumwolle, Tabak) ist der wichtigste Wirtschaftszweig; die Industrie beschränkt sich auf Textil-, Zement- und Nahrungsmittelfabriken.

Geschichte: Eritrea war seit alters ein Teil Äthiopiens und wurde 1890 italienische Kolonie. 1941 kam das Gebiet zunächst unter britische Verwaltung. Auf Beschluss der UNO wurde Eritrea 1952 als autonomes Gebiet Äthiopien angeschlossen. Sezessionsbestrebungen des islamischen Eritrea gegenüber Äthiopien wurden von arabischen Staaten unterstützt und führten zu blutigen Auseinandersetzungen. 1991 endete der Bürgerkrieg. 1993 sprach sich die Bevölkerung in einem Referendum für die Unabhängigkeit Eritreas aus, die am 24. 5. 1993 ausgerufen wurde. Erster Staats- und Regierungschef wurde I. *Afewerki*. 1998 eskalierten Handels- und Grenzstreitigkeiten mit Äthiopien zum militärischen Konflikt, 2000 wurde ein Friedensabkommen geschlossen.

Eriwan, Hauptstadt von Armenien, in der Talebene des Aras, 1,2 Mio. Einwohner.

Was ist ... Ernährung

Ernährung beschreibt alle Vorgänge, durch die dem Organismus Stoffe von außen zugeführt werden, die notwendig sind, um die Lebensvorgänge aufrechtzuerhalten. Die Ernährung dient als Energiequelle aller körperlichen, geistigen und psychischen Leistungen (Betriebsstoffwechsel) und stellt die Stoffe für das Wachstum sowie für den Ersatz verbrauchter Substanzen (Baustoffwechsel) bereit.

Die Basis der Ernährung: Grüne Pflanzen leben autotroph, das heißt, sie gewinnen ihre organische Körpersubstanz aus anorganischem Material. Diese Umsetzung wird in der Photosynthese geleistet. In diesem Prozess wird mithilfe von Lichtenergie aus anorganischen Stoffen (z. B. Kohlendioxid) der Zucker Glucose aufgebaut. Diese ständige Syntheseleistung der grünen Pflanzen liefert die Existenzgrundlage für alle anderen Lebewesen (die meisten Bakterien, Pilze, Tiere, Mensch), die heterotroph sind, das heißt, die organische Ausgangsstoffe für ihren Stoffwechsel brauchen.

Die benötigten Nährstoffe: Im Tierreich bestehen große Unterschiede hinsichtlich des Nahrungsbedarfs. Je nach Art der bevorzugten Nahrung unterscheidet man bei Tieren Pflanzenfresser (Herbivora), Fleischfresser (Carnivora) und Allesfresser (Omnivora), zu denen auch der Mensch gehört. Der menschliche Organismus benötigt Proteine (Eiweiße), Kohlenhydrate und Fette als Grundnährstoffe, daneben aber auch Mineralstoffe (z. B. Calcium, Phosphor, Magnesium, Kalium, Schwefel), Vitamine, Spurenelemente (z. B. Eisen, Fluor, Jod, Kupfer, Zink), Ballaststoffe und Wasser. Um sich gesund zu ernähren, müssen dem Körper die für den Energie- und Baustoffwechsel erforderlichen Stoffe kontinuierlich in ausreichender Menge zugeführt werden. Während Kohlenhydrate und Fette v. a. die für den Betriebsstoffwechsel erforderliche Energie liefern, sind Proteine vorrangig beim Aufbau und Ersatz von Zellen und an der Bildung von Enzymen und Hormonen beteiligt. Dabei kann der Organismus manche Bausteine mithilfe seines Stoffwechsels selbst herstellen, andere lebenswichtige Substanzen müssen mit der Ernährung zugeführt werden: Es sind essenzielle Nahrungsbestandteile. Hierzu zählen mehrere Aminosäuren als Bausteine der Proteine, die Fettsäuren Linol- und Linolensäure, die Vitamine, Mineralstoffe und Spurenelemente.

Erwachsene (Schwerstarbeiter und Leistungssportler ausgenommen) sollten unter 30% ihres täglichen Energiebedarfs mit Fetten und mehr als 50% mit Kohlenhydraten (v. a. stärkehaltigen pflanzlichen Lebensmitteln) decken. Der Proteinbedarf eines gesunden Erwachsenen beläuft sich auf 0,8 g je kg Körpergewicht und Tag. Ausschließlich zur Aufrechterhaltung vitaler Körperfunktionen (Grundumsatz) benötigt der Mensch in Abhängigkeit von Geschlecht, Alter und Gewicht zwischen 1200 und 1800 kcal täglich. Entsprechend höher ist der Leistungsumsatz, der wiederum je nach körperlicher Belastung erheblich schwankt. So wird bei leichter körperlicher Tätigkeit in Abhängigkeit von Alter und Geschlecht eine durchschnittliche Energiezufuhr zwischen 1800 und 3100 kcal pro Tag empfohlen.

Erlen [Pl.], eine Gattung der Birkengewächse, die bevorzugt auf feuchten Böden wächst. Erlen haben hängende männliche Blütenkätzchen und unauffällige weibliche Blütenzapfen. Sie werden vom Wind bestäubt. Die Früchte sitzen in kleinen Fruchtzapfen.

erogene Zonen [Pl.], bestimmte Körperstellen beim Menschen, durch deren Berührung sexuelle Erregung gefördert werden kann, beispielsweise die äußeren Geschlechtsteile, Mund, Brustwarzen, Ohrläppchen.

Eros, der griechische Gott der Liebe, der Sohn der Aphrodite und des Ares. In der Antike wurde er als geflügelter Knabe mit Pfeil und Bogen dargestellt. Bei den Römern trug er den Namen *Amor.*

Erosion [die], im eigentlichen Sinn die Auswaschung und Abtragung der Erdoberfläche durch fließendes Wasser; so können z. B. Flusstäler entstehen. Im weiteren Sinn auch die Abtragung durch Regen, Eis, Schnee, Wind.

Erotik [die, nach dem griech. Liebesgott Eros], die geistig-seelische Seite des Liebeserlebens. Von der Erotik wird das körperliche Liebeserleben, die *Sexualität,* unterschieden.

Erpel [der], eine männliche Ente.

Erste Hilfe [die], alle vorläufigen Maßnahmen, die eine unmittelbare Gefahr bei Unglücksfällen abwenden sollen, bis ein Arzt kommt oder bis zum Transport ins Krankenhaus. Um bei einem Unglücksfall Hilfe leisten zu können, ist es nützlich, einen Erste-Hilfe-Kursus zu besuchen, wie er z. B. vom Deutschen Roten Kreuz angeboten wird. Bei *Verletzungen* müssen Blutungen zum Stillstand gebracht werden, z. B. durch Auflegen steriler Mullkompressen und starken Druck auf die Blutungsquelle. *Wunden* werden mit sterilem Mull und einem Verband versorgt. Dabei muss man darauf achten, dass man die offene Wunde nicht berührt und dass sie nicht verschmutzt wird. Bei *Vergiftungen* muss sofort der Notarzt herbeigerufen werden. Angaben über die Art der Vergiftung sind sehr wichtig. Wenn der Vergiftete erbricht, sollte man ihm Hilfestellung leisten. Bei *Verätzungen* darf man auf keinen Fall Erbrechen herbeiführen, man sollte lediglich Wasser oder Tee zu trinken geben. Bei *äußeren Verätzungen* durch Säure oder Lauge muss die Wunde mit viel fließendem Wasser gespült werden. Bei *Gasvergiftungen* sollte man so schnell wie möglich für frische Luft sorgen. *Verbrennungen* sollen gekühlt werden, z. B. unter fließendem Wasser. Danach legt man einen sterilen Wundverband an. Ist jemand *bewusstlos* geworden, sollte man kontrollieren, ob das Herz schlägt und ob man noch Atmung feststellen kann. Beengende Kleidung (z. B. Krawatten, enge Kragen) soll gelockert werden, der Mund- und Rachenraum muss frei sein, darum sollte man prüfen, ob der Bewusstlose sich erbrochen hat. Schließlich sollte man Bewusstlose in die stabile Seitenlage bringen. Wenn man keine Atmung mehr feststellen kann, ist die *Atemspende* möglicherweise lebens rettend. Nachdem man festgestellt hat, dass die Atemwege frei sind, kann man die Mund-zu-Nase-Beatmung durchführen. Dabei liegt der Bewusstlose auf dem Rücken, sein Kopf wird nackenwärts überstreckt. Beim Beatmen wird der Mund des Bewusstlosen mit einer Hand verschlossen. Man holt Luft und legt den eigenen weit geöffneten Mund fest um die Nase des Bewusstlosen. Dann bläst man die Luft vorsichtig hinein und wartet ab, bis sie wieder entweicht, um erneut zu blasen.

Esel: Der Afrikanische Wildesel ist der Vorfahr des Hausesels. Aufgrund von Bejagung und Lebensraumzerstörung ist er heute akut vom Aussterben bedroht.

Erster Weltkrieg → Weltkriege.

Erstkommunion [die], in der katholischen Kirche der erste Empfang des heiligen Abendmahls. Die Erstkommunion findet nach der Beichte etwa im 10. Lebensjahr statt, traditionell am »Weißen Sonntag«, dem ersten Sonntag nach Ostern.

Eruption [die], der explosionsartige Ausbruch eines Vulkans. Unter Beteiligung von Gasen tritt flüssiges Magma aus dem Erdinnern aus, Asche und Gesteinsbrocken werden emporgeschleudert.

Erz [das], ein in der Natur vorkommendes Gestein, das Metall enthält (z. B. Kupfererz, Eisenerz). Das Metall kann mechanisch oder durch chemische Verfahren vom Gestein getrennt werden.

Erzbischof [der], in der katholischen Kirche der regierende Bischof einer Erzdiözese (die Zusammenfassung mehrerer Diözesen). Der Titel kann auch vom Papst als Ehrentitel verliehen werden.

Erzgebirge [das], ein Mittelgebirge an der Grenze zwischen Sachsen und der Tschechischen Republik.

Das Gebirge war früher reich an Erzvorkommen, heute ist es für seine Spielzeugindustrie bekannt.

ESA, Abkürzung von englisch **E**uropean **S**pace **A**gency, → Europäische Weltraumbehörde.

Esche [die], ein Laubbaum in den gemäßigten Zonen der Nordhalbkugel. Das harte, elastische Holz wird häufig zur Herstellung von Möbeln und Sportgeräten verwendet.

Escudo [der], bis 2002 die Währungseinheit in Portugal: 1 Escudo = 100 Centavos.

Esel [der], eine Art der Pferde, die fast nur noch als Haustier vorkommt. Esel sind zierlicher gebaut als Pferde, haben lange Ohren, eine kurze Mähne und graubraunes Fell. Wildesel gibt es nur noch wenige im nordöstlichen Afrika.

Eskalation [die], eine stufenweise Steigerung, z. B. die Ausweitung einer politischen Krise oder eines militärischen Konflikts.

Eskimo(s) [Pl.], eigener Name *Inuit,* ein Polarvolk, das von Grönland bis Alaska und in Nordsibirien lebt. Früher lebten die Eskimo als Nomaden in Lederzelten oder Schneehütten von der Jagd, dem Fischfang und der Rentierzucht. Durch den Kontakt mit anderen Völkern haben sich ihre Lebensgewohnheiten stark verändert.

Eskimos: Die Rentierherde bildet auch heute noch die Existenzgrundlage vieler Eskimos.

Esoterik [die, griech., »nach innen gerichtet«], Geheimwissen, in der Antike das Wissen und die Erfahrung, die dem Weisheitslehrer und seinen Schülern vorbehalten blieb und nicht in die Öffentlichkeit gelangte. Heute bezeichnet man mit Esoterik alle nicht religiösen Lehren und Erfahrungen, die über unser naturwissenschaftliches Weltbild hinausgehen. In der Esoterik finden sich Elemente aus Astrologie, Okkultismus, Parapsychologie, Philosophie und Religion.

Esperanto [das], eine Kunstsprache mit einfachen grammatischen Regeln, die 1887 von dem polnischen Augenarzt Ludwig *Zamenhof* (* 1859, † 1917) entwickelt wurde. Sie soll die sprachliche Verständigung zwischen verschiedenen Völkern erleichtern.

Essay [ˈɛsɛi, der oder das, engl., »Versuch«], eine kürzere Abhandlung, meist über aktuelle kulturelle Fragen. Im Essay drückt der Autor eine persönliche Einstellung zu einem bestimmten Thema in kunstvoller Form aus.

Essen, größte Stadt und der Mittelpunkt des Ruhrgebiets (Nordrhein-Westfalen), 589 500 Einwohner.

Essenz [die], **1.** allgemein das Wesen einer Sache. **2.** eine stark konzentrierte Lösung von pflanzlichen Geruchs- oder Geschmacksstoffen.

Essig [der], eine verdünnte Lösung der Essigsäure, die zum Würzen und Konservieren von Lebensmitteln verwendet wird. Essig entsteht bei der Gärung alkoholhaltiger Flüssigkeiten.

Essstörungen, Störungen der Nahrungsaufnahme, wie → Fettsucht, → Magersucht, → Bulimie.

Establishment [isˈtæbliʃmənt, das], die politisch, wirtschaftlich und gesellschaftlich einflussreiche Gesellschaftsschicht. Das Wort wird oft mit negativer Wertung gebraucht.

Ländersteckbrief Estland

Fläche:	43 432 km²
Einwohner:	1,3 Millionen = 31 je km²
Hauptstadt:	Tallinn (Reval)
Religion:	evangelisch-lutherische Kirche, russisch-orthodoxe Kirche
Amtssprache:	Estnisch
Währung:	1 Estnische Krone = 100 Senti

Estland, Staat in Osteuropa.

Landesnatur: Der baltische Staat ist ein flachhügeliges Land mit vielen Seen, Sümpfen und Mooren; vor der stark gegliederten Ostseeküste besitzt Estland mehr als 1500 Inseln (u. a. Ösel und Dagö); das Klima ist gemäßigt.

Bevölkerung: Die Bevölkerung setzt sich aus 65% Esten und 28% Russen zusammen, daneben gibt es Ukrainer, Weißrussen und Finnen. Sie gehört vorwiegend der evangelisch-lutherischen Kirche an.

Wirtschaft: Die Industrie ist stark exportorientiert und vielseitig (Maschinenbau, Textil-, Holzindustrie), es gibt reiche Ölschiefervorkommen; Viehwirtschaft, Anbau von Getreide und Kartoffeln. Wichtigste Häfen sind Tallinn, Narva und Pärnu; internationaler Flughafen Tallinn.

Geschichte: Die zur finnischen Völkerfamilie gehörenden Esten wurden von Süden her 1207–1227 von den deutschen Schwertbrüdern, von Norden her 1219 durch die Dänen unterworfen. 1346 löste der *Deutsche Orden* die dänische Oberhoheit ab. Nach dem Ende der Ordensherrschaft wurde Estland schwedisch, im Nordischen Krieg russisch (1721). Am 24. 2. 1918 wurde unter Einschluss der von Esten besiedelten Teile Livlands die *Republik Estland* ausgerufen. 1940, nach Einmarsch der sowjetischen Truppen, wurde Estland als *Estnische Sozialistische Sowjetrepublik* Teilstaat der Sowjetunion, der 1941–1944 von deutschen Truppen besetzt war. 1990 erklärte Estland seine Unabhängigkeit, die am 6. 9. 1991 von der UdSSR anerkannt wurde. 1992 erhielt das Land eine neue Verfassung. Staatspräsidenten: 1992–2001 L. *Mehri,* 2001–2006 A. *Rüütel*, seit 2006 T. H. *Ilves*. 2004 wurde Estland Mitglied von NATO und EU.

etablieren, sich niederlassen, einrichten.

Etat [e'ta, der] → Haushaltsplan.

Ether [der] → Äther.

Ethik [die], *Sittenlehre,* eine Richtung der Philosophie, die sich mit dem sittlichen und moralischen Handeln beschäftigt.

Etrusker [Pl.], ein Volk, das vom 7. Jh. v. Chr. bis zum 1. Jh. v. Chr. in Mittelitalien lebte. Es wurde von den Römern unterworfen.

Estland: Das Vooremaa-Seengebiet ist ein Naturschutzreservat.

Etymologie [die], die Entwicklungsgeschichte eines Wortes, d. h. seine Veränderungen an Lautgestalt und Bedeutung.

Etzel, der Name des Hunnenkönigs *Attila* in der Nibelungensage.

EU, Abkürzung für → **E**uropäische **U**nion.

Eulen: Die größte europäische Eule ist der Uhu, erkennbar an den auffälligen Federohren. In Mitteleuropa ist der Uhu heute sehr selten und wird streng geschützt.

Eucharistie [die], in der katholischen Kirche das Sakrament des Abendmahls.

Eukalyptus [der], eine in Australien beheimatete Gattung der Laubbäume, die heute in vielen warmen Ländern angebaut wird. Aus den Blättern wird ein ätherisches Öl gewonnen, das gegen Husten wirksam ist; auch das Holz findet Verwendung.

Euklid, *Eukleides*, etwa 365–300 v. Chr.; griechischer Mathematiker in Alexandria. Man bezeichnet ihn als »Vater der Geometrie«. Er sammelte und systematisierte in seinem 13-bändigen Gesamtwerk »Elemente« das mathematische Wissen seiner Zeit, das bis ins 19. Jh. die Grundlage des geometrischen Unterrichts an Schulen und Hochschulen blieb. Euklid formulierte u. a. den *Kathetensatz* und den *Höhensatz*.

Eulen [Pl.], **1.** eine Ordnung weltweit verbreiteter Vögel, die nachts jagen. Sie haben große Augen, mit denen sie in der Dämmerung gut sehen, und ein weiches Gefieder, so dass sie geräuschlos fliegen können. Bei uns leben: *Uhu, Waldohr-* und *Sumpfohreule, Wald-* und *Steinkauz, Schleiereule.* Alle einheimischen Arten sind geschützt. **2.** eine große Familie der Nachtschmetterlinge.

Eulenspiegel, Till, ein deutscher Volksnarr, der um 1300–1350 gelebt haben soll. Er ist der Held eines Schwankbuchs, der die Menschen zum Narren hält, indem er Aufträge und Befehle allzu wörtlich nimmt und sie nicht sinngemäß erfüllt.

Euler, Leonhard, * 1707, † 1783; schweizerischer Mathematiker. Er arbeitete auf fast allen Gebieten der Mathematik und hinterließ umfangreiche Arbeiten über Kurven, Reihen, Variationsrechnung, Infinitesimalrechnung, Geometrie, Algebra und über Fragen der Technik, Mechanik, Optik und Astronomie.

Euphrat, größter Fluss Vorderasiens, 3380 km lang. Er entspringt in der Türkei, bildet mit dem *Tigris* das Schwemmland Mesopotamien und mündet mit dem Tigris vereint in den Persischen Golf.

Eurasien, die zusammenfassende Bezeichnung für Europa und Asien, die größte zusammenhängende Landmasse der Erde.

Euro [der], seit 1. 1. 1999 gemeinsame Währung der *Europäischen Währungsunion,* zu der Belgien, Deutschland, Finnland, Frankreich, Griechenland (seit 2001), Irland, Italien, Luxemburg, Niederlande, Österreich, Portugal, Slowenien (2007) und Spanien (langfristig auch die anderen EU-Staaten) gehören. Am 1. 1. 2002 wurden die nationalen Währungen gegen Euro-Münzen und Banknoten umgetauscht; 1 Euro = 100 Cent. Der Euro gilt auch in Andorra, Monaco, San Marino und Vatikanstadt.

Europa → Seite 94.

Europäische Gemeinschaft [die] → Europäische Union.

Europäischer Wirtschaftsraum [der], ein Binnenmarkt in Europa, dem die Mitglieder der Europäischen Union (EU) und der EFTA angehören. Der Europäische Wirtschaftsraum hat das Ziel, die Grenzen für Waren, Dienstleistungen und Personen zu überwinden.

Europäische Weltraumbehörde [die], englisch **E**uropean **S**pace **A**gency, kurz *ESA,* wurde 1975 gegründet. Ihre 17 europäischen Mitgliedsstaaten wollen den Weltraum erforschen und fortschrittliche Weltraumtechnologien entwickeln. Die wichtigsten Projekte sind u. a. der Raumtransport *Ariane*, die Internationale Raumstation *ISS* und das Navigationssystem *Galileo.*

Europarat [der], ein 1949 gegründeter Zusammenschluss europäischer Staaten, der das Ziel hat, die Menschenrechte zu schützen, gemeinsam die natürlichen Reichtümer zu nutzen und zu schützen, das Arbeits-

Was ist die …
Europäische Union

Die Europäische Union (abgekürzt EU) ist eine auf der Grundlage des Maastrichter Vertrages am 1. 11. 1993 von den 12 EG-Mitgliedern Belgien, Dänemark, Deutschland, Frankreich, Griechenland, Großbritannien, Irland, Italien, Luxemburg, Niederlande, Portugal und Spanien geschaffene überstaatliche Organisation. Die EU bildet die Grundlage für eine Gemeinsame Außen- und Sicherheitspolitik (GASP), für die Zusammenarbeit in der Justiz- und Innenpolitik sowie für die Europäischen Gemeinschaften (EG). In der EG waren die Europäische Wirtschaftsgemeinschaft, die Europäische Atomgemeinschaft, bis 2002 auch die Europäische Gemeinschaft für Kohle und Stahl zusammengefasst. Nach dem Beitritt von Finnland, Österreich und Schweden sowie der Erweiterung um Estland, Lettland, Litauen, Malta, Polen, die Tschechische Republik, Slowakei, Slowenien, Ungarn, Zypern, Bulgarien und Rumänien umfasst die EU im Jahr 2007 27 Staaten.

Organe der EU: Zum Europäischen Rat treffen sich in der Regel halbjährlich die Staats- und Regierungschefs der Mitgliedsländer und legen allgemeine Ziele für die Weiterentwicklung der EU fest. Der Rat der Europäischen Union (Ministerrat) ist das wichtigste Beschlussorgan der EU. Er ist für die Gesetzgebung auf allen Gebieten der EU zuständig. Die Exekutive (die Regierung) der EU ist die Europäische Kommission mit ihren auf 5 Jahre ernannten Mitgliedern (der Präsident und 26 weitere Mitglieder). Der Wirtschafts- und Sozialausschuss dient als wirtschaftliches Beratungsorgan. Er besteht, ebenso wie der Ausschuss der Regionen, aus 344 Vertretern. Die 785 Abgeordneten des Europäischen Parlaments werden in den Mitgliedsländern direkt gewählt. Recht sprechendes Organ der EU ist der Europäische Gerichtshof in Luxemburg. Dem Europäischen Rechnungshof obliegt die Rechnungsprüfung. Der Europäische Bürgerbeauftragte soll zwischen EU-Bürgern und Behörden vermitteln. Daneben gibt es das Amt des Europäischen Datenschutzbeauftragten.

Europäische Einigung: Der Beginn der Entwicklung, die zur Bildung der EU führte, liegt in der 1951 von der Bundesrepublik Deutschland, Frankreich, Italien und den Benelux-Staaten gegründeten Europäischen Gemeinschaft für Kohle und Stahl (EGKS, Montanunion). Die sechs Staaten der EGKS unterzeichneten 1957 die Römischen Verträge, die 1958 zur Gründung der Europäischen Atomgemeinschaft (Euratom) und der

Europäischen Wirtschaftsgemeinschaft (EWG) führten. Hauptziel war die Errichtung eines gemeinsamen Marktes. Eine gemeinsame Politik legte der EWG-Vertrag für die Bereiche Fischerei, Landwirtschaft und Wettbewerb fest. 1967 wurde die EWG zusammen mit der EGKS und der Euratom Bestandteil der Europäischen Gemeinschaften (EG). Anstöße zu einer gemeinsamen Außen- und Sicherheitspolitik gab es schon seit 1970 im Rahmen der Europäischen Politischen Zusammenarbeit (EPZ). Großbritannien, Irland und Dänemark traten der EG 1973 bei. 1981 wurde Griechenland Mitglied, Portugal und Spanien folgten 1986. 1987 trat die Einheitliche Europäische Akte (EEA) in Kraft, die u.a. die Errichtung eines Europäischen Binnenmarktes (seit 1. 1. 1993) festlegte. Mit dem 1992 unterzeichneten Maastrichter Vertrag über die EU beschleunigte sich die europäische Integration. Neben dem Ziel einer Gemeinsamen Außen- und Sicherheitspolitik wurde u. a. die stufenweise Errichtung einer Wirtschafts- und Währungsunion, die Gründung einer Europäischen Zentralbank und die Einführung einer Unionsbürgerschaft beschlossen. Im 1997 unterzeichneten Amsterdamer Vertrag wurden weitere Reformen vereinbart. 1998 beschloss die Europäische Kommission den Beginn der Wirtschafts- und Währungsunion mit 11 von 15 Staaten (Dänemark, Griechenland, Großbritannien und Schweden nahmen zunächst nicht teil) und die Einführung des Euro als gemeinsamer Währung zum 1. 1. 1999 (zunächst als Verrechnungswährung). 2001 trat auch Griechenland der Eurozone bei. 2002 führten die nun 12 Teilnehmerländer den Euro als einzig gültiges Zahlungsmittel ein. Durch den 2001 unterzeichneten Vertrag von Nizza wurden die Rahmenbedingungen für die Aufnahme weiterer Mitglieder geschaffen (EU-Erweiterung). 2004 billigten die Staats- und Regierungschefs der EU den Vertrag über eine Verfassung für Europa. Er sieht u.a. eine Neuordnung der Institutionen vor, enthält eine EU-Grundrechtecharta und regelt die EU-Entscheidungsverfahren. 2005 stimmten die Bevölkerung Frankreichs und die Bevölkerung der Niederlande in Referenden gegen den EU-Verfassungsvertrag. Um weitere, möglicherweise ablehnende Referenden zu umgehen, beschlossen die Staats- und Regierungschefs Mitte 2007, die Substanz des Verfassungstextes durch einen EU-Reformvertrag in die bestehenden Grundlagenverträge einzuarbeiten. Diese treten dann ohne Volksabstimmung mit ihren Änderungen in Kraft. 2007 führte Slowenien den Euro ein.

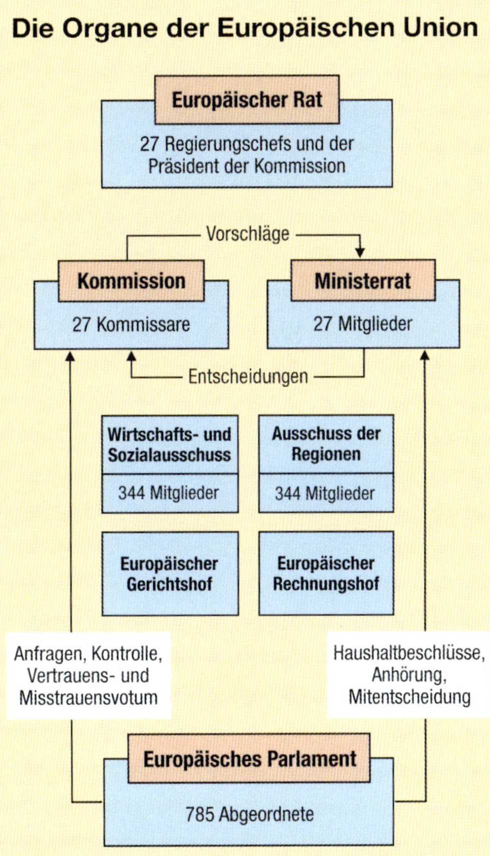

Die Organe der Europäischen Union 2007

leben zu humanisieren oder auch die Erziehungs- und Bildungspolitik anzugleichen. Der Europarat hat seinen Sitz in Straßburg.

Eurotunnel [der] → Ärmelkanal.

Euthanasie [die, griech., »schöner Tod«], ursprünglich in der griechischen Antike das Recht auf den selbst gewählten Tod, wenn das Leben durch Krankheit lebensunwert geworden war. Heute versteht man darunter eine *aktive Sterbehilfe,* die das Leben eines Sterbenden oder unheilbar Kranken verkürzt, wenn dieser es wünscht. Euthanasie ist in Deutschland verboten. – Die Nationalsozialisten tarnten die Ermordung von geistig behinderten Menschen ebenfalls mit dem Begriff Euthanasie.

Mehr wissen ...

Mosaik der Völker und Kulturen: Europa

Europa ist mit 9,8 Mio. km² nach Australien der zweitkleinste Erdteil. Er hängt Asien als Halbinsel an, wird aber aufgrund seiner besonderen kulturgeschichtlichen Rolle als eigenständiger Kontinent gesehen. Als seine Ostgrenze gilt das Uralgebirge, der Uralfluss und die Manytschniederung. Von Süden, Westen und Norden greifen Mittelmeer, Nord- und Ostsee tief ins Land und machen Europa zu dem am stärksten gegliederten Erdteil. So entfällt mehr als ein Drittel der Gesamtfläche auf Inseln und Halbinseln. Mit rund 676 Mio. Einwohnern beherbergt Europa rund 11% der Weltbevölkerung und ist damit der Kontinent mit der größten Siedlungsdichte (70 Einwohner/km²). Europa ist politisch stark zersplittert: Es gliedert sich in 45 Staaten und ist Verbreitungsgebiet von 120 verschiedenen Sprachen. Seine zentrale Lage machte es jahrhundertelang zum Mittelpunkt der Welt.

Landesnatur: Der westliche Teil Europas gliedert sich in drei Großlandschaften: Im Norden und Nordwesten breiten sich Flachländer aus, die Mitte wird von den vielfach gekammerten Mittelgebirgslandschaften eingenommen, im Süden erhebt sich ein zum Teil vergletscherter Hochgebirgszug (im *Montblanc* 4807 m hoch), der von den Pyrenäen über die Alpen bis zu den Karpaten reicht. Daran schließen sich im Süden die Pyrenäen-, Apennin- und Balkanhalbinsel an, im Norden die Britischen Inseln, Jütland und Skandinavien. Osteuropa ist ein weites Flachland, so dass rund 60% der Gesamtfläche Europas aus Tiefländern bestehen.

Ozeanische Westwinde und der Einfluss des warmen Golfstroms verleihen Europa ein wechselhaftes Klima mit milden Wintern und mäßig warmen Sommern. Zu allen Jahreszeiten fallen ausreichende Niederschläge. Nach Os ten wird das Klima kontinentaler mit zunehmenden Temperaturgegensätzen zwischen Sommer und Winter und abnehmenden Niederschlägen. Südlich der Alpen hat Europa Anteil am Mittelmeerklima, das durch trockenheiße Sommer und milde, regenreiche Winter gekennzeichnet ist.

Die ursprüngliche Vegetation wurde in Europa aufgrund der dichten Besiedlung stark zurückgedrängt. Fast die Hälfte der Gesamtfläche ist bis heute in Kulturland umgewandelt worden. Die Wälder bedecken nur noch rund 28% der Fläche und sind aus forstwirtschaftlichen Gründen artenärmer geworden. Die ursprüngliche Tierwelt hat sich entweder der Umwandlung der Kulturlandschaft angepasst (z. B. Fuchs, Marder, Igel), wurde ausgerottet (z. B. Auerochse), geschützt (z. B.

evakuieren [lat., »ausleeren«], **1.** luftleer machen, ein Vakuum erzeugen. **2.** das Ausquartieren der Bevölkerung bei drohender Gefahr (z. B. Naturkatastrophen, bei Vergiftungsgefahr durch Brände, Krieg) aus einem bestimmten Gebiet.

evangelische Kirche [die], in Deutschland ein Zusammenschluss jener christlichen Kirchen, die aus der → Reformation hervorgingen: *lutherische Kirchen* (nach Martin Luther), *reformierte Kirchen* (nach Calvin und Zwingli), *unierte Kirchen* (ein Zusammenschluss aus beiden).

Evangelium [das], die Verkündigung Jesu vom kommenden Reich Gottes. Als Evangelium bezeichnet man auch die vier Berichte über das Wirken Jesu im

Reh, Hirsch) oder in entlegene Gebiete zurückgedrängt (beispielsweise Bär, Wolf oder Luchs).

Die **Bevölkerung** ballt sich vor allem in den großen Industrieregionen Europas (in Großbritannien, Nordfrankreich, den Beneluxländern und in Deutschland), wo die Bevölkerungsdichte streckenweise 1000 Einwohner/km² übersteigt. In den Gebirgen, in Nord- und Osteuropa sinkt sie dagegen zum Teil unter 10 Einwohner/km². Die Völker Europas haben sich durch zahlreiche Wanderungsbewegungen stark vermischt, so dass man heute einzelne Volksgruppen nur noch durch das Überwiegen bestimmter Merkmale unterscheiden kann. Obwohl das Christentum in ganz Europa die vorherrschende Religion ist und die Völker sich nicht mehr klar voneinander unterscheiden lassen, ist Europa bis in die Gegenwart immer wieder Schauplatz ethnisch-religiös motivierter Konflikte gewesen. Als Beispiele seien hier die jahrzehntelang währenden Unruhen in Nordirland und vor allem der tragische Bürgerkrieg im ehemaligen Jugoslawien erwähnt.

Wirtschaft: Seit dem Ende des Zweiten Weltkriegs bis Anfang der 1990er Jahre war die europäische Wirtschaftsstruktur bestimmt durch die Spaltung des Kontinents in Staaten mit freiem Wirtschaftssystem (im Westen) und in Staaten mit einer sozialistischen, von der Sowjetunion maßgeblich bestimmten Planwirtschaft (im Osten). Nach dem Zusammenbruch des Kommunismus und dem Zerfall der Sowjetunion haben die osteuropäischen Länder begonnen, sich dem Westen zu öffnen und ein marktwirtschaftliches System einzuführen, befinden sich aber aufgrund veralteter Technologien in einer Umstellungskrise. Kennzeichnend für die europäische Wirtschaft sind die weltweiten internationalen Verflechtungen. Ein wichtiger Faktor sind auch die wirtschaftlichen und politischen Bündnisse, insbesondere die *Europäische Union* (früher *Europäische Gemeinschaft*) und, bis zu seiner Auflösung (1991), der *Rat für gegenseitige Wirtschaftshilfe (COMECON).*

Europa ist nach Nordamerika die zweitgrößte Industriemacht der Erde. Dennoch sind in Westeuropa schon heute weitaus mehr Menschen im Dienstleistungssektor (Handel, Banken, Versicherungen u. a.) beschäftigt als in der Industrie. Eine stark rückläufige Tendenz weist dagegen der Bergbau auf, da die Rohstoffe aus anderen Teilen der Welt billiger geliefert werden können oder die Lagerstätten nahezu erschöpft sind. Die wichtigsten Bodenschätze Europas sind Kohle, Eisenerz, Kalisalz und verschiedene Buntmetallvorkommen sowie die Erdöl- und Erdgaslagerstätten in Russland und in der Nordsee. Die Landwirtschaft ist vor allem in den Ländern Süd- und Osteuropas von Bedeutung, so z. B. in Albanien, wo sie noch fast die Hälfte der Erwerbstätigen beschäftigt.

Neuen Testament. Sie wurden von den Evangelisten Matthäus, Markus, Lukas und Johannes verfasst.

Event [i'vɛnt, der oder das, engl. »Ereignis«], wichtige Veranstaltung, in der Regel öffentlichkeitswirksam in Szene gesetzt.

Everest, *Mount Everest,* der höchste Berg der Erde. Er liegt im Himalaya an der Grenze zwischen Nepal und Tibet und ist 8846 m hoch. Der Everest wurde am 29. 5. 1953 durch Sir E. *Hillary* und B. *Tenzing Norgay* erstmals bestiegen. 1978 erreichten R. *Messner* und P. *Habeler* den Gipfel ohne zusätzlichen Sauerstoff.

Der Mount Everest wird von den Einheimischen als Sitz der Götter verehrt.

Evolution [die], die Erscheinung, dass die Lebewesen sich im Laufe der Erdgeschichte verändern und die Vielfalt der Arten letztlich auf einen gemeinsamen Vorfahr zurückgeht. Ausgehend von einfachen Stammformen kommt es bei diesem Prozess im Laufe von Jahrmillionen allmählich zu einer Entwicklung hin zu immer komplexeren Lebensformen. Die wichtigsten Mechanismen der Evolution sind Mutation und Selektion. Durch zufällige Mutationen, das heißt Änderungen im Erbgut, entstehen Nachkommen, die sich in ihren Erbanlagen (Genen) unterscheiden (genetische Variabilität). Da stets ein Überschuss an Nachkommen produziert wird, konkurrieren sie miteinander um die begrenzten Ressourcen ihres Lebensraums, z. B. Nahrung. Hier setzt die natürliche Auslese, die Selektion, an: Die besser an ihren Lebensraum angepassten Individuen haben die größeren Chancen im Kampf ums Dasein und bekommen eher die Möglichkeit, sich fortzupflanzen und ihre Erbanlagen an die Nachkommen weiterzugeben. Auf diese Weise verändern sich Populationen mit der Zeit. Als artbildender Faktor kommt die Isolation hinzu. Werden Populationen voneinander getrennt, so dass ein Austausch von Erbmaterial nicht mehr möglich ist, entwickeln sie sich unabhängig voneinander und zeigen nach einigen Generationen deutliche Unterschiede: Die ursprüngliche Art hat sich in zwei (oder mehr) neue Arten aufgespalten. Die Grundlagen für dieses Verständnis vom Entstehen der Arten schuf Charles Darwin 1859 mit seiner Evolutionstheorie. Siehe auch ZEIT-Beitrag → »Evolution: Vom Einzeller zur Giraffe«, Seite 98–101.

exakt, genau, sorgfältig.

Exekution [die], die Vollstreckung eines richterlichen Urteils, besonders eine Hinrichtung.

Exekutive [die], die ausführende Gewalt in einem Staat mit Gewaltenteilung: die Regierung und die Behörden.

Exempel [das], Beispiel, Muster.

exemplarisch, beispielhaft, musterhaft.

Exhibitionismus [der], die Entblößung der Geschlechtsorgane (besonders beim Mann) vor anderen Menschen. Ein solches Verhalten ist strafbar.

Exil [das], ein Verbannungsort, eine Zufluchtsstätte. Jemand, der in seiner Heimat politisch verfolgt wird und ins Ausland flüchtet, geht ins Exil.

Existenz [die], Dasein, wirkliches Vorhandensein, auch Bezeichnung für das menschliche Leben.

Existenzialismus [der], *Existentialismus, Existenzphilosophie,* eine Richtung der Philosophie seit den 1920er Jahren zunächst in Deutschland (M. *Heidegger,* K. *Jaspers*), seit Anfang der 1940er Jahre auch in Frankreich (J. P. *Sartre,* A. *Camus*), die sich mit den Fragen der menschlichen Existenz und deren Bewältigung beschäftigt. Dabei entwickelten sich verschiedene Auffassungen. Größeren Einfluss, vor allem auf viele Jugendliche, gewann der französische Existenzialismus, wonach es keinen Gott gibt und der Mensch sein Dasein als absurd und in absoluter Freiheit erlebt. Diese Freiheit bürdet ihm die volle Verantwortung für sein Handeln auf.

Exklave [die], ein Gebietsteil des eigenen Landes, der von fremdem Staatsgebiet umschlossen ist. Gegensatz: *Enklave.*

Exkursion [die], eine Lehr- oder Studienfahrt.

Expansion [die], Ausweitung, Ausdehnung.

Experiment [das], in Wissenschaft und Technik methodisch angelegter Versuch zur Klärung von Vorgängen und Umständen, zur Bestätigung von Theorien sowie als Grundlage neuer Naturerkenntnisse.

Experten [Pl.], Sachverständige.

Export [der] → Außenhandel.

Expressionismus [der], eine Richtung der modernen Kunst zu Beginn des 20. Jh., vor allem in der Malerei und Literatur. Die Künstler des Expressionismus versuchten durch Veränderungen der Farben und Formen der Gegenstände in unserer Welt die Aussagekraft ihrer Werke zu verstärken. Als Gegenbewegung zu Naturalismus und Impressionismus lehnt der Expressionismus die bloße Nachbildung der Wirklichkeit ab. An die Stelle von Harmonie und Schönheit tritt die radikale Subjektivität als Ausdruck des zerrissenen Seelenlebens.Zu den Künstlern des Expressionismus gehörten u. a. die Maler M. *Beckmann,* O. *Kokoschka,* F. *Marc,* E. *Nolde,* P. *Picasso* und die Bildhauer E. *Barlach* und W. *Lehmbruck.* In der Literatur strebten G. *Trakl,* G. *Benn* und F. *Werfel* durch besondere Ausdruckskraft nach neuen Wirkungen.

extern, auswärts, außerhalb; Gegensatz: *intern.*

extrem, maßlos, stark übertrieben.

Extremitäten [Pl.], Gliedmaßen: Arme und Beine.

Extremsportarten [Pl.], Sportarten, die mit sehr großer körperlicher Beanspruchung und eventuell auch Gefahren verbunden sind. Zu ihnen gehören z. B. *Rafting* und *Triathlon.*

Exzess [der], Ausschreitung, Ausschweifung.

Eyck [ɛik], Jan van, *um 1390, begraben 9. 7. 1441, niederländischer Maler. Er begründete im nördlichen Europa einen neuen naturalistischen Malstil, indem er Figuren individuell darstellte und Gegenstände detailtreu erfasste. Durch eine komplizierte Maltechnik erreichten seine Bilder eine große Leuchtkraft.

Expressionismus: Mit seinen leuchtenden, nicht nach der Natur ausgerichteten Farben ist Franz Marcs Gemälde »Blaues Pferd I« ein charakteristisches Beispiel für den Expressionismus.

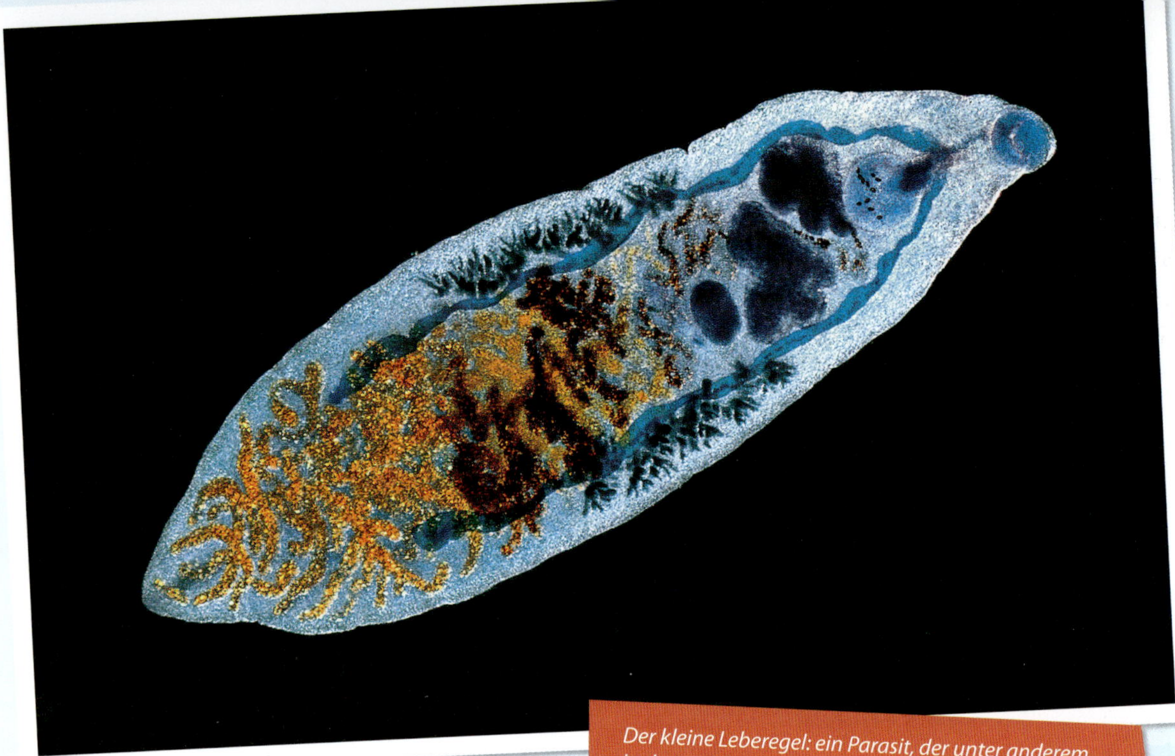

Der kleine Leberegel: ein Parasit, der unter anderem in den Gallengängen von Schafen lebt

Evolution

Vom Einzeller zur Giraffe

Von Andreas Sentker

Nehmen wir zum Beispiel den Kleinen Leberegel. Dieses wurmförmige Tier ist nur wenige Millimeter groß – ein Parasit. Er ernährt sich nicht selbst, sondern lebt in einem anderen Tier, seinem Wirt. Der Kleine Leberegel verbringt die meiste Zeit seines Lebens in den Gallengängen von Schafen. Wenn er sich vermehren und verbreiten will, muss er jedoch mehrmals seinen Wirt wechseln.

Der erste Schritt ist leicht: Im Schaf legt der Leberegel Eier. Mit dem Kot der Schafe fallen Eier auf die Weide und werden von Schnecken gefressen. Die Eier gelangen in den Darm der Schnecken. Dort schlüpfen kleine Larven und teilen sich, sodass aus wenigen Larven sehr viele neue Larven werden. Sie bewegen sich nun in das Atemsystem der Schnecke, das gereizt reagiert und die Übeltäter in kleinen Schleimbällchen ausscheidet. Dieser Schleim ist wiederum eine Leibspeise von Ameisen, er schmeckt nämlich süß, was dem Parasiten seine weitere Vermehrung im Verdauungstrakt der Ameise sichert.

Die genialen Ideen der Natur

Wie der Leberegel nun aber ins Schaf zurückkommt, zählt zu den verblüffendsten Vorgängen in der Biologie: Eine der unzähligen Larven wandert in das Nervensystem der Ameise ein, in ihr Gehirn. Von nun an ist die Ameise verhaltensgestört. Bei Einbruch der Dämmerung klettert sie an die Spitze eines Grashalms und kann gar nicht anders, als sich dort festzubeißen. Und am nächsten Morgen kommt ein hungriges Schaf vorbei … Wer hat sich so etwas Geniales ausgedacht?

Die Macht des Zufalls

Oder nehmen wir unser Auge: Durch eine Linse vorn im Auge fällt das Licht auf eine Art Leinwand hinten im Auge, die Netzhaut. In dieser Netzhaut sitzen viele Tausende kleine Elemente, Zellen, die lichtempfindlich sind. Einige Elemente können Farben unterscheiden, dazu brauchen sie ziemlich viel Licht. Andere Elemente können nur Schwarz-Weiß wahrnehmen, das aber auch dann noch, wenn es schon ziemlich dunkel ist. Das Auge ist ein Wunderwerk in unserem Kopf. Wer hat die Konstruktionszeichnung gemacht?

Die Wunder der Biologie, wie der Lebensweg des Leberegels oder der Aufbau unseres Auges, waren nicht plötzlich da. Sie haben sich im Laufe eines etwa dreieinhalb Milliarden Jahre währenden Prozesses entwickelt. Dieser Prozess heißt »Evolution« und führt von einfachen, sehr kleinen Lebewesen, die wir mit bloßem Auge nicht sehen können, zu großen Tieren wie den Giraffen.

In diesem Prozess spielt der Zufall eine große Rolle. Außerdem ist wichtig, dass in der Natur die meisten Dinge – Nahrung, Lebensraum, Partner – eher knapp sind. Und dass alle Lebewesen ihren Bauplan mit sich herumtragen, in jeder der winzigen Zellen, aus denen sie bestehen.

Wie die Geschichte mit dem Zufall, der Knappheit und den Bauplänen funktioniert, darüber gab es vor mehr als 150 Jahren einen großen Streit, der am besten zu verstehen ist, wenn man über den langen Hals der Giraffe etwas länger nachdenkt. Giraffen lieben saftiges Laub. Da ist ein langer Hals von großem Vorteil. Wer nämlich den längeren Hals hat, kommt an höhere Zweige heran – und bekommt mehr zu fressen.

Eine Erklärung, wie die Giraffen zu ihrem Hals kamen, hat der Franzose Jean Baptiste Lamarck im Jahr 1809 aufgeschrieben: Die Giraffen, behauptete Lamarck, hätten sich nach den saftigen Blättern gestreckt. Bei diesem Strecken sei ihr Hals immer länger geworden. Dieses Längerwerden hätte sich daraufhin in den Bauplan der Giraffenzellen eingeschrieben, sodass es den Kindern weitervererbt wurde, die dann gleich mit längerem Hals auf die Welt kamen. Die andere Erklärung stammt von dem Engländer Charles Darwin. Mit seinen Argumenten, die er

Überlebensvorteil: Je länger der Hals, desto besser kommt eine Giraffe an frische Nahrung

1859 veröffentlicht hat, ist der lange Hals so zu verstehen: Die Baupläne für Giraffen sind nicht bei jeder Giraffe ganz gleich. Immer, wenn die Pläne abgeschrieben werden, entstehen zufällig kleine Fehler. Darum hatten auch bei den einst kurzhalsigen Giraffen nicht alle Tiere gleich kurze Hälse. Einige hatten etwas weniger kurze und konnten darum mehr fressen. Und weil sie mehr zu fressen hatten, haben sie mehr Kinder bekommen können. Und diesen Kindern haben sie in ihren Zellen jene Baupläne für einen nicht ganz so kurzen Hals vererbt.

Das ist Darwins zentrale Idee: Der Zufall baut kleine Varianten in die Baupläne der Lebewesen. Die Knappheit in der Natur sorgt dafür, dass jene Baupläne mit etwas größerer Wahrscheinlichkeit an die nächste Generation weitergegeben werden, die einen Vorteil beim Leben und Überleben bringen. Woraus die Baupläne bestehen, wo sie genau gelagert sind, wie sie abgeschrieben und weitergegeben werden, davon wusste Charles Darwin noch nichts. Heute gibt es eine ganze Reihe von Beweisen dafür, dass Darwin mit seiner Version der Geschichte recht hatte. Die Baupläne sind in chemischer Form im Erbgut in den Zellkernen niedergelegt. Die kleinen Veränderungen nennen Biologen heute Mutationen. Diese Mutationen geschehen ständig, auch gerade jetzt, in unserem Körper, in unseren Zellen. Der Prozess der Evolution schreitet noch immer voran. Tier- und Pflanzenarten verändern sich. Arten sterben aus, neue Arten entstehen.

Der Streit um Darwin

Damals aber haben sich viele Menschen über Charles Darwin fürchterlich aufgeregt. Auch weil er fest davon überzeugt war, dass die Evolution nicht nur lange Giraffenhälse, sondern auch uns, die Menschen, hervorgebracht hat. Das gefiel vor allem jenen Menschen nicht, die die Schöpfungsgeschichte der Bibel nicht als Gleichnis, sondern als genaue Beschreibung der Erschaffung von Erde und Menschen lasen.

Auch heute können oder wollen einige Menschen der Evolutionstheorie nicht zustimmen. Vor allem die Rolle des Zufalls ist für sie schwer zu verstehen. So etwas Kompliziertes wie das Auge ist für sie durch bloße Zufälle in der Evolution nicht zu erklären. Das sei so, als habe ein fürchterlicher Sturm über einem Schrottplatz gewirbelt, und dabei sei aus lauter Einzelteilen

Charles Darwin (1809 bis 1882), der Begründer der Evolutionstheorie

Rote Waldameisen mit Beute: Auch das ausgeklügelte Miteinander im Ameisenstaat ist ein Produkt der Evolution

ein Flugzeug entstanden, ganz zufällig. Auch der Lebenszyklus des Leberegels scheint ihnen eher von einem Schöpfergott, einem intelligenten Designer entworfen worden zu sein.

Die Urahnen des Menschen

Die Gegner der Evolutionstheorie vergessen dabei, dass etwas so komplexes wie das Auge im Laufe der Jahrmillionen in winzigen Entwicklungsschritten entstand. Die meisten Schritte führten dabei vermutlich in die falsche Richtung, und viele Urahnen des Leberegels haben wahrscheinlich den Weg in das Gehirn der Ameise nie gefunden. Denn jene kleinen zufälligen Fehler im Bauplan sind meistens eher schädlich und nur selten so nützlich wie bei den Hälsen der Giraffen. Viele Lebewesen sind darum im Lauf der Erdgeschichte ausgestorben. Einige haben dabei im Gestein der Erde ihre Spuren hinterlassen. Diese versteinerten Überreste sind fossile Zeugen der Entwicklungsgeschichte.

Auch bei den Vorfahren des Menschen gab es Entwicklungen, die in einer evolutionären Sackgasse endeten. Als es vor etwa zweieinhalb Millionen Jahren in Afrika sehr heiß und trocken wurde, war es schwer, an Nahrung zu gelangen. Die pflanzliche Kost wurde härter.

Ein Teil unserer Urahnen entwickelte daraufhin ein besonders kräftiges Gebiss. Ihre Kaumuskeln und Zähne wuchsen gewaltig. Bei einer anderen Gruppe verlief die Evolution anders. Sie griffen zu Steinen, um die Pflanzensamen aufzuschlagen, und entdeckten so die ersten Werkzeuge. Die Werkzeugmacher haben sich durchgesetzt. Zum Glück. Sonst liefen wir vermutlich noch immer mit gewaltigen Gebissen und relativ kleinen Gehirnen in der afrikanischen Savanne umher, statt Druckmaschinen zu bauen und Bücher zu lesen.

F

F, **1.** sechster Buchstabe des Alphabets (Konsonant). **2.** Kurzzeichen für → Fahrenheit. **3.** chemisches Zeichen für das Element → Fluor.

Fa., Abkürzung für → Firma.

Fabel [die], **1.** der Handlungsverlauf eines Dramas oder einer Erzählung. **2.** eine lehrhafte Erzählung, in der häufig Tiere menschliche Eigenschaften haben und besondere Erfahrungen machen. Fabeln sind oft humorvoll, z. T. ironisch verfasst. Zu den bekanntesten Fabel-Erzählern gehören der Grieche *Äsop,* der Franzose *La Fontaine* und der Deutsche *Lessing.*

Facettenauge [das], *Fassettenauge, Komplexauge,* das Auge der *Gliederfüßer,* besonders der Insekten und Krebse. Ein Facettenauge setzt sich aus vielen einzelnen Augen (Sehkeilen) zusammen, die jeweils aus einer Linse und den Sehzellen bestehen.

Fachwerkhäuser in der Quedlinburger Altstadt; ganz links das Geburtshaus des deutschen Dichters F. G. Klopstock

Fachhochschulen [Pl.], Hochschulen mit praxisbezogenem Studienangebot (z. B. für die Fachbereiche Ingenieurwesen, Wirtschaft, Verwaltung, Sozialpädagogik, Musik, künstlerisches Gestalten, Sport und Leibeserziehung). Zum Studium berechtigen die allgemeine Hochschulreife *(Abitur)* beziehungsweise die *Fachhochschulreife,* der Abschluss der → Fachoberschule. Das in der Regel dreijährige Studium endet mit einer staatlichen Abschlussprüfung.

Fachoberschulen [Pl.], in Deutschland eine Schulform, in der allgemeiner und berufsorientierter Unterricht erteilt wird. Der Schulbesuch dauert mindestens ein Jahr (Vollzeitschule) und höchstens drei Jahre (begleitend zu einer Ausbildung). Der erfolgreiche Abschluss *(Fachhochschulreife)* berechtigt zum Besuch einer → Fachhochschule. Es gibt Fachoberschulen für Ingenieurwesen, Wirtschaft, Hauswirtschaft, Sozialpädagogik, Gestaltung u. a. Die Aufnahme erfolgt mit dem Abschlusszeugnis der Sekundarstufe I, dem Abschluss einer Berufsfachschule oder einer abgeschlossenen Lehre.

Fachschulen [Pl.], Schulen zur beruflichen Fortbildung nach einer praktischen Berufsausbildung (Lehre).

Fachwerk [das], eine Bauart für Häuser, bei der zunächst ein Rahmengestell aus Holz errichtet wird, dessen Zwischenräume mit Flechtwerk, Reisig und Lehm oder mit Ziegeln ausgefüllt werden.

Fadenwürmer [Pl.], fadenförmige, runde Würmer. Die wichtigste Klasse sind die *Spulwürmer,* die als Schmarotzer in Vögeln, Säugetieren und im Dünndarm des Menschen leben. Ihre Eier gelangen mit dem Kot ins Freie und werden durch gedüngtes Gemüse oder Abwässer wieder mit der Nahrung aufgenommen. Im Darm machen sie ihre Entwicklung durch. Zu den Fadenwürmern zählen auch die *Madenwürmer* und *Trichinen.*

Fading ['fɛidiŋ, das, engl.], Schwankungen in der Lautstärke beim Empfang von Rundfunksendungen. Fading entsteht durch Überlagerung von Wellen.

Fagott [das], ein tief klingendes Holzblasinstrument mit Doppelrohrblatt-Mundstück. Es bildet im Orchester den Bass der Holzbläsergruppe.

Fahne [die], ein- oder mehrfarbiges, meist rechteckiges, an einer Stange befestigtes Tuch, das manchmal mit Bildzeichen oder *Wappen* geschmückt ist. Sie wird oft als Wahr- oder Kennzeichen von Staaten, Ländern, Provinzen, Parteien oder Vereinen als Symbol der Zusammengehörigkeit geführt. Im Krieg zeigt die weiße Fahne an, dass man sich ergeben will. Die Fahne wurde schon im Altertum und im Mittelalter von den Truppen als Feldzeichen gebraucht.

Fahnenflucht [die], *Desertion,* das unerlaubte Sich-Entfernen oder Fernbleiben eines Soldaten von seiner Truppe. Fahnenflucht ist strafbar.

Fähre [die], Wasserfahrzeug für den Personen-, Fahrzeug- und Gütertransport, z. B. zur Überquerung von Wasserläufen und Meeresarmen sowie als Verbindung zu Inseln; Fährschiffe für Eisenbahnen nennt man *Trajekte.*

Fahrenheit, Gabriel Daniel, * 1686, † 1736; deutscher Physiker; er führte die Fahrenheitskala (°F) bei der Temperatureinteilung ein; danach gefriert Wasser bei 32 °F (0 °C) und siedet bei 212 °F (100 °C).

Fahrerflucht [die], das unerlaubte Verlassen des Unfallortes, ohne Name und Anschrift zu hinterlassen. Wer Fahrerflucht begeht, muss mit einer Freiheits- oder Geldstrafe rechnen sowie mit dem Entzug der Fahrerlaubnis.

Fahrrad [das], einspuriges Fahrzeug mit zwei Rädern, das nur durch Muskelkraft angetrieben wird. Das heutige Fahrrad entstand aus der *Draisine,* einer Laufmaschine, die 1817 von Freiherr Karl von *Drais* erfunden wurde. Um 1850 brachte man eine Tretkurbel an das Vorderrad an und 1884 wurde erstmals durch eine Kette die Kraft auf das Hinterrad übertragen. 1904 bekam das Fahrrad seine heutige Form. Zur Ausstattung eines Fahrrads gehören: Vorder- und Rücklicht, Vorder- und Rückstrahler, Speichenreflektoren, Vorder- und Hinterbremse. Spezialräder sind heute: *BMX-Rad* (geländegängiges Fahrrad für Kinder und Jugendliche); *Mountainbike* (berggängiges Rad mit breiten Stollenreifen). Auch → »Genauer betrachtet«.

Fahrrad: Breite, profilierte Reifen, ein flacher Lenker sowie eine Schaltung mit 15 bis 21 Gängen zeichnen das Mountainbike aus.

Fährte [die], Bodenabdrücke der Klauen und Ballen des Schalenwildes und des zur »hohen Jagd« gehörenden Raubwildes. Das zur Niederjagd gerechnete Wild (beispielsweise Reh, Hase, Marder) hinterlässt eine *Spur,* das Federwild ein *Geläuf.*

fair [fɛə, engl.], anständig, rücksichtsvoll, auch gegenüber einem Gegner.

Fakir [der, arab., »arm«], ursprünglich Angehöriger eines islamischen Bettelordens. Fakire können durch äußerste Konzentration

Genauer betrachtet …
Fahrrad

1817 entwickelte der badische Forstmeister *Drais* das lenkbare Laufrad, »Velociped« oder »Draisine« genannt. Das Drais-Laufrad war eine Holzkonstruktion. Ein waagerechter Balken bildete den Hauptteil des Rahmens. Unter dessen Vorderteil befand sich das durch v-förmige Stützen schwenkbar gelagerte Vorderrad. Am hinteren Ende war ein länglicher, lederüberzogener Sitz montiert. Vor dem Sattel lag quer ein sogenanntes Balancierbrett, auf das der Fahrer, der das Rad durch weit ausladende Schritte fortbewegte, seine Unterarme stützte. Mit dem Laufrad konnten Geschwindigkeiten von 10–15 km in der Stunde erreicht werden.

Fakir: Dieser Mann, dessen Kopf in einem Loch des Bürgersteigs steckt, zieht die Blicke der Passanten auf sich. Er praktiziert eine Form von Yoga.

und Willensanstrengung Körper und Geist so trainieren, dass sie gegenüber körperlichen Schmerzen fast unempfindlich sind. Sie können z. B. auf Nagelbrettern liegen oder mit nackten Füßen durch glühende Kohlen laufen.

Faksimile [das], originalgetreue, fotomechanische Wiedergabe einer Vorlage, z. B. einer Handschrift.

faktisch [lat.], tatsächlich, wirklich.

Faktor [der], **1.** mitentscheidende Ursache, treibende Kraft, wichtiger Umstand. **2.** in der Mathematik Teil eines Produkts (Faktor mal Faktor = Produkt).

Fakultät [die], ein Teil der Hochschule, in dem ein Bereich der Wissenschaft in Lehre und Forschung vertreten wird (z. B. Medizin, Theologie); auch die dazugehörigen Hochschullehrer und Studenten.

Falken [Pl.], mit etwa 60 Arten weltweit verbreitete Greifvögel. Falken sind hervorragende Flieger, die ihre Beute (Vögel, Mäuse, Insekten) im Flug schlagen oder aus der Luft am Boden. Ihre Füße mit den spitzen Krallen dienen zum Greifen und Halten der Beute, das Töten geschieht mit einem Biss des Schnabels. Einheimische Arten sind *Turmfalke, Baumfalke* und *Wanderfalke.* Falken sind geschützte Tiere.

Falklandinseln [Pl.], *Malwinen,* Inselgruppe im Südatlantik; zusammen 12 173 km² mit etwa 3000 Einwohnern. Hauptort: *Stanley.* Die Falklandinseln wurden 1592 entdeckt und sind seit 1842 britische Kronkolonie, doch auch Argentinien beansprucht sie seit 1816. 1982 wurden die Inseln von Argentinien besetzt, jedoch noch im gleichen Jahr von Großbritannien zurückerobert.

Fall [der], *freier Fall,* die unter dem Einfluss der Schwerkraft auf den Erdmittelpunkt strebende Bewegung eines Körpers. Die Geschwindigkeit wächst im luftleeren Raum proportional der Fallzeit. Durch den Luftwiderstand erreicht ein Mensch (z. B. Fallschirmspringer) nach rund 7 Sekunden beim Fallen eine Endgeschwindigkeit von rund 180 km in der Stunde.

Fälle [Pl.], die *vier Fälle,* → Kasus.

Fallschirm [der], halbkugelförmiger Schirm aus leichten, festen Geweben (z. B. Nylon, Seide) oder in der Form eines rechteckigen Tragflügels zum Absetzen von Personen und Lasten aus Flugzeugen heraus.

Falken: Der Wanderfalke ist auf der ganzen Welt verbreitet.

Der Fallschirm ist oft mit Steuerschlitzen ausgestattet und sinkt etwa 5 m in der Sekunde. Bremsfallschirme werden zum Abbremsen von Raumkapseln und landenden Flugzeugen verwendet.

Fallschirmspringer bilden eine Sternformation im freien Fall.

Familie, **1.** in der Systematik der Pflanzen und Tiere die Kategorienstufe zwischen *Gattung* und *Ordnung.* **2**. kleinste gesellschaftliche Einheit, die in der Industriegesellschaft meist aus Eltern und ihren (unselbstständigen) Kindern *(Klein-* bzw. *Kernfamilie*) besteht; als wichtige *soziale Institution* rechtlich geschützt.

Familie Feuerstein [die], Zeichentrickfiguren aus dem Hause Hanna & Barbera, Alltagsgeschichten um eine Steinzeitfamilie, die dennoch mit modernen Produkten, wie z. B. Autos und Haushaltsgeräten, ausgestattet ist. Fred Feuerstein und seine Familie karikieren die typische amerikanische Durchschnittsfamilie mit ihren Alltagsproblemen.

Fan [fæn, der, engl.], leidenschaftlicher Anhänger z. B. eines Sängers oder Sportlers.

Fanatismus [der], Unduldsamkeit, blindwütige Begeisterung für eine Idee.

Faraday ['fɛrədi], Michael, *1791, †1867; englischer Naturforscher. Er entdeckte die elektromagnetische Induktion und legte damit den Grundstein für die Erzeugung und Nutzung der Elektrizität. Der *Faraday-Käfig* ist ein von allen Seiten mit Maschendraht oder Blech umhüllter Raum, in den kein elektrisches Feld eindringen kann. Ein geschlossener Kraftwagen wirkt wie ein Faraday-Käfig und bietet den Insassen Schutz bei einem Gewitter. Nach Faraday wurde die Maß einheit *Farad* benannt.

Farben [Pl.], durch sichtbare elektromagnetische Wellen ausgelöster Sinneseindruck, vom Auge aufgenommen und vom Gehirn bewusst gemacht. Jede Wellenlänge des Lichtes erzeugt einen bestimmten Farbeindruck. Wenn das Auge vom Licht verschiedener Wellenlängen getroffen wird, entsteht ein einheitlicher Farbeindruck *(additive Farbmischung)*. Dabei ergänzen sich bestimmte Farbpaare zu Weiß (Komplementärfarben), z. B. Rot-Grün, Blau-Gelb. Die Farbe von Körpern, die selbst kein Licht aussenden, entsteht durch Reflexion und Absorption des einfallenden Lichtes; dabei setzen sich die Farbeindrücke zu *subtraktiven Farbmischungen* zusammen. Ein rot aussehender Körper reflektiert z. B. rotes Licht und absorbiert Licht aller anderen Wellenlängen. Es gibt auch Farben, die vom menschlichen Auge nicht wahrgenommen werden können, z. B. Ultraviolett und Infrarot. Sie werden durch unsichtbare Lichtwellen ausgelöst. Das von uns wahr nehmbare Farbenspektrum, das man mit einem Prisma sichtbar machen kann und das auch beim Regenbogen erscheint, um fasst die *Spektralfarben,* die über Rot, Orange, Gelb, Grün, Blau, Violett kontinuierlich ineinander übergehen.

Farbenblindheit [die], meist angeborene Unfähigkeit, Farbenunterschiede wahrzunehmen. Eine vollständige Farbenblindheit tritt nur selten auf, dagegen häufiger eine Rot-Grün-Farbenblindheit, mitunter auch eine Gelb-Blau-Farbenblindheit.

Farbfernsehen [das] → Fernsehen.

Farne [Pl.], blütenlose Pflanzen mit großen, gefiederten Blättern, die in der Jugend eingerollt sind. An der Unterseite der Blätter werden *Sporen* gebildet. Farne pflanzen sich durch Generationswechsel fort.

Aus der Spore entsteht der Vorkeim (ein winziges Pflänzchen), die so genannte geschlechtliche Generation, die männliche und weibliche Geschlechtsorgane trägt. Nach der Befruchtung der Eizelle entwickelt sich die ungeschlechtliche Generation, die eigentliche Farnpflanze. Bekannte heimische Farne sind *Wurmfarn, Adlerfarn, Rippenfarn* und *Hirschzunge.* Farne waren die ersten Landpflanzen, die vor 300–250 Mio. Jahren riesige Sumpfwälder bildeten. Ihre verkohlten Reste wurden zu Steinkohle. Auch → Pflanzen.

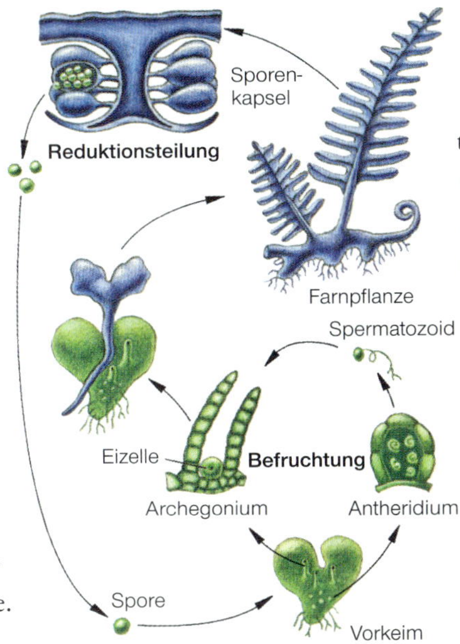

Farne vollziehen bei ihrer Vermehrung einen Generationswechsel: Der aus der Spore entstehende Vorkeim, die geschlechtliche Generation, ist eine kleine Pflanze mit männlichen und weiblichen Geschlechtsorganen (Antheridium und Archegonium). Nach der Befruchtung entwickelt sich die ungeschlechtliche Generation (Sporophyt), die eigentliche Farnpflanze, die wieder Sporen hervorbringt.

Färöer [die, dän. Færøerne, »Schafinseln«], dänische Inselgruppe zwischen Island und den Shetlandinseln. Die Bewohner leben v.a. von der Schaf- und Rinderzucht und der Fischerei.

Fasane [Pl.], aus Asien stammende, meist langschwänzige Hühnervögel, deren Männchen oft mit prächtig farbschillerndem Gefieder ausgestattet sind. Sie werden in Europa seit Jahrhunderten wegen der Federpracht und des guten Fleisches gehalten.

Faschismus [der, ital. fascio, »Rutenbündel«], 1919 von *Mussolini* in Italien gegründete nationalistische, antidemokratische politische Bewegung mit großen Massenorganisationen. Der Faschismus übernahm nach dem »Marsch auf Rom« (1922) die Macht in Italien und errichtete eine Diktatur unter Mussolini. Später kam es zum Bündnis mit dem nationalsozialistischen Deutschland unter *Hitler.* Der Faschismus brach mit dem Ende des Zweiten Weltkriegs zusammen. Er fordert die bedingungslose Unterwerfung unter den Führerwillen, lehnt die Demokratie ab und bejaht Gewalt als Mittel der Politik. Die faschistische Bewegung in Deutschland bezeichnet man als *Nationalsozialismus.* Auch heute gibt es noch in vielen Ländern Organisationen, die dem Faschismus verwandt sind.

Fassbinder, Rainer Werner, *1945, †1982; deutscher Regisseur. Er war die dominierende Persönlichkeit des »Neuen deutschen Films« und drehte über 40 meist gesellschaftskritische Filme (u.a. »Die Ehe der Maria Braun«, »Berlin Alexanderplatz«) und schuf Fernseh- und Theaterinszenierungen.

Fassettenauge [das] → Facettenauge.

Fastfood [fa:stfu:d], vorgefertigte, schnell zuzubereitende, standardisierte Speisen; wird besonders in Schnellrestaurants angeboten.

Fasten [das], allgemein der freiwillige, vorübergehende Verzicht auf jegliches Essen oder bestimmte Nahrungsmittel. Fasten kann auch als medizinische Maßnahme vom Arzt verordnet werden.

Fasane: Die Hähne tragen oft ein buntes Prachtgefieder.

Faultiere hängen tagaus, tagein in den Bäumen der Urwälder Süd- und Mittelamerikas und bewegen sich erstaunlich langsam.

In vielen Religionen ist das Fasten der Ausdruck von Opfer und Sühne, von Demut und Buße, in Verbindung mit zeremonieller Reinigung oder zur Abwehr von Übeln.

Fastnacht [die], Fasching, Karneval; allgemein die letzten, besonders die drei letzten Tage vor Beginn der Fastenzeit, die mit Umzügen, Maskeraden, Tanz u. Ä. gefeiert werden.

Fatalismus [der], Lebenshaltung, die von der Vorstellung eines vorherbestimmten, unabänderlichen Schicksals ausgeht. Der Fatalismus ist besonders im Islam ausgeprägt.

Fata Morgana [die], durch Luftspiegelung vorgetäuschtes Bild, besonders in Wüsten.

Fäulnis [die], natürlicher Vorgang, bei dem durch Fäulnisbakterien tote pflanzliche oder tierische Stoffe zersetzt und in teilweise giftige Gase (Ammoniak, Methan u. a.) verwandelt werden. Fäulnis ist ein wichtiger Prozess im Kreislauf der Stoffe.

Faultiere [Pl.], südamerikanische Säugetierfamilie. Sie haben kräftige Krallen an den Vorder- und Hinterfüßen, die den Tieren das Schlafen im Hängen ohne Muskelanstrengung ermöglichen. Sie hängen meist mit dem Rücken nach unten in den Bäumen und bewegen sich nur sehr selten und träge vorwärts. Ihre Nahrung besteht aus Blättern.

Fauna [die], wissenschaftliche Bezeichnung für die Tierwelt.

Faust, in der Sage Dr. Johannes Faust, in Wirklichkeit es sich wahrscheinlich um Georg Faust, (* um 1480, † um 1540); deutscher Arzt, Astrologe und Zauberkünstler. Er wurde verdächtigt, seine Seele dem Teufel verschrieben zu haben, um geheimes Wissen und Macht über die Natur zu erlangen. Eines der *Volksbücher* (1587) behandelt sein Leben. Der Faust-Stoff ging immer wieder in die Literatur ein, besonders bekannt ist *Goethes* »Faust«.

Faustball [der], Rückschlagspiel zwischen 2 Mannschaften von je 5 Spielern, bei dem der Ball mit der Faust oder dem Unterarm so über eine 2 m hoch gespannte Leine geschlagen werden muss, dass der Gegner ihn möglichst nicht erreicht. Der Ball darf im Feld jeder Mannschaft 3-mal den Boden berühren. Spielfeld: 50 x 20 m, durch die Leine in zwei gleich große Felder geteilt. Gespielt wird über 2 oder 3 Gewinnsätze.

Faustkeil [der], zweischneidiges Steinwerkzeug ohne Schaft aus der Altsteinzeit.

Faustrecht [das], ein aus dem Mittelalter stammender Rechtsbegriff, der es jedem gestattet, sein Recht mit Gewalt zu erkämpfen.

Favoriten [Pl.], Günstlinge, voraussichtliche Sieger in einem sportlichen Wettkampf oder im politischen Wahlkampf.

Fayence [fa'jás, die, franz.], Tonware, die mit einer deckenden weißen oder farbigen Zinnglasur überzogen und gegebenenfalls bemalt ist.

Fazit [das, lat., »es macht«], Endergebnis, Schlussfolgerung.

FBI ['ɛfbiː'ai], Abkürzung für englisch **F**ederal **B**ureau of **I**nvestigation, das US-amerikanische Bundeskriminalamt und sein Fahndungsdienst.

FCKW, Abkürzung für → **F**luor**c**hlor**k**ohlen**w**asserstoffe.

FDP, 1969–2001 F.D.P., Abkürzung für → **F**reie **D**emokratische **P**artei.

Fe, chemisches Zeichen für das Element → Eisen.

Feature ['fiːtʃə, das, engl.], eine Darstellung in Rundfunk, Fernsehen oder Film, die in abwechslungsreicher und leicht eingängiger Form Wissen oder Kenntnisse vermittelt.

Fechten [das], Zweikampf mit Hieb- und Stoßwaffen. Der moderne Fechtsport kennt 3 Waffen: *Florett, Degen* und *Säbel,* die von Männern und Frauen gefochten werden. Degen und Florett sind reine Stoß waffen, Treffer können nur mit der Spitze angebracht werden. Der Säbel wird als Hieb- und Stoßwaffe benutzt; getroffen werden kann mit der Spitze (als Stoß), der gesamten Vorderschneide sowie dem vorderen Drittel der Rückschneide (als Hieb). Für die verschiedenen Waffen sind unterschiedliche Trefferflächen festgelegt. Der Fechter, der zuerst fünf gültige Treffer in höchstens 4 Minuten angebracht hat, ist Sieger des Gefechts.

Faustkeil: Die Steinzeitmenschen benutzten den Faustkeil sowohl als Werkzeug als auch als Waffe.

Fechten: Beim Florettfechten gilt als Trefferfläche nur der Rumpf ohne Kopf und Glieder (Vorderseite vom Hals bis zu den Leisten, Rücken bis zur Linie Hüftknochenoberkante).

Feder [die], **1.** ein spiraliges, elastisches Metallglied zwischen zwei gegeneinander beweglichen Maschinenteilen, das sich bei Belastung verbiegt und bei Entlastung in seine Ausgangslage zurückkehrt, beispielsweise zum Dämpfen von Stößen in Fahrzeugen. **2.** Horngebilde in der Haut der Vögel, bestehend aus dem *Federkiel,* der mit der hohlen *Spule* in die Haut eingesenkt ist, und dem mit Mark gefüllten *Schaft,* der die *Fahne* trägt.

Federer, Roger, schweizerischer Tennisspieler, * 1981, Profispieler seit 1998, 2003 bis 2007 Wimbledon-Sieger.

Federball [der] → Badminton.

Fehde [die], eine in germanischer Zeit und im Mittelalter übliche Form, sein Recht in einem Privatkrieg gegen den Rechtsbrecher selbst zu verteidigen. Das

Fehderecht verlangte die Ankündigung von Kampfmaßnahmen durch einen *Fehde brief* oder durch Werfen des *Fehdehandschuhs.* Im Ewigen Landfrieden von 1495 wurde die Fehde im Deutschen Reich endgültig verboten.

Fehlgeburt [die], vorzeitige Beendigung einer Schwanger schaft (bis einschließlich der 28. Woche) durch die Geburt eines lebensunfähigen Kindes.

Feigenbaum [der], besonders in den Tropen verbreiteter Baum mit großen fingerförmigen Blättern und birnenförmigen grünen, gelben oder rötlich violetten Früchten *(Feigen),* die sehr süß sind. Der Feigenbaum wird auch im Mittelmeerraum, in Amerika, Nordafrika und in Australien angebaut.

Feininger, Lyonel, *1871, †1956; US-amerikanischer Maler und Grafiker deutscher Abstammung. Er war 1919–1933 führender Künstler und Lehrer am Bauhaus in Weimar und Dessau. Zu seinen Werken gehören v.a. Architektur- und Landschaftsbilder in einem dem Kubismus verwandten Stil.

Feld [das], eine physikalische Größe, der an jeder Stelle des Raums ein bestimmter Wert *(Feldstärke)* zugeordnet werden kann. Die Feldstärke ist die messbare Stärke eines Feldes, z.B. Gravitationsfeld, elektrisches oder magnetisches Feld.

Feigenbaum: Damit die Früchte heranreifen können, müssen die Blüten durch eine bestimmte Gallwespenart bestäubt werden.

Fenchel enthält ätherische Öle, die süß und zugleich bitter schmecken.

Feldberg [der], **1.** der höchste Berg des Schwarzwaldes (1493 m). **2.** zwei Gipfel des Taunus: *Großer Feldberg* (879 m) und *Kleiner Feldberg* (827 m).

Feldspat [der], Sammelname für eine Gruppe von Mineralien, die an der Zusammensetzung der Erdkruste zu etwa 60% beteiligt ist. Feldspat findet Verwendung in der Glas- und Porzellanherstellung, für Glasuren oder wird als Schmuckstein getragen.

Feldstecher [der] → Fernrohr.

Fellachen [Pl.], die Ackerbauern Syriens, Palästinas, Arabiens und Ägyptens.

Fellini, Federico, *1920, †1993; italienischer Zeichner und Filmregisseur. Er war einer der wichtigsten Filmemacher in Italien. In seiner 40-jährigen Karriere drehte er z.B. Filme wie »La Strada«, »Das süße Leben« und »Satyricon«.

Feme [die], im Mittelalter königliche Gerichte über todeswürdige Straftaten. Der nicht erschienene oder flüchtige Beschuldigte wurde geächtet; jedes Mitglied des Gerichts hatte das Recht, ihn zu töten. Die Feme entartete später zu geheimen, illegalen Gerichten und ist heute verboten.

feminin, weiblich; *Femininum,* das weibliche Geschlecht beim Substantiv, z.B. *die Sonne.*

Genauer betrachtet …
Fernrohr

Der niederländische Optiker Hans *Lipperhey* baute 1608 das erste Fernrohr. Das Prinzip des Fernglases entdeckte er, als seine Kinder beim Spielen in seiner Werkstatt eine Konkav- und eine Konvexlinse in einem bestimmten Abstand zusammenstellten. Als er durch die Kombination der beiden Linsen sah, bemerkte er, dass eine entfernte Wetterfahne nun näher und größer wirkte. Er fertigte umgehend ein röhrenförmiges Instrument mit dieser Anordnung und nannte es »Teleskop« (griech. »tele« = fern, »skopien« = sehen).

Feminismus [der, lat., »Frau«], eine Richtung der → Frauenbewegung, die die Veränderung der geschlechtsspezifischen Rollen anstrebt mit dem Ziel der Befreiung der Frau von jedweder Diskriminierung.

Fenchel [der], Doldengewächs des Mittelmeerraums. Die Knolle des Fenchels wird als Gemüse gegessen, aus den Früchten wird ein Gewürz oder Tee hergestellt.

Fermente [Pl.] → Enzyme.

Fermi, Enrico, *1901, †1954; italienischer Physiker. Er entdeckte die Kernumwandlung durch Neutronenbeschuss. Unter seiner Leitung gelang 1942 in Chicago die erste Erzeugung von Atomenergie durch Kettenreaktion bei der Uranspaltung in einem Kernreaktor. 1938 erhielt er den Nobelpreis.

Fernmeldetechnik [die], ein Bereich der → Nachrichtentechnik.

Fernrohr [das], *Teleskop,* ein optisches Instrument, mit dessen Hilfe entfernte Gegenstände näher erscheinen, so dass man sie beobachten kann. Es besteht entweder aus Sammellinsen (*Kepler'sches Fernrohr* mit umgekehrtem Bild) oder einer Sammellinse und Zerstreuungslinse *(Galilei'sches Fernrohr)*. Beim *Feldstecher* wird die eigentlich notwendige Rohrlänge durch Prismen, die den Lichtstrahl mehrmals umlenken, verkürzt. Auch → »Genauer betrachtet«.

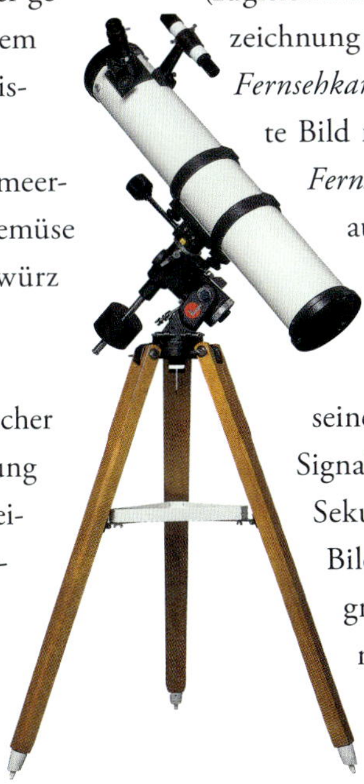

Fernrohre wie dieses werden oft zur Beobachtung von Himmelskörpern eingesetzt.

Fernschreiber [der], schreibmaschinenähnliches Gerät zum Senden und Empfangen von Text. Die Buchstaben und Ziffern werden in elektrische Impulse umgewandelt und dem empfangenden Fernschreiber zugeleitet. Der Empfänger verwandelt die Impulse wieder in maschinengeschriebenen Text. Heute wird vor allem der *Fernkopierer* (→ Telefax) verwendet. Die Nachrichtenvermittlung durch Fernschreiber wird als *Telegrafie* bezeichnet.

Fernsehen [das], die Übertragung bewegter Bilder (zugleich mit dem Ton) über Kabel oder Funk. Die Aufzeichnung eines Fernsehbildes erfolgt meist durch eine *Fernsehkamera*. In der Kamera wird das gewünschte Bild mit einem Objektiv auf den Schirm einer *Fernsehröhre* abgebildet. Dieser Schirm besteht aus einem lichtempfindlichen Halbleitermaterial. Durch einen Elektronenstrahl wird der Schirm zeilenweise abgetastet. Dabei entsteht an jedem Punkt ein seiner Helligkeit entsprechendes elektrisches Signal. Auf diese Weise werden 25-mal in jeder Sekunde die Helligkeitswerte eines kompletten Bildes als elektrische Signale erzeugt. Die Signale können auf Magnetband aufgezeichnet oder direkt (live) gesendet werden. Um ein farbiges Bild zu erfassen, wird das Bild in der Kamera in einen blauen, einen grünen und einen roten Anteil aufgeteilt. Die Helligkeitswerte des Bildes in diesen drei Grundfarben werden in drei getrennten Röhren gleichzeitig bestimmt. Es werden daraus zwei Signale für die Farbe und ein Wert für die Gesamthelligkeit gebildet. Durch den letzten Wert bleibt das Bild auch auf Schwarz-Weiß-Bildschirmen darstellbar. Zur fehlerfreien Übermittlung der Farbsignale gibt es verschiedene technische Systeme (PAL, SECAM, MAC). Das Fernsehsignal wird vom Studio über Kabel und Richtfunkstrecken, eventuell auch über Fernsehsatelliten, an lokale Fernsehsender oder Kabelfernsehzentralen weitergeleitet. Über eine Antenne bzw. über ein Kabel kommt das Signal zum Fernsehgerät. Eine weitere Möglichkeit ist der direkte Empfang des Signals mit einer speziellen Antenne (»Satellitenschüssel«). Mit dem empfangenen Signal wird das Bild auf dem Leuchtschirm der Bildröhre erzeugt. Das Bild wird innerhalb einer $^1/_{25}$-Sekunde aus 625 Zeilen aufgebaut. Mit einer Schattenmaske werden die drei Strahlen so ausgeblendet, dass jeder der Elektronenstrahlen jeweils nur auf den entsprechenden Leuchtstoff trifft. Aus der normalen Sehentfernung hat man so den Eindruck eines klaren, vielfarbigen Bildes.

Seit einigen Jahren gibt es Entwicklungen, um die Auflösung des Fernsehbildes zu erhöhen *(HDTV = High Definition Television).* Anstatt aus 576 besteht das Bild aus 720 oder 1080 sichtbaren Zeichen. Damit wird die Bildschärfe mit der einer Kinoleinwand vergleichbar. In Deutschland fand die erste öffentliche Programmausstrahlung 1935 statt. Seit 1952 verbreitete sich das Fernsehen über alle Sendebereiche Deutschlands. Seit 1984 sind neben den »öffentlich-rechtlichen« (ARD, ZDF) auch »privat« betriebene Fernsehsender zuge-lassen (RTL, SAT 1 u.a.), die sich ausschließlich über Werbeeinnahmen und Abonnenten (*Pay-TV,* seit 1986) finanzieren. Siehe auch ZEIT-Beitrag → »Fernsehen: Da schaust du!«, Seite 116–119.

Fernsprecher [der] → Telefon.

Fernunterricht [der], *Fernstudium,* jede Form privater oder beruflicher Aus- oder Fortbildung mit Lehrbriefen, schriftlichen Aufgaben und schriftlicher Korrektur.

Fernwärme [die], Wärme, die in Form von Wasser, Dampf oder Gas von einer zentralen Wärmeerzeugungsanlage über längere Strecken zum Verbraucher transportiert wird. Sie ist besonders dann sinnvoll, wenn die Wärme als »Abfallprodukt« bei anderen Reaktionen ohnehin entsteht und in der Wärmeerzeugungsanlage zentral genutzt wird.

Festival ['fɛstivəl, das, engl.], festliche Veranstaltung, Festspiel (beispielsweise Musikfestival, Theaterfestival, Filmfestival).

Festival: Das Musikfestival »Rock am Ring« findet seit 1985 jährlich (Ausnahmen 1989 und 1990) auf dem Nürburgring statt.

Fetisch [der], ein Gegenstand, dem übernatürliche oder magische Kräfte zugeschrieben werden und mit dem man sich vor Bösem schützen will.

Fette [Pl.], chemische Stoffe, ein Gemisch aus Estern des Glyzerins mit höheren Fettsäuren, die in reiner Form geschmacks-, geruchs- und farblos sind. Fette sind in Wasser nicht löslich, jedoch in organischen Lösungsmitteln, z. B. in Äther oder Chloroform. Bei Menschen und Tieren kommen sie meist im Fettgewebe (Speck) vor, bei Pflanzen z. B. in Früchten und Samen (Nüsse, Oliven). In der menschlichen Ernährung spielen Fette z. B. als Butter, Margarine, Speiseöl eine wichtige Rolle. Darüber hinaus werden sie zur Herstellung von kosmetischen Produkten und von Schmierfetten, zur Verringerung der Reibung bei beweglichen Teilen, verwendet. Technische Fette werden heute oft aus Erdöl hergestellt.

Fettsucht, vom Normalgewicht um mehr als 20 % abweichende Vermehrung der Körpermasse durch Zunahme des Depotfetts. Meistens tritt Fettsucht infolge von Überernährung und Bewegungsmangel auf. In seltenen Fällen wird sie durch eine Krankheit (z. B. Störung des Hormonstoffwechsels) verursacht.

Fetus [der], *Fötus,* die Frucht des Menschen oder eines Tieres einige Wochen nach der Befruchtung der Eizelle, beim Menschen etwa ab dem 2. Monat nach der Befruchtung, vorher spricht man vom *Embryo.*

feudal, herrschaftlich, vornehm.

Was ist ...
Feudalismus

Feudalismus ist eine Herrschafts- und Gesellschaftsordnung, in der eine adelige Oberschicht vom Herrscher mit Grundbesitz sowie politischen u. a. Vorrechten bedacht wird. Der Feudalstaat entwickelte sich im → Mittelalter auf der Grundlage des Lehnswesens. Hinter dem Feudalismus stand ein Weltbild, in dem die Ungleichheit der Menschen als Teil der göttlichen Ordnung akzeptiert und als unveränderlich betrachtet wurde. In den Lehren von K. Marx ist der Feudalismus die Gesellschaftsordnung, die die Sklavenhaltergesellschaft ablöst und die ihrerseits von der kapitalistischen Gesellschaftsordnung abgelöst wird. Feudalistisch wird heute als politisches Schlagwort verwendet, um überholte gesellschaftliche Verhältnisse zu kennzeichnen.

Die Lehnspyramide: An der Spitze des Herrschaftssystems bzw. der Lehnspyramide stand der König. Er verlieh Grundbesitz an die Grundherren oder Kronvasallen (Herzöge, Grafen, Bischöfe) und übertrug ihnen dadurch die Verfügungsgewalt über Grund und Boden sowie die Herrschaft über alle darauf lebenden Menschen. Zugleich gewährte er ihnen Schutz. Dafür waren die Vasallen dem König zu Dienst und Treue verpflichtet. Auf der nächsten Ebene bestanden vergleichbare Herrschafts- und Treuebeziehungen zu Rittern, Äbten, Beamten und Dienstmannen (Untervasallen). Das letzte Glied dieser Kette, den Boden der Lehnspyramide, bildeten die Hörigen, das heißt die abhängigen oder leibeigenen Bauern und Knechte. Sie leisteten zwangsweise Arbeiten (Frondienste), zahlten Naturalabgaben oder später auch Geld (Pachtzins) und waren zur Treue gegenüber ihrem Herrn verpflichtet, der seinerseits die Verantwortung für die Sicherung ihrer Existenz trug.

Belehnung Friedrichs VI. mit der Mark Brandenburg; Darstellung aus der Handschrift Ulrich Richentals über das Konstanzer Konzil

Unterschiedliche Machtentwicklung: Da beispielsweise in Frankreich und England alles Land der königlichen Lehnshoheit unterlag (»Kein Land ohne Herrn«), konnte sich dort alle Macht zentral in der Hand des Königs als oberstem Lehnsherrn sammeln. In Deutschland dagegen, wo auch lehnsfreier Besitz bestand, entwickelten sich verschiedene Landesherrschaften, wodurch die zentrale Herrschermacht geschwächt wurde und die staatliche Einheit zerfiel. Aus dem Feudalstaat entstanden die Herrschaftsformen des → Absolutismus und des Ständestaates, in dem die verschiedenen Stände (Adel, Geistlichkeit, Bauern und Bürger) über politische Versammlungen an den Staatsgeschäften beteiligt wurden.

Feuerland, Inseln an der Südspitze Südamerikas. Sie gehören teilweise zu Chile und teilweise zu Argentinien. Wegen des rauen Klimas sind sie nur dünn besiedelt. Feuerland wurde von seinem Entdecker F. de *Magalhães* nach den nicht verlöschenden Feuern der Indianer benannt.

Feuersalamander [der], lebend gebärender Schwanzlurch, der in feuchten Laubwäldern Süd- und Mitteleuropas, aber auch in Nordwestafrika und Vorderasien, zu Hause ist. Tags über hält er sich verborgen, nachts geht er auf Nahrungssuche (Würmer, Schnecken, Insekten). Der Feuersalamander ist etwa 25 cm lang, lackschwarz mit orangefarbenen oder schwefelgelben Flecken.

Feuerstein [der], eine harte, undurchsichtige, grauschwarze oder gelbliche Abart des Quarz. Beim Anschlagen sprengen kleine glühende Stücke ab, die leicht entflammbare Stoffe zum Glimmen bringen können. In der Steinzeit wurde der Feuerstein zu Waffen und Werkzeugen (Faustkeil, Messer, Pfeilspitze) verarbeitet.

Feuerwehr [die], Personen und Geräte zur Bekämpfung von Bränden. Zur Feuerwehr gehören die *Freiwillige Feuerwehr* der kleineren Städte und Gemeinden, deren Mitglieder ihre Berufe ausüben und bei Brandgefahr alarmiert werden, und die *Berufsfeuerwehr* der Städte über 100 000 Einwohner, in deren Feuerwachen ständig Feuerwehrleute Bereitschaftsdienst haben. Zur Ausrüstung gehören z. B. Lösch- und Hilfsgeräte wie Tanklöschfahrzeuge, Kraftfahrdrehleiter und Schlauchwagen.

Feuilleton [fœjəˈtõ, das, franz., »Teil eines Blattes«], ein geistreich-witziger, unterhaltender Aufsatz, meist die Bezeichnung für den Kulturteil einer Zeitung mit Film- und Theaterkritiken, Buchbesprechungen u. Ä.

Fiasko [das], Misserfolg, Schlappe, Reinfall.

Fichte [die], bis circa 50 m hoher Nadelbaum mit kegelförmiger Krone und hängenden Zapfen. Fichten sind in Nord- und Ostasien, Nordamerika und Europa heimisch. In Europa ist besonders die *Gewöhnliche*

Feuersalamander: Wenn das Tier sich bedroht fühlt, scheidet es durch seine Hautdrüsen ein giftiges Sekret ab, das Feinde abschrecken soll.

Fichte, auch *Rottanne* genannt, wichtig. Ihr Holz wird vor allem als Baumaterial und für die Papierherstellung genutzt.

Fichte, Johann Gottlieb, * 1762, † 1814; deutscher Philosoph. Als Vertreter des deutschen → Idealismus führte er die Gedanken Kants weiter. Seine Lehre, nach der der Mensch sein Schicksal selbst in die Hand nehmen solle, wandte er auch auf die politischen Verhältnisse an. In seinen »Reden an die deutsche Nation« rief er zum Widerstand gegen die Fremdherrschaft Napoleons I. auf.

Fichtelgebirge [das], ein Mittelgebirge im östlichen Oberfranken (Bayern); Quellgebiet von Main und Saale.

Ländersteckbrief
Fidschi

Fläche:	18 333 km²
Einwohner:	854 000 = 47 je km²
Hauptstadt:	Suva
Religion:	Christentum, Hinduismus
Amtssprache:	Englisch, Fidschianisch
Währung:	1 Fidschi-Dollar = 100 Cents

Fidschi, Staat in Ozeanien.

Landesnatur: Fidschi besteht aus über 300 meist von Korallenriffen gesäumten Inseln. Die größeren Inseln

Fidschi: In weiten Teilen des Landes musste die natürliche Vegetation Zuckerrohrplantagen weichen.

tragen üppig bewaldete Gebirge (bis 1324 m hoch) vulkanischen Ursprungs; tropisches Klima, sehr reiche Niederschläge.

Bevölkerung: Rund die Hälfte der Bewohner sind Melanesier (Christen), 44% Inder (meist Hindus). An Minderheiten sind Mischlinge, Europäer und Chinesen vertreten.

Wirtschaft: In der Plantagenwirtschaft (Anbau von Zuckerrohr u. a.) sind 40% der Erwerbstätigen beschäftigt. Die Industrie verarbeitet Agrarprodukte, Holz und Fisch. Ausfuhr von Kleidung, Zucker, Fisch, Gold und Silber; Tourismus.

Geschichte: Fidschi wurde 1643 von A.J. *Tasman* entdeckt. 1874 wurde es britische Kolonie. 1970 wurde es unabhängig; es verblieb im Commonwealth. Nach einem Militärputsch 1987 wurde es zur Republik erklärt und schied aus dem Commonwealth aus. Nach Verabschiedung einer neuen Verfassung wurde Fidschi 1997 wieder Commonwealth-Mitglied. Melanesische Putschisten nahmen die Regierung 2000 in Geiselhaft, um die politische Gleichstellung der indischen Bevölkerungsminderheit durch die neue Verfassung zu beseitigen. Der melanesische Politiker L. *Qarase* bildete eine neue Regierung. Der ethnische Konflikt zwischen melanesischer und indischer Bevölkerung blieb ungelöst. 2006 übernahm das Militär die Macht, F. *Bainimarama* wurde Regierungschef.

Zwei Gesichter der ARD-Nachrichten: Anne Will und Ulrich Wickert

Fernsehen

Da schaust du!

Von Götz Hamann

Im Dezember des Jahres 1952 begann in der Bundesrepublik ein neues Zeitalter: Die ersten Fernsehsendungen flimmerten über die Bildschirme! Gerade einmal 4000 Familien besaßen damals ein Fernsehgerät. Nachrichten, Fußballspiele und Dokumentationen waren damals zum ersten Mal in der »Glotze« zu sehen – für kurze Zeit am Tag. Und auf nur einem einzigen Programm.

Heute sitzen Kinder im Durchschnitt mehr als eineinhalb Stunden täglich vor dem Bildschirm und wählen aus 30 oder mehr Kanälen. Ihre Großeltern sehen sogar fast fünf Stunden fern, Tag für Tag. Ohne Fernsehen leben hingegen die wenigsten Menschen in unserem Land. Die meisten Kinder wachsen heute mit dem Kinderkanal Kika und mit Super RTL auf. Und wer nicht zu Hause schaut, wird es früher oder später bei Freunden tun, wird *Gute Zeiten, Schlechte Zeiten* kennenlernen und *Marienhof*.

Wie beeinflusst uns das Fernsehen?

Dass Kinder und Jugendliche so viel Zeit mit dem Fernsehen verbringen, verändert sie natürlich. Aber wie? Was macht das Fernsehen mit uns? Essen wir, was uns die Werbung zeigt? Kaufen wir, was Sandra Koltai (als Toni) in *Marienhof* trägt? Und machen wir nach, wie Jaqueline

Aichinger (als Jack) in der *Lindenstraße* ihre Konflikte mit Erwachsenen bewältigt? Die meisten haben sicher schon manchmal gedacht: Find' ich super, mache ich das nächste Mal auch so.

Fernsehen kann Gefühle auslösen. Man freut sich und leidet mit seinen Lieblingsfiguren. Die Fanpost an die Stars von *Gute Zeiten, Schlechte Zeiten* zeigt, wie die Zuschauer mitfiebern. Sie vergleichen sich mit den Hauptpersonen, und so kann Fernsehen zum Vorbild werden.

Macht fernsehen dumm?

Es gibt eine große Zahl von Menschen, die Fernsehen gefährlich finden. Fernsehen macht dumm, sagen sie. Stimmt das?

Ganz falsch ist es jedenfalls nicht. Wissenschaftler haben viele Hundert Kinder und Jugendliche über Jahre begleitet und dabei herausgefunden: Wer zu viel fernsieht, schadet sich. Jahrelange Dauergucker wissen am Ende weniger als diejenigen, die kaum fernsehen. Ihr Gehirn ist weniger leistungsfähig. Gründe dafür gibt es viele. Erstens: Wer viel fernsieht, hat weniger Zeit zum Lesen. Zweitens ist aber gerade das Lesen fürs Lernen wichtig. Beim Lesen bleibt mehr im Gedächtnis hängen als beim Fernsehen, es trainiert das Gehirn besser. Drittens können aufregende Fernsehbilder ausradieren, was man morgens in der Schule gelernt hat. Die schädliche Wirkung des Fernsehens trifft alle, sagen die Wissenschaftler, vor allem aber solche Kinder, denen das Lernen ohnehin schwerfällt. Mit Fleiß lässt sich einiges ausgleichen – aber nicht alles.

Hat man diese Probleme nicht kommen sehen, als das Fernsehen erfunden und verbreitet wurde? Nicht wirklich. Vor 60 Jahren waren Politiker überzeugt: Wer das Radio- und das Fernsehprogramm bestimmt, kann die Meinung aller Menschen im Land beeinflussen. An Unterhaltungsprogramme dachte damals kaum jemand. Man wollte ein neutrales, informatives Programm für alle Bürger schaffen. Deshalb sollten Journalisten, die fürs Radio und fürs Fernsehen arbeiteten, keiner Regierung gehorchen müssen – und auch keinem Unternehmer. In den Jahren 1945–1949 entstanden dann sechs Sendeanstalten, die sich selbst kontrollierten. Eine von

Kindertage des Fernsehens: Nur wenige Haushalte besaßen in den fünfziger Jahren ein TV-Gerät

ihnen hieß NWDR. Aus ihr wurden später der Norddeutsche Rundfunk (NDR) und der Westdeutsche Rundfunk (WDR). Heute gibt es neun solcher öffentlich-rechtlichen Sendeanstalten (die dritten Programme der ARD).

Wie ist das Fernsehen entstanden?

Zu diesen Programmen kam im Jahr 1963 das Zweite Deutsche Fernsehen (ZDF). Seit Mitte der 1980er Jahre sind außerdem Sender wie Sat.1 und RTL erlaubt, die privaten Unternehmen gehören und nicht dem Staat. Hier kann man nicht mehr ganz so sicher sein, ob die Unternehmenschefs sich nicht ins Programm einmischen.

Als das Fernsehen in den fünfziger Jahren noch neu war, hatten viele Angst, dass man es politisch missbrauchen könnte. So wie es mit dem Radio in der Zeit des Nationalsozialismus (1933 bis 1945) geschehen war. Damals bestimmten die Nazis über das Programm und erlaubten nur die Sendungen, die ihnen gefielen und ihre Politik unterstützten. Man konnte auch nicht einfach umschalten, weil es keine unabhängigen Sender in Deutschland gab.

Beim Fernsehen gab es da anfangs ein technisches Problem. Man hatte damals nur Antennenfernsehen, das wie Radio durch die Luft verbreitet wurde – und dafür gab es wenige Frequenzen. Das heißt: Mehr als fünf Programme nebeneinander konnte man nicht senden. Erst in den achtziger Jahren des 20. Jahrhunderts wurden die Engpässe kleiner, als das TV-Kabel verlegt und Fernsehsatelliten in den Weltraum geschossen wurden. Damit gab es auf einmal die Möglichkeit, mehr Sender gleichzeitig zu übertragen – und die Möglichkeiten sind seither noch größer geworden. Konnte das alte Antennenfernsehen nur fünf Programme verbreiten, so sind es heute beim digitalen Antennenfernsehen (DVB-T) fast 30 und im digitalen TV-Kabel einige Hundert. Satelliten bieten ebenfalls mehreren Hundert Sendern Platz. Dazu kommen inzwischen Handy-TV und das Internet.

Das Fernsehen beginnt sich dabei in ein Überall-TV zu verwandeln. An fast jedem Ort und zu jeder Zeit werden wir in Zukunft Filme ansehen können. Wir werden uns auch nicht mehr nach einem festen Programmablauf richten müssen. Wer die *Lindenstraße* verpasst, muss künftig nicht mehr auf eine Wiederholung warten. Denn jeder wird im Internet in Fernsehbibliotheken stöbern können. Schon jetzt ist das zum Teil möglich. Zusätzlich starten Hunderte von neuen TV-Kanälen im Internet. Gleichzeitig kehren in neuer Gestalt

Liveschaltung in den Senat: Per Computer steuert diese Fernsehmitarbeiterin die Übertragungskameras (Phoenix, USA)

Sehen und gesehen werden: die Show »Deutschland sucht den Superstar«

Angebote auf den Bildschirm zurück, die lange Zeit verschwunden waren: Sendungen, die den Zuschauer unterrichten zum Beispiel. Für Ärzte gibt es mittlerweile sogar einen eigenen Sender: Chirurgen TV.

Wie gucken wir in der Zukunft?

Der zweite Weg in die Zukunft des Fernsehens begann mit einem Tiervideo im Internet. Wir erinnern uns: Am Beginn des Fernsehens im Jahr 1952 sendete *einer,* und *alle* sahen zu. Jetzt können alle senden: Die Katze mit Namen Pajamas ging am 22. Mai 2005 auf Sendung. Pajamas gehört dem jungen US-Amerikaner Steve Chen, der das Internetportal YouTube mitgründete. Es ist vorläufig zum größten Videoportal im Internet geworden. In dem kurzen Film hält Chen seinem Haustier einen Faden hin, an dem ein Spielzeug hängt. Er hält es mal höher, mal niedriger, bis Pajamas danach springt. Der Ton ist schlecht, die Szene miserabel ausgeleuchtet, doch eines ist klar: Chen ist der Regisseur. Chen, der Privatmann, der Zuschauer. Sein Video war das erste auf YouTube.

Was aus YouTube wird, ist noch nicht absehbar, aber vor allem Kinder und Jugendliche finden es spannend, selbst Fernsehen zu machen. Die über 30-Jährigen, vermutet man, werden auch weiterhin das normale Fernsehen schätzen, weil sie sich daran gewöhnt haben. Besonders gut können sich also ARD und ZDF fühlen: Ihre Zuschauer sind im Durchschnitt ziemlich alt, also werden wenige von ihnen zu YouTube wechseln. Auf Dauer ist das natürlich nicht beruhigend, weil die Jugendlichen von heute irgendwann erwachsen werden. Um sie zu locken, haben alle großen TV-Sender ihr Onlineportal gestartet – zuletzt sogar ARD und ZDF. Sie wollen auch im Jahr 2030 noch behaupten können, das Erste und das Zweite zu sein – vor allen anderen.

Fieber [das], beim Menschen Erhöhung der normalen Körpertemperatur ab 37,5 °C; Temperaturen über 40 °C sind gefährlich; typische Begleiterscheinungen bei höherem Fieber sind Schüttelfrost, Wärmegefühl und beschleunigter Puls. Fieber wird meist durch krankhafte Vorgänge ausgelöst und zeigt die Auseinandersetzung des Körpers mit Krankheitserregern, z. B. bei Infektionskrankheiten, an. Es wird mit dem Fieberthermometer in der Achselhöhle, im Mund oder im After gemessen.

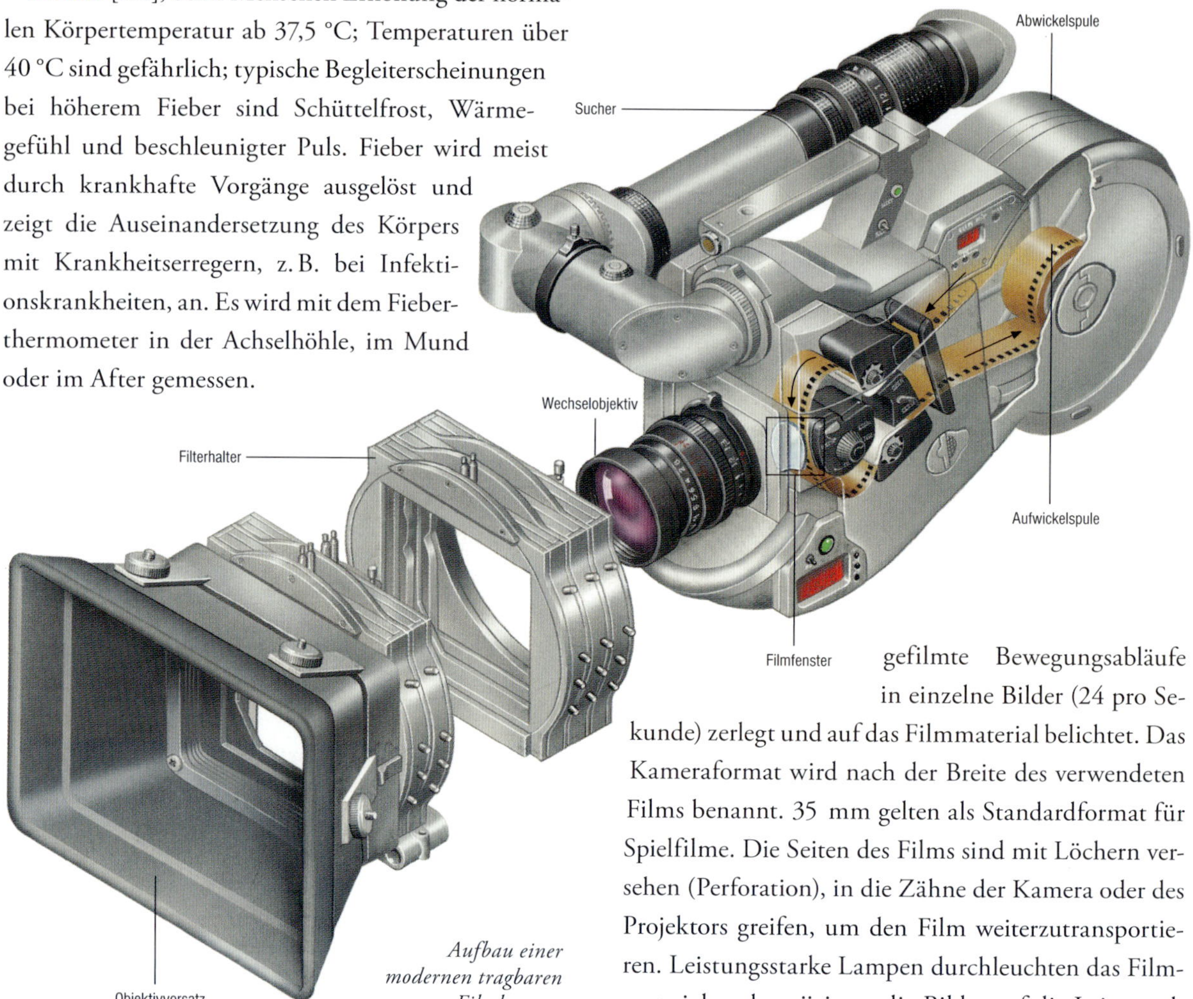

Aufbau einer modernen tragbaren Filmkamera

Fiktion [die], Annahme, Erfundenes, Erdichtetes, Figuren in einem Roman oder Film; *fiktiv:* erdacht, eingebildet.

Filiale [die], Zweigstelle, Zweiggeschäft eines Unternehmens.

Film [engl. »Häutchen«], bezeichnet den dünnen, durchsichtigen Kunststoffstreifen mit der lichtempfindlichen Schicht, auf der die einzelnen Bilder belichtet werden. Der Film macht sich dabei die Grundlagen der Fotografie zunutze. In einer Filmkamera werden gefilmte Bewegungsabläufe in einzelne Bilder (24 pro Sekunde) zerlegt und auf das Filmmaterial belichtet. Das Kameraformat wird nach der Breite des verwendeten Films benannt. 35 mm gelten als Standardformat für Spielfilme. Die Seiten des Films sind mit Löchern versehen (Perforation), in die Zähne der Kamera oder des Projektors greifen, um den Film weiterzutransportieren. Leistungsstarke Lampen durchleuchten das Filmmaterial und projizieren die Bilder auf die Leinwand. Die Ursache für die Umwandlung der einzelnen aufgenommenen Bilder in einen Film liegt im menschlichen Auge. Es ist träge und kann, wenn ihm mehr als 16 Bilder in der Sekunde gezeigt werden, nicht die einzelnen Bilder erkennen. Bei einer Projektion von mehr als 16 Bildern in der Sekunde sehen wir im Kino dann nicht die einzeln aufgenommenen Bilder, sondern die Bewegungsabläufe; wir sehen keine einzelnen Fotos mehr sondern einen Film. Die Hauptarten des Films sind der Dokumentarfilm, in dem Ausschnitte aus der Wirklichkeit gezeigt werden, der Spielfilm, in dem eine Spielhandlung von Schauspielern gestaltet wird, und der Trickfilm (Animationsfilm), in dem die Bewegungen durch Einzelaufnahmen der verschieden Bewegungsphasen künstlich hergestellt werden. Siehe auch ZEIT-Beitrag →»Kino: Bewegende Bilder«, Band 3, Seite 156–159.

Filter [der oder das], eine Vorrichtung, die für bestimmte Substanzen oder Strahlen nicht durchlässig ist, andere aber durchlässt; insbesondere spezielle Gläser, die UV-Strahlung oder bestimmte Farben für die Fotografie filtern, besondere Papiere, die feste Teile aus Flüssigkeiten scheiden (beispielsweise Kaffeefilter).

Finale [das, lat. finis], Ende, Schlussteil, Abschluss. Beim Sport versteht man unter Finale die Endrunde eines Wettkampfes, das Endspiel. In der Musik steht Finale für den Schluss satz einer Sonate, Sinfonie oder eines Opernaktes.

Finanzen [Pl.], Vermögen, Gelder, über die ein Staat, eine Firma oder eine Person verfügen kann.

Findelkind, *Findling,* von den Eltern ausgesetztes oder namenlos abgegebenes Kleinkind.

Finderlohn [der], gesetzlich vorgeschriebene Belohnung für jemanden, der eine verlorene Sache gefunden und beim Eigentümer abgeliefert hat.

fine, in der Notenschrift die Stelle, bis zu der ein Musikstück wiederholt wird *(da capo al fine).*

Finesse, Feinheit, Schlauheit, Trick.

Fingerabdruck [der], der Abdruck der Hautleisten der inneren Fingerhaut. Der Fingerabdruck dient in der Kriminaltechnik zur Identifizierung von Menschen, da es keine zwei Menschen mit gleichen Fingerabdruckmustern gibt.

Fingerhut [der], *Digitalis,* Waldpflanze aus der Familie der Rachenblüter. Das Gift des *Roten Fingerhuts* dient als Herzmittel.

Fingersatz, *Applikatur,* Vorschrift für den richtigen Gebrauch der Finger beim Spielen von Musikinstrumenten.

fingieren [lat.], vortäuschen, er finden, erdichten.

Finish, scharfer Endkampf, Endspurt.

Finken [Pl.], weltweit verbreitete Familie der Singvögel mit kräftigem Schnabel. Einheimische Arten sind → Buchfink, → Zeisig, Stieglitz, Gimpel, Grünfink, Bergfink u. a.

Ländersteckbrief
Finnland

Fläche:	304 530 km²
Einwohner:	5,26 Millionen = 17 je km²
Hauptstadt:	Helsinki
Religion:	evangelisch-lutherische Kirche
Amtssprache:	Finnisch, Schwedisch
Währung:	1 Euro = 100 Cent

Finnland, Staat in Nordeuropa.

Landesnatur: Der Norden ist gebirgig (Haltiatunturi 1328 m) und senkt sich nach Süden zur waldreichen Finnischen Seenplatte (über 60 000 Seen). Am Finnischen und Bottnischen Meerbusen breitet sich fruchtbare Flachküste aus. Im Norden lange, schneereiche Winter und relativ warme Sommer, im Küstenbereich atlantisch gemäßigtes Klima. Rund $^{2}/_{3}$ der Landesfläche sind bewaldet.

Bevölkerung: Die Bevölkerung besteht zu 92% aus Finnen und 6% Schweden; im Norden leben rund

17 000 Samen (Lappen). Die Bewohner sind größtenteils evangelisch-lutherisch (85%) und leben v.a. im Küstentiefland.

Wirtschaft: Die bedeutende Holzwirtschaft liefert für den Export Holz, Cellulose, Papier. Andere wichtige Industriezweige sind die Elektronik, Metall- und Maschinenindustrie sowie der Schiffbau. Für die Energieerzeugung spielt die Nutzung der Wasserkraft eine große Rolle. An Bodenschätzen gibt es kleinere Kupfer- und Zinkvorkommen. Die Landwirtschaft beschränkt sich v.a. auf die Viehzucht; Ackerbau wird nur im Küstenbereich betrieben. Wichtige Seehäfen sind Helsinki, Turku, Hamina und Kotka. Der internationale Flughafen Vantaa liegt bei Helsinki.

Geschichte: Im 2. Jh. n. Chr. wanderten die Finnen von Osten her ein. Im 13. Jh. eroberte Schweden das Land, das 1809 Großfürstentum des russischen Zaren wurde, jedoch seine innere Selbstständigkeit behielt. Am 6. 12. 1917 erklärte der Landtag Finnland für unabhängig. Am 21. 6. 1919 wurde Finnland Republik. 1930 erzwang der Bauernmarsch (Lappobewegung) nach Helsinki die Ausschaltung des Bolschewismus aus dem innenpolitischen Leben. Die Sowjetunion provozierte 1939 einen Krieg (Winterkrieg), in dem Finnland unterlag. 1941–1944 kämpfte Finnland auf der deutschen Seite gegen die Sowjets, schloss jedoch am 19. 9. 1944 einen Waffenstillstand. Finnlands Selbstständigkeit konnte dadurch bewahrt werden. Durch den Pariser Friedensvertrag 1947 erkannte Finnland die Gebietsverluste an die UdSSR an. Der Beistandspakt von 1948 bestimmte bis zur Auflösung der UdSSR 1991 die Außen- und Innenpolitik Finnlands. Trotz der Sonderbeziehungen zur UdSSR entwickelte sich das Land zu einem modernen Industrie- und Wohlfahrtsstaat. 1995 wurde Finnland Mitglied der EU. 2000 wurde die Sozialdemokratin T. *Halonen* als erste Frau an die Staatsspitze gewählt (Wiederwahl 2006). Ministerpräsident ist seit 2003 der Zentrumspolitiker M. *Vanhanen.* 1995 wurde Finnland Mitglied der EU.

Finnland: Traditionelles Nutztier ist das Rentier.

Finnland: Nahezu ein Zehntel der Staatsfläche wird von Seen eingenommen.

Finte [die], Ausflucht, Vorwand, Irreführung.

Firewall ['faiəwɔ:l], Sicherheitseinrichtung, die ein Computernetzwerk vor unbefugten Zugriffen aus einem anderen Netz abschotten soll.

firm, fest, sicher.

Firma [die], Abkürzung Fa., der Name, unter dem ein Kaufmann als Einzelperson oder als Gesellschaft seine Geschäfte betreibt. Eine Firma muss in das Handelsregister eingetragen werden.

Firmament [das], der sichtbare Teil der Himmelskugel.

Firmung [die], ein Sakrament der katholischen Kirche, das meist vom Bischof durch Handauflegung und Salbung der Stirn vollzogen wird. Die Firmung ist Vollendung der Taufe, bei der der Christ in seinem Glauben vom Heiligen Geist gestärkt wird.

Firn [der], der mehrjährige Schnee des Hochgebirges, der sich allmählich zu Gletschereis umbildet.

First [der], die obere Kante einer Dachfläche.

Fische → Seite 128.

Fischer, Birgit, * 1962; deutsche Kanutin. Sie ist mit 28 Weltmeistertiteln und 8 olympischen Goldmedaillen die erfolgreichste deutsche Sportlerin in einer olympischen Disziplin.

Fischerei [die], der gewerblich ausgeübte Fang von Fischen, Weichtieren und Krebstieren. Es gibt drei Betriebsformen: *Binnenfischerei,* die Bewirtschaftung der Seen, Flüsse und Teiche des Binnenlandes (u. a. mit Forellen, Karpfen), einschließlich aller Pflege- und Zuchtmaßnahmen. *Küstenfischerei,* der Fischfang in Küstennähe mit kleineren Booten und Kuttern. Die Küstenfischerei landet Edelfische wie Seezungen und Schollen an, außerdem Heringe, Sprotten, Krabben und Muscheln. *Hochseefischerei,* der auf hoher See betriebene Fischfang mit großen Grundschleppnetzen (Trawls), nach denen die Fischereifahrzeuge auch Trawler genannt werden. Die Hochseefischerei liefert vor allem große Mengen von Grundfischen (Rotbarsch, Kabeljau, Seelachs). Viele Trawler sind als Fabrikschiffe darauf eingerichtet, den Fang an Bord zu verarbeiten und tiefzugefrieren.

Fischreiher [der] → Reiher.

Fischstäbchen, siehe ZEIT-Beitrag → »Fischstäbchen: Weit gereiste Sattmacher«, Seite 124–127.

Fiskus [der, lat., »Geldkorb«], die Staatskasse, das Staatsvermögen; auch der Staat als Besitzer von Vermögen.

Fistel [die], durch einen krankhaften Prozess entstandener Verbindungsgang zwischen zwei Organen oder zwischen einem Organ und der äußeren Haut. Fisteln entstehen oft bei tiefen Eiterungen.

Fitnesscenter [-sɛntə], *Fitnessstudio,* Einrichtung zur Erlangung oder Steigerung der Fitness an speziellen Kraft- und Ausdauergeräten unter Aufsicht von ausgebildeten Trainern. Häufig bieten Fitnesscenter auch Gruppenkurse (z. B. Step Aerobic, Spinning) und die Benutzung von Sauna und Solarium an.

fixieren [lat., »festlegen«], allgemein festsetzen (z. B. einen Termin); auch scharf ansehen, anstarren; in der Fotografie unbelichtetes und noch lichtempfindliches Halogensilbersalz aus fotografischen Schichten mit Fixierbad herauslösen.

Fixsterne [Pl., lat., »fest stehende Sterne«], die im Gegensatz zu den um die Sonne kreisenden Planeten *(Wandelsternen)* scheinbar fest am Himmel stehenden, weit von der Erde entfernten selbst leuchtenden Himmelskörper. Die Fixsterne bewegen sich nur sehr langsam, weshalb man sie früher für feststehende Sterne hielt. Mit bloßem Auge sind auf der Nord- und Südhalbkugel fast 6000 Fixsterne erkennbar.

Fjord [der, norwegisch], tief eingeschnittene, meist schmale Meeresbucht mit felsigen Steilküsten. Die

Fjord: Der Sognefjord ist mit 180 km der längste Fjord an der Westküste Norwegens, die begrenzenden Felswände ragen bis über 1500 m steil auf.

Fortsetzung → Seite 128

Reiche Beute: Ein Fischer bugsiert seinen Fang aufs Schiffsdeck

Fischstäbchen

Weit gereiste Sattmacher

Von Marcus Rohwetter

Sie sind klein, billig und beliebt: Im Jahr 2006 verspeiste jeder Deutsche im Durchschnitt 22 Fischstäbchen, mehr als je zuvor in der Geschichte des Fast Foods. Man sieht es den panierten Sattmachern dabei nicht an, dass sie einen langen Weg hinter sich haben – und von Orten stammen, die nichts mit der Käpt'n-Iglo-Romantik aus dem Fernsehen zu tun haben.

Die Reise der Fischstäbchen beginnt bei schlechtem Wetter. Dutch Harbor auf Unalaska Island ist der größte Fischereihafen in den USA. Auf der Insel gibt es Steine, noch mehr Steine, eisigen Wind und graue Wolken, aus denen es entweder regnet oder schneit, je nach Jahreszeit. Jetzt ist Winter. Draußen im Beringmeer jagen Fischer den Alaska-Seelachs, den Rohstoff für Fischstäbchen. Die *Kodiak Enterprise* ist eines ihrer Schiffe.

Fischjagd mit Bordcomputer

Eisiger Wind weht aus Nordwesten über die See. Es hat gestürmt, die ganze Nacht und auch den Tag davor. Fünf, manchmal sechs Meter hoch türmen sich die Wellen, sie heben den Bug der *Kodiak* aus dem Meer, dann fällt das Schiff dumpf aufs Wasser zurück. Irgendwo hier draußen muss er sein, der Alaska-Seelachs. Ein Fisch, der eigentlich kein Lachs ist, sondern ein Dorsch, aber so heißt, weil das besser klingt und sich leichter verkaufen lässt.

Die *Kodiak* ist Fischfänger und -verarbeiter zugleich. Ihr Kapitän heißt Dave York und ist Amerikaner; auf der Brücke trägt er schon mal T-Shirt und eine verwaschene Jogginghose. Im Auftrag der Reederei Trident aus Seattle steuert er das weißblaue, 80 Meter lange Schiff durch das Beringmeer. Ein roter Strich auf dem Monitor des Bordcomputers zeigt an, was sich unter dem Schiff befindet: zurzeit nichts. Nur Wasser. Stundenlang schon.

»Keine Monster, aber okay«

Doch dann, endlich, bekommt der rote Strich Gesellschaft. Dicke rote Punkte, eng beieinander. Ein mittelgroßer Schwarm in 50 Meter Tiefe. »Keine Monster, aber ganz okay«, sagt Kapitän Dave und nimmt ein Sprechgerät zur Hand. »Die holen wir uns!« Das gilt Nicky, Mario, Angel und Cody. Sie gehören zur Deck-Crew und arbeiten draußen auf der grauen Stahlfläche, die fast zwei Drittel der Schiffslänge ausmacht. Zum Heck geht sie in eine Rampe über, die steil in die See führt. Wenn der Sturm eine Welle von hinten auf die *Kodiak* treibt, schwappen ein paar Kubikmeter Wasser die Rampe hoch, schlagen laut aufs Deck und stürzen wieder hinunter. Wer sich vom Wasser mitreißen lässt, ist so gut wie verloren. Aber Nicky muss das Netz auf ebenjene Rampe bekommen.

Noch liegt das 200 000 Dollar teure Fanggerät an Deck, aufgewickelt auf eine mannsgroße Winde. Per Knopfdruck gibt sie das Netz stückchenweise frei. Zu viert packen die Deckarbeiter das Ende und werfen es auf die Rampe, so weit, bis es ins Wasser hängt. Nicky hebt die Hand: Alles okay. Auf der Brücke legt Kapitän Dave zwei verchromte Hebel um und lässt die beiden 3000-PS-Dieseltriebwerke der *Kodiak* arbeiten. Langsam gleitet das Netz ins Wasser. Braune, schwere Ketten hängen daran und rosa Bojen. Tief unten im Wasser werden sie den Strang aus gelb-schwarzen Nylonstricken zu einem Sack entfalten, der größer ist als die *Kodiak* selbst. Den Eingang bildet ein 40 mal 60 Meter breites Tor, nach hinten wird es immer enger. Ganz hinten ist Schluss für alles, was dicker ist als fünf Zentimeter.

Es kann dauern, bis ein Netz voll ist, doch diesmal geht es schneller als gedacht. Der Bordcomputer hat auch das schon ausgemessen. Vier rote Balken signalisieren einen guten Fang, ungefähr 60 Tonnen. »Raus damit!«, rauscht das Funkgerät, und jetzt läuft das ganze Spiel rückwärts. Die Winde wickelt das Netz langsam auf, zieht dessen prall gefülltes Ende wieder auf die Rampe. Es ist so groß und kompakt wie ein Bus. Um die 80 000 Fische, silbriggrau mit starren Augen, eingesperrt in schwarze Maschen. Einige haben

Fair zum Meer

MARINE STEWARDSHIP COUNCIL ®

SCS-MFCP-C-0022

Tiefkühlfisch mit diesem Zeichen stammt aus Gewässern mit kontrollierten Fangquoten

ihren Kopf hinausgezwängt, durchschlüpfen konnten sie nicht. Andere zappeln noch mit der Schwanzflosse. Nicky legt einen Hebel um, fährt eine Stahlwand am Heck hoch und versperrt so den Weg zur Rampe. Fisch ist Geld, und auf keinen Fall soll der Fang zurück ins Meer rutschen. Ein zweiter Hebel öffnet eine Luke im Boden. Sie führt zu einem Tank im Unterdeck, dem Zugang zur Fabrik. Nicky öffnet das Netz, Zehntausende Alaska-Seelachse fallen durch die Luke in den Bauch der *Kodiak.*

850 Tonnen Fischfilet

Der ist so groß wie zwei Tennisplätze – vollgestopft mit Pumpen und Förderbändern, Messern und Pressen. Den Pulsschlag bestimmen vier Maschinen aus Lübeck. Jede von ihnen filetiert mit rotierenden Edelstahltrennscheiben bis zu 150 Fische in der Minute: ausmessen, Kopf abschneiden, Bauch aufschlitzen. Runde weiße Plastikbürsten kehren Eingeweide über eine Klinge. Seitlich schneiden Messer die Filets vom Rückgrat und enthäuten sie.

Zurechtgesägt und paniert: Fischstäbchen bei der Qualitätskontrolle

Julio steht in einer roten Regenjacke an einem von unten beleuchteten Plastiktisch am Ende der Produktionsstraße. Stück für Stück wirft ihm die Maschine weiße Seelachsfilets vor. Julio prüft, ob auch keine Gräten, Fetzen von Haut, Flossen oder Adern übrig geblieben sind. Er nimmt ein Filet, hält es gegen das Licht, dreht es um, schaut noch mal drauf, dann das nächste. Kein leichter Job bei fünf Meter Seegang. Die schlechten Filets wirft Julio durch ein Loch im Gitterboden, unter dem ständig frisches Wasser strömt. Es nimmt den Abfall, die Fischköpfe und Gedärme mit zu den Pumpen, die alles ins Meer spülen, was man nicht zu Geld machen kann.

Gute Filets landen erst in gelben Plastikkörben und dann in einer Presse, die den letzten Rest Wasser hinausquetscht. Übrig bleiben jeweils 7,484 Kilogramm Fischfilet, geformt zu einem Block von exakt 48,2 mal 25,4 mal 6,27 Zentimetern, also etwas größer als ein voller Aktenordner. Er muss genau so groß sein, damit er später in Deutschland in eine Anlage passt, die daraus Fischstäbchen sägt, »Schlemmerfilets« oder fischförmige »Filegros«. Die werden dann eingefroren und, verpackt in Wachskartons, gelagert. Im Supermarkt in Deutschland wird der Zehnerpack Fischstäbchen schließlich für 1,19 Euro verkauft.

Insgesamt passen 850 Tonnen Filetblöcke in die *Kodiak.* Knapp 3,5 Millionen Dollar wird alles wert sein, wenn das Schiff in ein paar Tagen zurückfährt nach Dutch Harbor. Es ist ein hartes Geschäft mit viel Konkurrenz. Und jeder hier weiß, dass das Folgen hat: Drei Viertel der

Im Beringmeer wird der Seelachs für die Fischstäbchen gefangen

Weltmeere sind überfischt, das heißt, dass die natürlichen Fischbestände dort weitgehend ausgerottet oder vertrieben wurden. Es gibt zwar Fangquoten, also Regeln dafür, wie viele Fische jedes einzelne Land fangen darf, aber nur selten werden sie kontrolliert. Meist holt sich jeder, was er kriegen kann.

Jedes Schiff hat Aufpasser

Hier im amerikanischen Teil der Beringsee hat sich jedoch die Erkenntnis durchgesetzt, dass ohne Fisch auch die Fischer keine Zukunft haben. Die Gesamtquote für Alaska-Seelachs ist deshalb gesenkt worden. Außerdem hat jedes Schiff eigene Quoten: So wird verhindert, dass die einzelnen Schiffe sich gegenseitig Anteile abjagen. Damit sie eingehalten werden, sind Aufpasser an Bord. Auch auf der *Kodiak* fahren im Auftrag der Regierung zwei Kontrolleure mit, rund um die Uhr stehen sie unten in der Fabrik und zählen Seelachse.

Weniger umweltschonend geht es außerhalb der amerikanischen Hoheitsgewässer zu. Dort arbeitet die Konkurrenz: Chinesen, Russen, Koreaner. Auch sie fangen Alaska-Seelachs. Allerdings gehen sie weniger rücksichtsvoll mit den Fischbeständen um. Kurzfristig mag sich das lohnen, auf lange Sicht jedoch hat der Alaska-Seelachs in diesen Gewässern keine Überlebenschance.

Deutsche Verbraucher können seit wenigen Jahren am Siegel des Marine Stewardship Council (MSC) erkennen, ob der Alaska-Seelachs aus der Tiefkühltruhe im amerikanischen Teil des Beringmeers gefangen wurde. Derzeit ist dies das einzige Gütezeichen, das umweltschonende Fischerei ausweist. Und eine solche Kennzeichnung ist auch notwendig, denn bei Fischstäbchen merkt man ja nur, ob sie einem schmecken. Aber nicht, wo ihre Reise begann.

Fjorde entstanden in ehemaligen Vereisungsgebieten durch Erosion und Absenkung. Fjordküsten gibt es u. a. in Skandinavien, Schottland, Island, Labrador und Neuseeland.

FKK, Abkürzung für **F**rei**k**örper**k**ultur, die Bewegung und das Baden ohne Bekleidung, wenn die Bedingungen dafür geeignet sind.

Flachbildschirm, Bildschirm mit einer geringen Tiefe (2–20 cm). Flachbildschirme sind zum Anschluss an einen Computer oder als Fernsehmonitor geeignet.

Fläche [die], ein geometrisches Gebilde mit zwei Ausdehnungen: der Länge und der Breite. Flächen können eben (Ebene) oder gekrümmt (beispielsweise Kugeloberfläche) sein.

Flachs [der], *Lein,* eine blau blühende Pflanze, die bis 70 cm hoch wird. Aus den Stängeln werden die Flachsfasern gewonnen, die zu Garnen und zu Leinwand (Leinen) verarbeitet werden. Aus den Samen wird das Leinöl gepresst.

Flagge [die], viereckige Fahne in den Nationalfarben (oft mit Wappen oder Sinnbildern), die als Hoheitszeichen von Staaten und Ländern dient. Sie wird mit Hilfe einer Leine am Flaggenmast hochgezogen (gehisst); bei Trauer nur bis zu halber Höhe (Halbmast). Die Flaggen von Staatsoberhäuptern nennt man *Standarten.* Eine an einem Querholz herabhängende Flagge wird als *Banner* bezeichnet, eine dreieckige Flagge als *Wimpel.* Schiffe führen die Flaggen ihres Landes als Kennzeichen ihrer Nationalität.

Flamen [Pl.], Bewohner von Nordbelgien und von Randgebieten der Niederlande und Frankreichs; ihre Sprache steht dem Niederländischen sehr nahe. Seit der belgischen Staatsgründung (1830/1831) gibt es ständige, mitunter sehr heftige Auseinandersetzungen

Fortsetzung → Seite 130

Mehr wissen …

Im Wasser zu Hause: Fische

»Fische« werden alle wechselwarmen Tiere angesehen, die einen Kieferapparat besitzen *(Kiefermäuler)* und noch ursprünglich an das Leben im Wasser angepasst sind. So haben ihre Gliedmaßen zur besseren Fortbewegung die Form von *Flossen*, und ihre Atmung erfolgt mit leistungsfähigen Kiemen. Ihre Haut ist mit *Schuppen*, *Hautzähnen* oder *Knochenplatten* bedeckt oder kann auch völlig nackt sein. Die meisten Fische legen ihre Eier einfach ins Wasser ab und lassen sie dort vom Männchen besamen. Bei vielen Haien und lebend gebärenden Zahnkarpfen findet aber eine innere Befruchtung statt. Zahlreiche Fischarten betreiben sogar Brutpflege. Die ältesten fossilen Fische sind die »Panzerfische« und die »Stachelhaie«. Sie stammen aus dem Erdzeitalter des Silur, lebten also bereits vor etwa 440 Mio. Jahren. Heute teilen sich zwei Klassen das Reich der Fische: die Knorpel- und die Knochenfische.

Knorpelfische:

Knorpelfische haben im Laufe von Jahrmillionen ihr Knochenskelett und ihren Knochenpanzer wieder durch Knorpel ersetzt. Dadurch wurden diese Fische leichter und beweglicher und können sich jetzt sehr viel schneller im Wasser fortbewegen. Leistungssteigerungen wie der Besitz eines Kieferapparates und das rasante Schwimmen ermöglichten den Knorpelfischen schließlich, auch größere Beutetiere zu erjagen. Immerhin gehören zur Klasse der Knorpelfische neben den Seedrachen und Rochen auch so gefürchtete Vertreter wie die Haie. Die größten Knorpelfische, Teufelsrochen (Manta), Wal- und Riesenhai, sind jedoch wieder zu Filtrierern geworden, die mit einem Reusenapparat aus Hornplatten Kleinkrebse oder kleine Knochenfische aus dem Meer schöpfen. Früher glaubte man, dass Knorpelfische Vorfahren der Knochenfische seien. Diese Auffassung war jedoch falsch. Paläontologen (Forscher, die sich mit ausgestorbenen Tieren und Pflanzen beschäftigen) fanden heraus, dass Vorgänger der heutigen Knochenfische schon etwa 30 Mio. Jahre vor dem ersten Auftauchen der Knorpelfische (im Devon vor rund 400 Mio. Jahren) die Meere bevölkerten. Deshalb nimmt man an, dass der Knorpel nicht der ursprüngliche Baustoff ihres Skeletts ist, sondern sich erst später aus einem Knochenskelett entwickelt hat. Zu den drei Ordnungen der Knorpelfische gehören mit etwa 300 Arten die *Haie*, die Rochen (über 300 Arten) und die *Seedrachen* (28 Arten).

Knochenfische:

Knochenfische stellen die Mehrzahl der heute noch lebenden Fischarten (etwa 20 000). Ihr wichtigstes Merkmal ist das mehr oder weniger stark verknöcherte Skelett. Außerdem unterscheiden sich Knochenfische von Haien und Rochen durch die Ausbildung ihrer Kiemenspalten, die von einem Kiemendeckel geschützt werden. Eine sehr kleine Gruppe der Knochenfische bilden mit 7 Arten die *Fleischflosser*, zu denen die bemerkenswerten Lungenfische und Quastenflosser gehören. Berühmt ist *Latimeria chalumnae*, einziger noch lebender Quastenflosser. Aus einem seiner Vorfahren hat sich im Devon wahrscheinlich das erste vierfüßige Landwirbeltier entwickelt. Nicht weniger erstaunlich sind südamerikanische Lungenfische. Sollte ihr Lebensraum einmal austrocknen, graben sie sich einfach tief in den Schlamm ein und können Trockenzeiten in einer Kapsel aus Lehm und Schleim leicht 1 bis 2 Jahre überdauern.

Alle anderen Knochenfische gehören zu den *Strahlenflossern*, wie Störe, Schlammfische, Knochenhechte und vor allem die Vielzahl der Echten Knochenfische. Zwei Entwicklungen haben die Echten Knochenfische so erfolgreich gemacht und ließen ihre Artenzahlen im Laufe der Evolution enorm ansteigen:

1. Eine zielgenaue Fortbewegung, mit der sie jetzt auch zwischen Felsspalten, Korallenriffen und im pflanzenreichen Flachwasser leben können, ohne anzuecken und sich zu verletzen. So gewannen diese Fische neue Lebensräume, fanden hier neue Nahrungsquellen und auch Schutz vor ihren Feinden.

2. Eine Vielzahl verschiedener Mundformen und Mundstellungen bei den einzelnen Arten; dadurch erschlossen sich den Knochenfischen ganz unterschiedliche Ernährungsweisen, wie das Abweiden von Algenrasen, das Abreißen von Teilen aus Pflanzen und anderen Tieren oder das komplette Verschlingen der Beute.

Biologen sprechen hier von ökologischen Nischen, die Arten bilden. Zum besseren Verständnis kann man sich darunter auch »Berufe« vorstellen. Wie Menschen jeweils andere Berufe ergreifen, entwickeln sich auch Tierarten unterschiedlich, um eine gegenseitige Konkurrenz zu vermeiden.

Bedrohte Fische:

Viele Fischarten sind heute in ihrem Überleben gefährdet. In den allermeisten Fällen ist der Mensch dafür verantwortlich, weil er nur seine eigenen Interessen verfolgt, ohne die Folgen für die Umwelt zu bedenken. So werden die Weltmeere überfischt und durch Tankerunfälle sowie durch Einleitungen giftiger Rückstände aus der industriellen Produktion verseucht. Unsere Flüsse und Seen sind für viele Fische nicht mehr bewohnbar, weil wir unsere Abfälle und die Abwärme der Kraftwerke hineinleiten, so dass sie nicht mehr genügend Sauerstoff enthalten.

mit der anderen belgischen Bevölkerungsgruppe, den *Wallonen.*

Flamenco [der], andalusische Tanzlieder und Tänze, die den Rhythmus durch Stampfen mit den Füßen, Händeklatschen und Kastagnetten angeben.

Flamingos [Pl.], Wasservögel der Tropen und Subtropen Amerikas, Asiens und Südwesteuropas. Flamingos haben ungewöhnlich lange Beine, einen langen Hals und ein meist rosafarbenes, bisweilen aber auch weißes oder rotes Gefieder. Sie bilden riesige Brutkolonien in Überschwemmungsgebieten und haben Schlammnester mit nur je einem Ei, das von beiden Eltern bebrütet wird.

Flaschenpost [die], Nachricht, die in einer verkorkten Flasche ins Meer geworfen wird, z. B. von Schiffbrüchigen.

Flaschenzug [der], eine Arbeitsvorrichtung zum Heben schwerer Lasten mit geringem Kraftaufwand. Der einfache Flaschenzug besteht aus einer festen Rolle, die an der Decke befestigt ist, und aus einer losen Rolle, an der die Last hängt. Die Rollen sind durch ein Seil miteinander verbunden. Wird an dem freien Seilende gezogen, so hebt sich die Last um die Hälfte des vom Seilende zurückgelegten Weges, d. h., man braucht nur die Hälfte der Kraft.

Flatrate [flætreit, die, engl.], Pauschalbetrag für eine zeitlich nicht befristete Produktnutzung (z. B. Internet, Telefon).

Flaubert [flo'bɛːr], Gustave, * 1821, † 1880; französischer Schriftsteller. Er gilt als »Erfinder« des französischen Realismus. In seinen Romanen (z. B. »Madame Bovary«) und Erzählungen beschreibt er mit großer Menschenkenntnis die bürgerliche Welt seiner Zeit.

Flaute [die], Windstille; in der Wirtschaft: Rückläufigkeit, Stockung.

Flechten [Pl.], **1.** durch Symbiose von Pilzen und Algen entstandene niedere Pflanzen. Viele Flechten sind gegen Trockenheit und Kälte unempfindlich und können darum auch z. B. an Felsen oder am Rand der Kältewüsten gedeihen. Bekannte Flechten sind u. a. *Isländisch Moos, Bartflechte* und *Rentierflechte.* **2.** chronische Hauterkrankungen, die z. T. von Pilzen hervorgerufen werden.

Fledermäuse [Pl.], Ordnung der Säugetiere. Sie haben einen kleinen Kopf mit großen Ohren. Zwischen den überlangen Fingergliedern und dem Schwanz ist eine nervenreiche Flughaut gespannt. Die frei stehenden Daumen haben kleine Krallen und dienen als

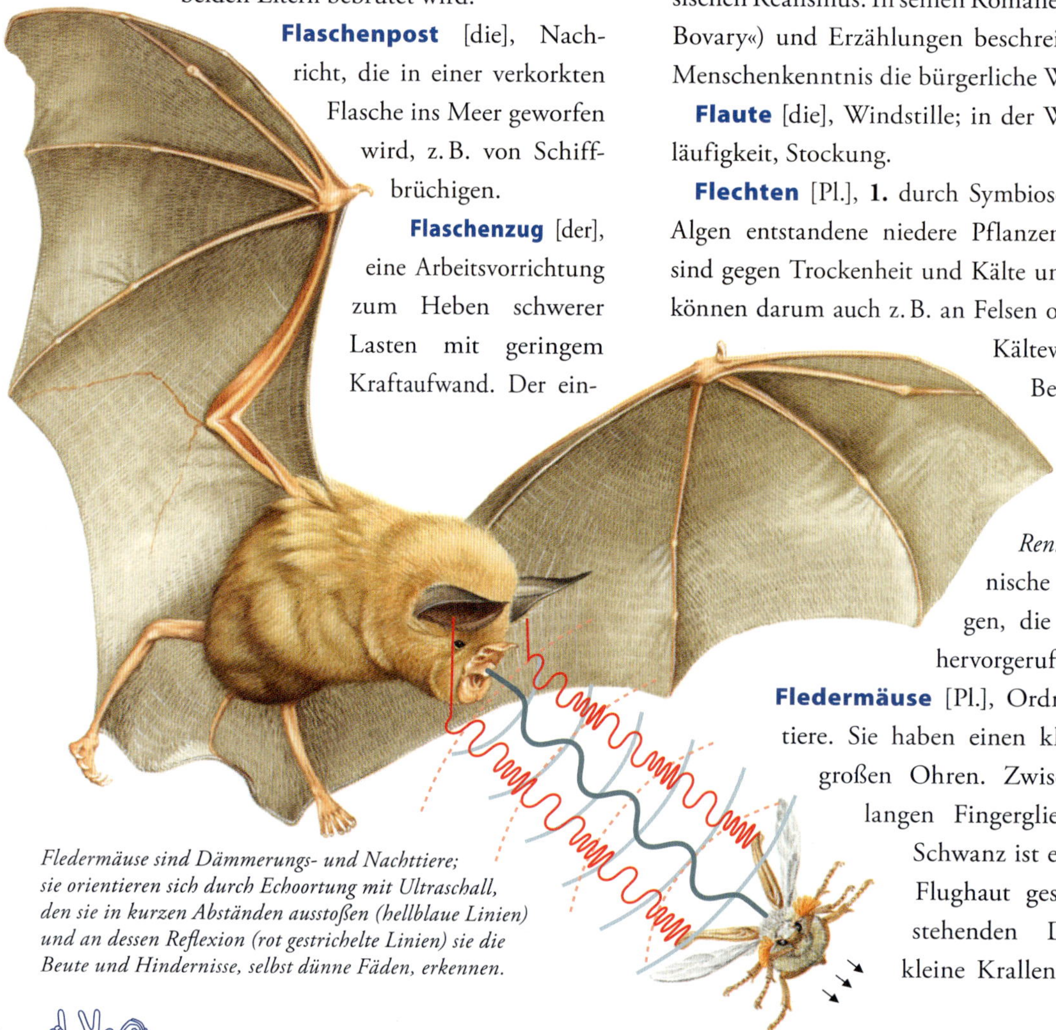

Fledermäuse sind Dämmerungs- und Nachttiere; sie orientieren sich durch Echoortung mit Ultraschall, den sie in kurzen Abständen ausstoßen (hellblaue Linien) und an dessen Reflexion (rot gestrichelte Linien) sie die Beute und Hindernisse, selbst dünne Fäden, erkennen.

Kletterorgan. Die nachtaktiven Tiere, die den Tag in einem Versteck (beispielsweise Gebäude, Höhlen) verbringen, orientieren sich beim Flug durch selbst ausgesandte, für den Menschen unhörbare Ultraschallwellen. Sie leben gesellig, sind große Insektenvertilger (Nachtfalter, Maikäfer u. a.) und halten zu Tausenden nebeneinander kopfunter hängend in Höhlen ihren Winterschlaf. Die in Mittel- und Südamerika lebenden *Vampire* saugen auch Blut von nachts schlafenden Weidetieren.

Fleet [der], kleiner Zweigkanal, vor allem in Hafenstädten, in den Niederlanden *Gracht.*

fleischfressende Pflanzen [Pl.], Pflanzen mit besonderen Vorrichtungen zum Anlocken von Insekten u. a. kleinen Tieren, die nach dem Fang ausgesaugt und durch Enzyme verdaut werden. Solche Vorrichtungen können klebrige Überzüge oder Haare (Sonnentau, Venusfliegenfalle), aber auch Schläuche, Trichter oder Becher sein, in die die Insekten hineinfallen (Kannenpflanze). Die fleischfressenden Pflanzen stehen meist auf nährstoffarmen Böden (z. B. Moore) und sind darum auf die zusätzlichen Nährstoffe der Beutetiere angewiesen.

Fleming, Sir Alexander, * 1881, † 1955; britischer Bakteriologe. Er fand 1928 das erste zur Gruppe der Antibiotika gehörende Heilmittel, das *Penizillin.* Fleming erhielt 1945 den Nobelpreis für Medizin.

fleischfressende Pflanze: Die Venusfliegenfalle verdaut gefangene Tiere mit einem Enzym, das die Blätter ausscheiden.

Fliegen: Die Augen der Fliege nennt man Komplex- oder Facettenaugen. Sie bestehen aus zahlreichen Einzelaugen und zerlegen das Gesehene mosaikartig in einzelne Bildpunkte.

flexibel [lat.], biegsam; im übertragenen Sinn: gewandt, anpassungsfähig.

Flexion [die], *Beugung,* in der Sprachlehre die Abweichung von der Grundform bei bestimmten Wortarten. Bei Verben nennt man die Flexion *Konjugation* (z. B. ich gehe, er ging …). Die Flexion der anderen Wortarten bezeichnet man als *Deklination* (z. B. bei Substantiven: der Mann, des Mannes …).

Flieder [der], ein im Mai mit duftenden weißen oder lilafarbenen Blütentrauben geschmückter Zierstrauch.

Fliegen [Pl.], eine weltweit verbreitete, artenreiche Insektenordnung mit zwei Flügeln, saugenden oder stechenden Mundwerkzeugen und kurzen Fühlern. Zu den Fliegen gehören viele Familien, u. a. *Bremsen, Dasselfliegen* und die in Afrika lebenden *Tsetsefliegen,* die die Schlafkrankheit übertragen. Besonders bekannt sind *Schmeißfliegen,* die metallisch blau glänzen (»Brummer«), und die *Stubenfliegen,* die sich von Abfällen und Nahrungsstoffen aller Art ernähren.

Fliegende Fische [Pl.], in den warmen Meeren lebende Familie der Knochenfische. Sie benutzen ihre übermäßig verbreiterten Brustflossen zusammen mit den ebenfalls vergrößerten Bauchflossen wie Fallschirme, wenn sie bei der Verfolgung durch Raubfische aus dem Wasser herausschnellen und bis zu 200 m weit durch die Luft gleiten.

Fliegenpilz [der], giftiger Pilz mit rotem Hut, der von den Resten der umhüllenden Haut weiße Flocken trägt. Sein Gift ruft beim Menschen Schwindelanfälle und Rauschzustände hervor.

Fliehkraft [die] → Zentrifugalkraft.

Fließarbeit [die], eine Form der Arbeitsteilung, bei der in kürzester Zeit größere Mengen gleichartiger Erzeugnisse hergestellt werden. Die Werkstücke werden auf einem Band *(Fließband)* an Arbeitsplätzen vorbeitransportiert, an dem Arbeiter (oder Maschinen) bestimmte Handgriffe in einer festge legten Zeit erledigen müssen. Am Ende des Bandes ist das Werkstück fertig gestellt.

Flipper [der], ein Spielautomat, bei dem der Spieler über Knopfdruck Hebel bewegen kann. Die Hebel können eine Kugel anstoßen, die Hindernisse passieren muss. Wenn die Kugel bestimmte Kontakte berührt, erfolgt eine Zählung in Punkten.

Flirt [flə:t; der], Liebesgeplänkel, harmlose (erotische) Kontaktaufnahme. – Verb: flirten.

Floating ['fləutiŋ, das, engl., »Schwimmen«], das Schwanken der Wechselkurse für ausländische Währungen, deren Kurse nicht festgelegt sind. Bei fest vereinbarten Wechselkursen ändert sich der Preis dagegen durch Abwertung beziehungsweise Aufwertung.

Flöhe [Pl.], bis 3 mm lange, seitlich abgeplattete Insekten ohne Flügel mit langen Sprungbeinen. Sie leben als Blut saugende Parasiten auf Menschen, Säugetieren und Vögeln und können gefährliche Krankheiten übertragen. Zu den Flöhen gehören u. a. Menschen-, Hunde- und Sandfloh.

Floppy Disk [die] → Diskette.

Flora [die], wissenschaftliche Bezeichnung für die Pflanzenwelt.

Florenz, norditalienische Stadt am Arno, Hauptstadt der Toskana, 353 000 Einwohner. Im Mittelalter war der Stadtstaat Florenz ein bedeutender Handelsplatz. Das Geschlecht der Medici förderte die Stadt, so dass sie eine große Kunststadt wurde. Bauwerke aus der Renaissance prägen den Charakter der Stadt, die darüber hinaus heute ein Verkehrs- und Industriezentrum ist.

Florett, eine leichte Stichwaffe mit rechteckiger oder quadratischer Klinge. Auch → Fechten.

Florida, Staat und Halbinsel im Südosten der USA mit 15,98 Mio. Einwohnern; die Hauptstadt heißt *Tallahassee.* Die flache Halbinsel ist im Innern sumpfig, an der Küste hat sie Lagunen. Das Klima begünstigt den ganzjährigen Fremdenver kehr. In Florida befindet sich das Raketenversuchsgelände *Cape Canaveral.*

Floskel [die], eine Redensart ohne besondere Bedeutung.

Flöhe: Wegen ihrer kräftigen Sprungbeine können Flöhe bis zum 1000-fachen ihrer Körpergröße springen.

Florida: Küste in Miami Beach, eines der größten Fremdenverkehrszentren der USA

Flossen [Pl.], häutige, von Knochenstrahlen durchzogene Steuerungs- und Bewegungsorgane der Fische.

Flöte [die], ein sehr altes Blasinstrument, das in fast allen Kulturen zu finden ist. Ursprünglich wurden Flöten aus Rohr, Knochen oder Holz gefertigt und mit einem oder mehreren Grifflöchern versehen. Heute kennt man besonders die *Blockflöte* aus Holz, bei der die Tongebung nicht durch die Lippen beeinflusst werden kann, sowie die *Querflöte* und die *Pikkoloflöte* (das höchste Instrument eines Orchesters) aus Metall oder Holz. Eine Aneinanderreihung von Pfeifen verschiedener Tonhöhen nennt man *Panflöte.*

Flotte [die], die Gesamtheit der Schiffe eines Staates oder einer Reederei; auch ein Schiffsverband mit besonderen Aufgaben, z.B. Walfangflotte, Schwarzmeerflotte.

Flöz [das], eine unterirdische Lagerstätte, die im Bergbau abgebaut werden kann, z.B. Kohlenflöz.

Flüchtling [der], eine Person, die (z.B. im Krieg) ihre Heimat verlassen muss, weil sie wegen ihrer Rasse, Religion, ihrer politischen Einstellung oder Ähnlichem verfolgt wird.

Flügel [der], **1.** zum Fliegen dienender Körperteil bei Insekten, Vögeln und Fledermäusen. Auch →»Genauer betrachtet«. **2.** ein großes Klavier, dessen Kasten die Form eines Tierflügels hat und dessen Saiten waagerecht verlaufen.

Flughunde [Pl.], wie die Fledermäuse eine Untergruppe der Fledertiere, aber mit verlängerter Schnauze und großen, lichtstarken Augen.

Fluglotse [der], jemand, der bei der Flugsicherung die Flugzeuge im Luftraum überwacht und sie bei Bedarf durch Anweisungen lenkt.

Flugzeug [das], Luftfahrzeug, das schwerer als Luft ist. Damit ein Flugzeug fliegen kann, braucht es besonders geformte *Tragflügel.* Die Luft auf der Oberseite der Tragflügel muss schneller strömen als die Luft auf der Tragflügelunterseite. Durch diese unterschiedlichen Strömungsgeschwindigkeiten entsteht

Genauer betrachtet … Flügel

Die Zahl der Flügelschläge von fliegenden Tieren:

Name	Anzahl in der Sekunde
Stubenfliege	200–330
Stechmücke	295
Honigbiene	180–200
Marienkäfer	75–91
Kolibri	bis 80
Haussperling	13
Bläuling (Schmetterling)	11
Taube	9
Rabenkrähe	3–4
Storch	1¾
Pelikan	1¼

über dem Flügel ein großer Unterdruck und unter dem Flügel ein kleiner Überdruck. Ein Flugzeug wird also mehr nach oben gesaugt und nicht – wie etwa ein Drachen – von der strömenden Luft angehoben. Damit der Unterdruck nicht zu stark abfällt, darf ein Flugzeug nicht zu langsam fliegen; es würde ansonsten abstürzen. Bei der Landung darf ein Flugzeug gerade so viel Geschwindigkeit haben, dass es noch ein wenig fliegen kann. Beim Start muss es so weit beschleunigen, dass die Kräfte am Flügel stark genug sind, es von der Rollbahn abzuheben.

Die kleinsten Flugzeuge sind *Drachenflieger* und *Segelflugzeuge*. Sie brauchen zum Fliegen noch nicht einmal einen Motor. Alte *Propellerflugzeuge* gibt es als Eindecker mit nur einem Tragflügel oder als Doppeldecker mit zwei Tragflügeln übereinander. Die größten Flugzeuge sind militärische *Transportflugzeuge* mit bis zu 6 Düsentriebwerken. Sie können LKWs und Panzer mit einem Gewicht von mehr als 100 Tonnen laden. Das größte *Passagierflugzeug* ist die Boeing 747, auch Jumbojet genannt. Es kann bis zu 524 Passagiere aufnehmen. Platz für bis zu 555 Passagieren bietet das Großraumflugzeug A380, dessen Erstflug am 27. April 2005 stattfand. Das schnellste Flugzeug ist der amerikanische *Raumgleiter* Spaceshuttle. Bei der Rückkehr aus dem Weltall durchquert er die Atmosphäre mit 28 000 km in der Stunde. Auch → Luftfahrt.

Flugzeugträger: Starts und Landungen werden durch eine Fahrt gegen den Wind unterstützt.

Flugzeugträger [der], ein Kriegsschiff, das Flugzeuge (Düsenjäger, Hubschrauber) mit sich führt. Sein Oberdeck ist als Start- und Landeplatz ausgebaut. Starts sind als Eigen- oder Katapultstarts möglich; landende Flugzeuge werden durch Einhaken in elastische Querseile abgebremst.

Fluor [das], ein fast farbloses, stechend riechendes, ätzendes, gasförmiges Element mit dem Zeichen F, das zur Gruppe der Halogene gehört. Es kommt in der Natur nur in Verbindungen vor, u. a. als Flussspat, der in der Metallindustrie und zur Gewinnung von Fluorverbindungen verwendet wird. Fluorverbindungen werden für Zahnpasta und in geringen Mengen auch dem Trinkwasser zugesetzt, weil man damit Karies vorbeugen will.

Fluorchlorkohlenwasserstoffe [Pl.], Abkürzung FCKW, eine Gruppe organischer chemischer Verbindungen, die besonders beständig und nur gering giftig sind. Aufgrund dieser Eigenschaften wurden sie z. B. als Treibmittel, Kältemittel und in Feuerlöschern verwendet. Dieser Gebrauch wird zunehmend eingeschränkt, weil die Chloratome des Moleküls an der Zerstörung der Ozonschicht beteiligt sind.

Fluoreszenz [die], das Leuchten mancher Stoffe bei der Bestrahlung mit Licht oder Teilchenstrahlen. Das Leuchten hält nur für die Dauer der Energiezufuhr (Bestrahlung) an.

Fluss [der], ein fließendes Gewässer, das aus dem Schmelzwasser der Gletscher, aus Niederschlägen oder aus Quellen entsteht und sich wegen seines Gefälles zwischen Quelle und Mündung in seinem Flussbett mit mehr oder minder starker Strömung fortbewegt. Ein Fluss fließt schnell und gerade, wenn er viel Wasser führt und das Gefälle der Landschaft ausreicht. In flachen Tälern kommt es zu Windungen sogenannte *Mäander.* An den Flussmündungen kann sich ein verzweigtes *Delta* entwickeln. Auch →»Genauer betrachtet«.

Flüssigkristallanzeige [die], *LCD-Anzeige,* eine Form der optischen Anzeige, z. B. bei Uhren oder Monitoren. Zwischen durchsichtigen Elektroden liegt eine dünne Schicht eines Flüssigkristalls. Setzt man an einer Stelle die Elektroden unter eine geringe Spannung, brechen die Flüssigkristalle an dieser Stelle das Licht anders und werden undurchsichtig und andersfarbig; so können neben Zahlen und Buchstaben schließlich auch ganze Bilder dargestellt werden.

Genauer betrachtet ... Fluss

Die längsten Flüsse der Erde sind:

Name	Länge (in km)
Nil (Afrika)	6671
Amazonas (Südamerika)	6437
Chang Jiang (Asien)	6300
Huang He (Asien)	4845
Kongo (Afrika)	4374
Mississippi (Nordamerika)	3766
Missouri (Nordamerika)	3726
Wolga (Europa)	3531
Donau (Europa)	2858
Darling (Australien)	2740
Murray (Australien)	2570

Flusspferde verbringen den ganzen Tag in Gruppen im Wasser, erst nachts gehen sie an Land, um zu weiden.

Flusspferde [Pl.], große, plumpe, fast unbehaarte Tiere. Das *Nilpferd* lebt in den Flüssen und Seen Afrikas und wird bis 4,5 m lang. Das etwa 1,5 m lange *Zwergflusspferd* lebt in Waldgebieten Westafrikas. Beide Arten sind Pflanzenfresser.

Flut [die], das regelmäßige Ansteigen des Meeresspiegels im Wechsel der → Gezeiten.

Flutlicht [das], Flächenausleuchtung mit hoher Lichtintensität, z. B. bei Sportstadien oder Flugplätzen. Zahlreiche leistungsfähige Reflektorlampen sind dabei zu Leuchteinheiten zusammengefasst und an hohen Masten befestigt.

Föderalismus [der, lat., »Bund«], Zusammenschluss mehrerer Länder unter einer gemeinsamen Regierung und die Bemühungen, innerhalb des *Bundesstaates* oder *Staatenbundes* die Besonderheiten und Rechte der einzelnen Gliedstaaten (Bundesländer, Kantone) zu wahren. Deutschland ist ein föderativer Bundesstaat. Die einzelnen Bundesländer haben eigene Landesregierungen und sind in manchen Bereichen, z. B. Bildung und Kultur, selbständig. Weitere föderative Staaten sind z. B. Österreich, die Schweiz und die USA. Das Gegenteil von Föderalismus ist *Zentralismus.*

Fohlen [das], ein junges Pferd bis zum dritten Lebensjahr.

Föhn [der], warmer und trockener Wind, der im Gebirge als Fallwind ins Tal weht, beispielsweise im Alpenraum.

Föhr, eine der → Friesischen Inseln.

Fokus [der], der → Brennpunkt.

Folklore [die, engl.], die gesamte Volksüberlieferung. Besonders charakteristische Beispiele sind Volkslied, Volkstanz und Volkstracht.

Folksong ['fɔuksɔŋ, der, engl., »Volkslied«], ein Volkslied in seiner Ursprache und mit der Originalmelodie, insbesondere die Volkslieder und Protestsongs Nordamerikas.

Folter [die], die körperliche oder seelische Misshandlung von Gefangenen, um Geständnisse zu erzwingen. Die Folter wurde besonders bei den Hexenprozessen im 16.–18. Jh. häufig angewandt. Sie ist heute offiziell verboten, wird aber in vielen Diktaturen noch als Unterdrückungsmittel praktiziert. Weltweit setzt sich besonders *Amnesty International* für die Abschaffung der Folter ein.

Fon [das] → Phon.

Fondue [fõ'dy, das, franz.], schweizerisches Gericht aus geschmolzenem Käse, Wein und Gewürzen,

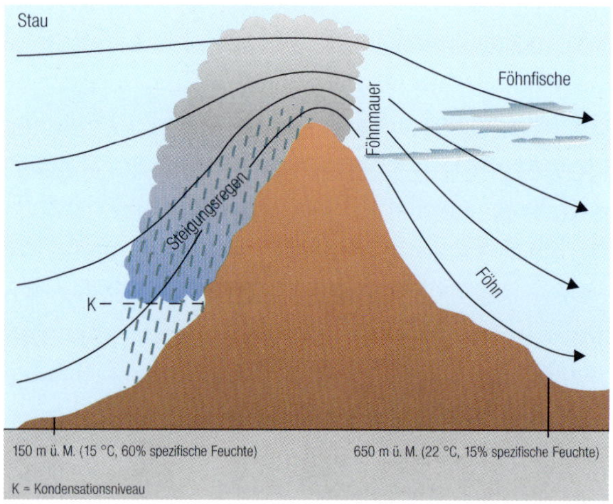

Föhn: Das Wetter im Föhngebiet hinter dem Gebirgskamm (rechts) ist freundlich, vor dem Gebirge mit der Staubewölkung jedoch trübe und regnerisch.

Football: Schutzhelm und gepolsterte Kleidung sind bei dieser harten Sportart unbedingt erforderlich.

das kochend serviert und mit Brotstückchen gegessen wird; auch als Fleischfondue sehr beliebt.

Fonetik [die] → Phonetik.

Fontane, Theodor, *1819, †1898; deutscher Schriftsteller. Er wurde bekannt durch seine realistischen Novellen und Gesellschaftsromane. Hauptwerke u. a.: »Irrungen, Wirrungen«, »Frau Jenny Treibel«, »Effi Briest«, »Der Stechlin«.

Football ['futbɔːl, der, engl., »Fußball«], eine v. a. in den USA gespielte Variante des *Rugby,* bei der zwei Mannschaften von je elf Spielern versuchen, einen eiförmigen Lederball z. B. in die gegnerische Endzone zu legen (*Touchdown,* 6 Punkte) oder durch einen Tritt über die gegnerische Torlatte zu schießen (*Field-Goal,* 3 Punkte).

Ford, Henry, *1863, †1947; US-amerikanischer Ingenieur und Industrieller. Ford begründete 1903 die Ford Motor Company und wurde zum Wegbereiter neuer wirtschaftlicher und technischer Arbeitsmethoden, z.B. durch den Einsatz des Fließbandes und die hohe Beschäftigungsrate ungelernter Arbeiter.

Förde [die], eine tief ins Festland greifende Meeresbucht, die besonders für die Küste Schleswig-Holsteins charakteristisch ist, z. B. Kieler Förde.

Forelle [die], Speisefisch aus der Familie der Lachsfische. Die Forelle bevorzugt klare, fließende Gewässer. Bekannt sind z. B. die *Bachforelle* und die *Regenbogenforelle.*

formal, an eine Form gebunden, formgerecht.

Formaldehyd [das], ein stechend riechendes, farbloses Gas aus Kohlen-, Wasser- und Sauerstoff. Es wird zur Herstellung von Kunstharzen, zur Desinfektion und Konservierung verwendet. Formaldehyd steht unter dem Verdacht, Krebs zu erregen.

Formeln [Pl.], symbolische Ausdrücke, die in abgekürzter Form Gesetze in der Mathematik und den Naturwissenschaf ten beschreiben. Chemische Formeln geben die Zusammensetzung der Moleküle an.

Forstwirtschaft [die], die Bewirtschaftung größerer Waldbestände. Zur Forstwirtschaft gehören die Gewinnung von Holz und die Verjüngung des Waldes durch Neupflanzungen und Pflegemaßnahmen (Aufforstung).

Fortpflanzung [die], die Erzeugung von Nachkommen bei Pflanzen, Tieren und Menschen. Bei der Fortpflanzung wird das Erbgut von einer Generation an die nächste weitergegeben und so die Erhaltung der Art gesichert. Man unterscheidet die ungeschlechtliche Fortpflanzung, die meist bei Pflanzen vorkommt, von der geschlechtlichen Fortpflanzung. Bei der *ungeschlechtlichen* oder *vegetativen Fortpflanzung* ist nur ein elterlicher Organismus beteiligt, die Nachkommen entsprechen völlig dem Mutterorganismus. Hierzu gehört u. a. die Zellteilung bei Bakterien oder die Knollenbildung bei Pflanzen. Bei der *geschlechtlichen* oder *sexuellen Fortpflanzung* sind zwei elterliche Organismen verschiedenen Geschlechts beteiligt. Samenzelle und Eizelle verschmelzen zu einer *Zygote* (befruchtete Eizelle), aus der sich dann das neue Lebewesen entwickelt.

Fossilien: versteinertes Skelett eines Fisches

Genauer betrachtet …
Fossilien

Als »menschliche Fossilien« könnte man die Moor- und Gletscherleichen aus vor- und frühgeschichtlicher Zeit bezeichnen. Durch die konservierende Wirkung von Moor oder Eis sind die Körper oft mit Haut und Haaren erhalten geblieben. Die außergewöhnlichen Fossilien liefern Erkenntnisse über die Lebensweise unserer Vorfahren. Manchmal können Wissenschaftler sogar die Zusammensetzung des letzten Mahls der Leiche anhand ihres Mageninhalts bestimmen. Eine der bekanntesten Gletscherleichen, der »Ötzi« (auch Similaun-Mann genannt), wurde 1991 in den Ötztaler Alpen gefunden.

Forum [das, lat., »Markt«], im alten Rom der Platz für die Volksversammlung, Gerichtsstätte; heute Platz oder Raum, wo öffentlich Probleme erörtert werden.

fossile Brennstoffe [Pl.], Brennstoffe, die ursprünglich aus organischem Material bestanden haben, z. B. Kohle, Erdöl, Torf.

Fossilien [Pl., lat., »ausgegraben«], versteinerte Reste von Lebewesen aus der erdgeschichtlichen Vergangenheit. Fossilien geben Einblicke in die *Evolution* und sind für die Altersbestimmung einer Gesteinsschicht von Bedeutung. Auch →»Genauer betrachtet«, Seite. 137.

Fotoapparat [der], *Photoapparat,* Gerät, mit dem fotografische Bilder aufgenommen werden können. Die einfachste Form besteht aus einem lichtdichten Kasten mit einer kleinen Öffnung in der Vorderwand und lichtempfindlichem Material auf der anderen Seite. Bei einem modernen Fotoapparat fällt Licht durch ein Linsensystem *(Objektiv)* auf einen Film. Drückt man auf den Auslöser, öffnet sich der Verschluss und das lichtempfindliche Material wird für einen kurzen Moment den Lichtstrahlen ausgesetzt. Die Objektivöffnung kann durch eine verstellbare *Blende* verändert werden; diese gestattet eine beliebig lange Zeitbelichtung sowie Momentaufnahmen. Modernste Fotoapparate steuern solche Funktionen vollautomatisch. *Weitwinkelobjektive* sammeln die Lichtstrahlen und bilden einen größeren Ausschnitt ab, als man mit dem menschlichen Auge sieht. Dadurch erscheint das Motiv später auf dem Foto weiter entfernt, als es in der Realität war. Ein *Tele-objektiv* vergrößert ein Motiv und bildet einen kleineren Ausschnitt ab, als wir mit dem Auge sehen. Es entsteht der Eindruck, dass man näher am Motiv ist. Zusätzlich verfügt ein Fotoapparat über einen eingebauten *Belichtungsmesser* und eventuell einen *Autofokus* (= Vorrichtung, die Bilder automatisch scharf einstellt). Der Sucher ermöglicht die genaue Bildbegrenzung. Bei einer *Spiegelreflexkamera* wird das Motiv durch einen Spiegel betrachtet, der im Moment der Aufnahme wegklappt. Eine *Sofortbildkamera* liefert bereits nach kurzer Zeit fertig entwickelte Fotos. Dazu werden Kassetten benötigt, die neben Film und Papier auch die für eine Entwicklung erforderlichen Verarbeitungschemikalien enthalten. Mit Hilfe von Mikrochips konnten die Möglichkeiten der Automatik weiter verbessert werden. Bei einer *Digitalkamera* wird das einfallende Licht auf einen elektronischen Bildsensor abgebildet, der aus mehreren Millionen Bildpunkten (Pixel) besteht und den herkömmlichen Film ersetzt. Jeder Bildpunkt liefert ein dem Lichteinfall entsprechendes elektrisches Signal, das anschließend digitalisiert wird. Die Binärdaten aller Pixel werden als Bilddatei auf einer Speicherkarte oder einer Festplatte gespeichert. Die digitalen Fotos können direkt nach der Aufnahme auf einem in die Kamera eingebauten Monitor betrachtet oder auf einen PC übertragen und z. B. auf einem Drucker ausgegeben werden.

Fotografie [die, griech. phōs, »Licht«, gráphein, »schreiben«], *Photographie,* ein Verfahren zur Wiedergabe von realen Bildern. Die Fotografie umfasst drei Prozesse: Aufnahme, Negativprozess und Positivprozess. 1. Bei der *Aufnahme* entsteht mit Hilfe des Objektivs einer Kamera ein Bild auf lichtemfindlichem Material (Film). Die lichtempfindliche Schicht (Bromsilbergelatine) des Filmmaterials registriert die Helligkeitsunterschiede des optischen Bildes. Auf diese Weise entsteht ein unsichtbares, entwickelbares Bild. 2. Dieses sogenannte latente Bild wird im *Negativprozess* der Schwarz-Weiß-Fotografie durch chemische Entwicklung sichtbar gemacht. Dabei werden die Helligkeitswerte des Motivs in unterschiedlicher Intensität wiedergegeben; das Ergebnis nennt man Negativ. In diesem Stadium sind nachträgliche Korrek-

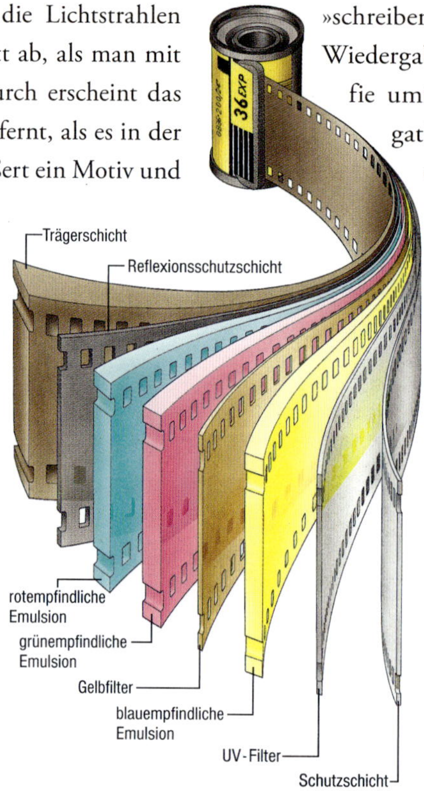

Fotografie: die verschiedenen Schichten von herkömmlichem Filmmaterial

turen des Bildes möglich, z. B. durch empfindlichkeits steigernde Spezialentwickler. 3. Im *Positivprozess* wird vom Negativ ein endgültiges Bild hergestellt, und zwar auf dem Wege des Kontaktabzugs, des Vergrößerns oder Verkleinerns auf Papier (Aufsichtsbild) oder auf Film oder Platte (Durchsichtsbild, Diapositiv). Durch das Negativ hindurch wird eine andere lichtempfindliche Schicht belichtet, so dass ein Negativ vom Negativ, also ein Positiv, entsteht. In der *Farbfotografie* trägt das Schwarz-Weiß-Material drei Farbfilter für die Grundfarben Blau, Grün und Rot. Die anderen Farben können durch Mischung dieser drei erzielt werden.

Bei der digitalen Fotografie werden die Bilder im Unterschied zur herkömmlichen Fotografie nicht analog auf einem Film, sondern in digitaler Form gespeichert. Das Licht, das vom zu fotografierenden Objekt kommt, wird bei Digitalkameras durch das Linsensystem des Objektivs auf einen CCD- oder CMOS-Bildsensor abgebildet. Dieser Halbleiterchip zerlegt das Bild in mehrere Millionen Bildpunkte (Pixel) und setzt es elektronisch in eine digitale Datenfolge um, die auf einer Speicherkarte gespeichert wird. Die Digitalfotos können sofort auf dem Display der Kamera betrachtet oder auf einen PC übertragen und zum Beispiel nachbearbeitet oder ausgedruckt werden.

Fotosynthese [die] → Photosynthese.

Fotovoltaik [die] → Photovoltaik.

Fotozelle [die] → Photozelle.

Fötus [der], andere Schreibweise für → Fetus.

Foucault [fu'ko], Jean-Bernard-Léon, * 1819, † 1868; französischer Physiker. Er gehört mit seinen bahnbrechenden Untersuchungen auf den Gebieten der Optik und der Astronomie zu den bedeutendsten französischen Physikern des 19. Jh. Durch seine Pendelversuche *(Foucault'sche Versuche)* wies er die Erdrotation nach und erfand die Drehspiegel-Methode zur Messung der Lichtgeschwindigkeit.

Genauer betrachtet …

Anne Frank

Anne Frank wurde als Kind einer deutsch-jüdischen Familie am 12. 6. 1929 in Frankfurt am Main geboren. Sie emigrierte nach der Machtübernahme der Nationalsozialisten 1933 mit ihrer Familie in die Niederlande. Von 1942–1944 versteckte sich die Familie mit einer weiteren Familie und einem Zahnarzt im Hinterhaus des ehemaligen Büros ihres Vaters, wo sie von den ehemaligen Mitarbeitern versorgt wurde. Hier schrieb die zu Beginn 13-jährige Anne Frank ein Tagebuch, das 1946 veröffentlicht wurde und bis heute ein Zeugnis der durch die Gräueltaten der Nazis Verfolgten liefert. Am 4. August 1944 ist der Sicherheitsdienst (SD) der Nazis in Amsterdam anonym über die acht Untergetauchten informiert worden. Bis heute ist unklar, wer die Familien verraten hat. Anne Frank starb im März 1945 – kurz vor der Befreiung durch die Briten am 15. April 1945 – im Alter von 15 Jahren im Konzentrationslager Bergen-Belsen. Als Einziger der Familie überlebte ihr Vater den Holocaust. Das Original-Tagebuch ist heute als Leihgabe im Anne-Frank-Haus in Amsterdam, das als Versteck Annes und ihrer Familie diente. 1960 wurde dort ein Museum eröffnet.

Anne Frank

Foul [faul, das, engl.], ein Verstoß gegen sportliche Regeln.

Fragment [das], Bruchstück, Teil (beispielsweise eines Romans).

Fraktion [die], in der Politik der Zusammenschluss aller Abgeordneten einer Partei in einem Parlament.

Franc [frã, der, franz.], Währungseinheit für mehrere Staaten, u.a. Frankreich (FF), Belgien (bfr) und Luxemburg (lfr) bis 2002. 1 Franc = 100 Centimes.

Franco, Francisco, * 1892, † 1975; spanischer General und Diktator. Franco organisierte 1936 die Erhebung gegen die spanisch-republikanische Regierung, die zum Spanischen Bürgerkrieg (1936–1939) führte. Er erhielt Beistand von der nationalsozialistischen deutschen und der faschistischen italienischen Regierung und stand als Staatschef und militärischer Oberbefehlshaber 1936–1975 an der Spitze Spaniens. Nach seinem Tode kehrte das Land zur Demokratie zurück.

Frank, Anne, * 1929, † 1945; jugendliches Opfer der nationalsozialistischen Judenverfolgung. Sie schrieb in ihrem Versteck in Amsterdam ein unter dem Titel »Das Tagebuch der Anne Frank« bekannt gewordenes Tagebuch. Auch →»Genauer betrachtet«, Seite 139.

Franken, **1.** Landschaft im nördlichen Bayern am mittleren und oberen Main. **2.** ein westgermanischer Stammesverband. Der fränkische Kernstamm der *Salier* stieß im 5. Jh. nach Gallien (dem heutigen Frankreich) vor und gründete das erste Frankenreich. Ein anderer Teilstamm, die *Rheinfranken (Ripuarier)*, siedelte um diese Zeit an Rhein, Mosel und Maas. Sie bildeten den Kern des späteren deutschen Stamms der Franken. **3.** Währungseinheit in der Schweiz. 1 Schweizer Franken = 100 *Rappen*.

Frankfurt am Main ist ein internationales Finanzzentrum. Es gibt neben rund 400 deutschen auch ca. 240 ausländische Bankniederlassungen.

Genauer betrachtet ... Benjamin Franklin

Der Forscher vermutete, dass der elektrische Funke und der Blitz wesensverwandt seien. 1749 unternahm er Versuche mit einem »elektrischen Drachen« und bewies die elektrische Natur der Blitze. Gleichzeitig entdeckte er die Spitzenentladung, die ihn zur Erfindung des Blitzableiters veranlasste. Franklin betrieb nicht nur intensive Forschungen auf dem Gebiet der Elektrizität, sondern bereicherte auch die Fachsprache. In Anlehnung an das Mündungsfeuer des Gewehrs, das er mit elektrischen Funken verglich, sprach er vom »Laden« und von der »Ladung«.

Frankenreich [das], *Fränkisches Reich*, bedeutendste, Romanen und Germanen umfassende Reichsbildung des frühen Mittelalters. Das Frankenreich wurde begründet durch *Chlodwig I.* aus dem Geschlecht der Merowinger, der die Reste der römischen Herrschaft in Gallien beseitigte und sich zum Alleinherrscher der Franken machte. Chlodwig unterwarf bis 507 die auf dem Boden Galliens liegenden Teile des Westgoten- (Aquitanien) und des Alemannenreichs. 751 wurde das merowingische Königtum durch die Karolinger abgelöst. Unter *Karl dem Großen* erreichten Macht und Ausdehnung des Frankenreichs ihren Höhepunkt, und seine Kaiserkrönung (800) bestätigte den Rang des Frankenreichs als Nachfolgereich des Weströmischen Reichs. Nach Karls Tod zerfiel das Großreich durch Erbteilung in das Ostfränkische (später Deutschland) und das Westfränkische Reich (später Frankreich).

Frankfurt, **1.** *Frankfurt am Main,* größte Stadt des Landes Hessen, beiderseits des unteren Main, 643 000 Einwohner. Frankfurt ist Sitz zahlreicher Banken, Bildungseinrichtungen und Industrieunternehmen. Die bekannte Messestadt ist außerdem Zentrum des europäischen Luftverkehrs. – Frankfurt war der Mittelpunkt des Ostfränkischen Reichs, 1848/1849 Sitz der Frankfurter Nationalversammlung. **2.** *Frankfurt/ Oder,* Stadt in Brandenburg, an der Grenze zu Polen, 67 000 Einwohner.

Frankfurter Nationalversammlung [die], das erste frei gewählte deutsche Parlament, das am 18. 5. 1848 in der Pauls kirche in Frankfurt am Main mit dem Ziel zusammentrat, einen einheitlichen deutschen Nationalstaat mit demokratischer Verfassung zu schaffen. Der Versuch scheiterte an dem Widerstand der Einzelstaaten, so dass dieses Parlament am 25. 5. 1849 wieder aufgelöst wurde.

Franklin [frænklin], Benjamin, * 1706, † 1790; US-amerikanischer Naturforscher, führende Persönlichkeit in der amerikanischen Unabhängigkeitsbewegung.

Frankreich: Die Landschaft im Elsass wird auf weiten Flächen von Weinfeldern bestimmt.

Franklin brachte als Gesandter in Paris ein Bündnis Frankreichs mit dem jungen amerikanischen Staat zustande und war maßgebend an der Verfassung der USA beteiligt. Im Rahmen seiner naturwissenschaftlichen Forschungen erfand er 1752 den Blitzableiter. Auch → »Genauer betrachtet«.

Ländersteckbrief
Frankreich

Fläche:	543 965 km^2
Einwohner:	60,5 Millionen = 111 je km^2
Hauptstadt:	Paris
Religion:	römisch-katholische Kirche
Amtssprache:	Französisch
Währung:	1 Euro = 100 Cent

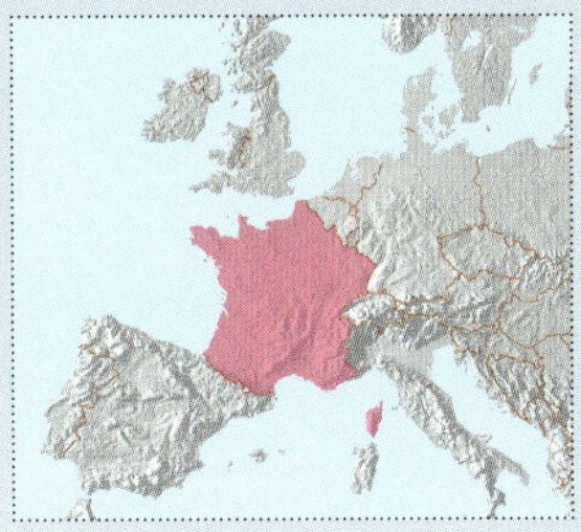

Frankreich, Staat in Westeuropa.

Landesnatur: Die Oberflächenformen zeigen eine Gliederung in alte Schollen (Zentralmassiv), weite Becken (Pariser Becken) und den französischen Anteil an den Pyrenäen und Alpen. Der größte Teil Frankreichs ist flaches bis hügeliges Land mit fruchtbaren Böden. Das Klima ist ozeanisch geprägt und hat milde Winter und relativ warme Sommer; ein schmaler Streifen an der Südküste hat Mittelmeerklima.

Bevölkerung: Außer den vorwiegend katholischen Franzosen leben noch rund 4 Mio. Ausländer in Frank-

Frankreich: Das festungsartige Kloster Mont-Saint-Michel liegt auf einem 90 m hohen Granitfelsen vor der Küste.

reich (v. a. Portugiesen, Algerier und Marokkaner). Besonders dicht besiedelt ist der Pariser Raum, das nördliche Industriegebiet und Elsass-Lothringen.

Wirtschaft: Die Landwirtschaft ist noch immer sehr bedeutend. Die wichtigsten Ackerbaugebiete sind Flandern, Seine-, Loire- und Garonnebecken. Angebaut werden v. a. Weizen – Frankreich ist wichtigster europäischer Weizenexporteur –, aber auch Gerste, Hafer, Mais und Roggen. Die bekannten französischen Weine stammen v. a. aus der Champagne, dem Loire- und Garonnebecken, dem Rhône-Saône-Graben und von der Mittelmeerküste. Die Viehzucht ist in feuchten Küstengebieten und höheren Gebirgslagen vorherrschend. – Die bedeutenden Kohlenlager finden sich im Raum Lille-Valenciennes (Abbau inzwischen eingestellt) und in Lothringen; hier sind auch die größten Eisenerzlager Europas. Andere bedeutende Bodenschätze sind Bauxit, Erdöl, -gas und Kali. Die Industrie (v. a. Maschinen- und Fahrzeugbau, Textil-, chemische und Lederindustrie) konzentriert sich besonders im Pariser Becken, in den nördlichen Départementes, in Lothringen sowie in den Gebieten um Lyon und Marseille. 78% der Stromerzeugung stammen aus Kernkraftwerken. – Haupthäfen sind Marseille, Le Havre, Bordeaux, Calais und Boulogne. Das Straßennetz gehört zu den besten und dichtesten der Erde. Die Bahnlinien (Schnellstreckennetz des TGV) und der Flugverkehr konzentrieren sich auf das Zentrum Paris.

Geschichte: Von einer eigenständigen westfränkischen Geschichte kann man erst seit der endgültigen Teilung des Frankenreichs von 888 sprechen. 987 ging die Herrschaft von den westfränkischen Karolingern auf die Kapetinger über. Zwar sicherte Hugo *Capet* die Erblichkeit der Krone, doch blieb die Macht der Kronvasallen erhalten. 1154–1214 war ganz Westfrankreich in englischem Besitz. Im Verlauf des 13. Jh. entwickelte sich ein starker französischer Einheitsstaat. Nach dem Aussterben der Kapetinger begann die Herrschaft des Hauses *Valois* (1328–1589). Zur Anerkennung seines Thronfolgerechts begann *Eduard III.* von England 1338 den Krieg mit Frankreich, der mit längeren Unterbrechungen bis 1453 dauerte (Hundertjähriger Krieg). Mit Hilfe der *Jungfrau von Orléans* gelang es *Karl VII.*, die Engländer aus Frankreich zu verdrängen und den Nationalstaat zu einen und zu stärken. Auch aus den Religionskriegen (Hugenottenkriege) des 16. Jh. ging das Königtum gestärkt hervor. 1589 begann die Herrschaft der *Bourbonen* in Frankreich und damit der Weg zum Absolutismus. Das *Edikt von Nantes* (1598) verlieh den Hugenotten beschränkte religiöse Duldung und staatsbürgerliche Gleichberechtigung. Den beiden Kardinälen *Richelieu* und *Mazarin* gelang es, den absolutistischen Staat endgültig aufzurichten, der unter *Ludwig XIV.* seine volle Macht entfaltete und Frankreich zeitweise zur ersten Großmacht in Europa machte. Die Verstrickung Frankreichs in den Österreichischen Erbfolgekrieg und den Siebenjährigen Krieg in Europa und Amerika brachte das Land finanziell an den Rand des Ruins und bereitete neben dem Denken der Aufklärung den Boden für die → Französische Revolution 1789, die erst durch den Staatsstreich *Napoleons* (9. 11. 1799 = 18. Brumaire) beendet wurde.

Erstes Kaiserreich: Napoleon I. schuf das neue System der autoritären Herrschaft durch Volksabstimmung. Er gab der neuen Gesellschaftsordnung im *Code civil* (1804) ihre bis heute noch verbindliche Rechtsgrundlage. 1804 beschloss der Senat, Frankreich in ein erbliches Kaisertum umzuwandeln.

Restauration: Die endgültige Vertreibung Napoleons I. erfolgte im Verlauf der Koalitionskriege, die Wiederherstellung der monarchistischen Tradition in der *Charte constitutionelle* durch *Ludwig XVIII.* Die Julirevolution von 1830 zwang *Karl X.* zur Flucht nach England; *Louis-Philippe von Orléans,* der »Bürgerkönig«, kam an die Macht. Die Herrschaft des Bürgertums wurde in der Revolution von 1848 gestürzt. Arbeiter und Kleinbürger als ihre Träger erzwangen in einem schon stark sozialistische Züge aufweisenden Aufstand die Ausrufung der Republik (Zweite Republik).

Zweites Kaiserreich: Das Bürgertum, tief beunruhigt, unterstützte im Dezember 1848 die Wahl des Prinzen Louis Napoleon zum Präsidenten der Republik, der 1851 durch einen Staatsstreich die Republik stürzte und sich in einer Volksabstimmung zum Präsidenten auf 10 Jahre wählen ließ. Als *Napoleon III.* bestieg er am 2. 12. 1852 den Thron. Seine Außenpolitik erstrebte die volle Wiederherstellung der alten französischen Machtposition in Europa und der Welt. Der Deutsch-Französische Krieg von 1870/1871 kostete ihn den Thron.

Dritte Republik: Die nach dem Sturz des Zweiten Kaiserreichs gegründete Dritte Republik (1870) konnte sich anfangs im Innern nur schwer durchsetzen (1871 Kommuneaufstand in Paris). Außenpolitisch war sie durch *Bismarcks* Gleichgewichtspolitik zunächst isoliert. Im Wettlauf um Kolonialgebiete mit Großbritannien gewann Frankreich 1881 Tunis, 1885 Madagaskar; aber zunehmende Spannungen bestanden mit Großbritannien besonders im Sudan. Frankreich gelang die Annäherung an Russland und die Bereinigung des Verhältnisses mit Großbritannien in der *Entente* von 1904. 1911 begann Frankreich, Marokko militärisch zu besetzen (Marokko-Krise). 1914 stellte sich Frankreich auf die Seite Russlands und wurde dadurch in den Ersten Weltkrieg hineingezogen.

Nach dem Ersten Weltkrieg erhielt das Land Elsass-Lothringen durch den *Versailler Vertrag* zurück. Die strikt antideutsche Politik scheiterte schließlich im Ruhrkampf (1922/1923) und musste im *Vertrag von Locarno* (A. *Briand,* G. *Stresemann)* und mit dem Eintritt Deutschlands in den Völkerbund aufgegeben werden. In der Innenpolitik wurden Finanzen und Währung saniert. Das Anwachsen des Radikalismus hatte eine Krise des Parlamentarismus zur Folge. Erst die bürgerliche Regierung É. *Daladiers* (1938) brachte eine neue Stabilisierung.

Zweiter Weltkrieg: Der deutsche Angriff im Mai 1940 stürzte Frankreich in seine schwerste Krise. Am 22. 6. schloss H.-P. *Pétain* einen Waffenstillstand, der den größten Teil des Landes mit Paris einer deutschen Besatzung unterwarf. Im freien Teil bildete Pétain eine autoritäre Regierung, die mit Deutschland kollaborierte. Im Land entstand eine Widerstandsbewegung *(Résistance).* Am 25. 8. 1944 zog *de Gaulle* in Paris ein und blieb bis Januar 1946 an der Spitze einer provisorischen Regierung.

Vierte Republik: Sie trat mit der Verfassung 1946 ins Leben. Indochina musste nach schweren Kämpfen 1954 aufgegeben werden; 1956 lösten sich Marokko und Tunis los. 1957 war Frankreich an der Gründung der *Europäischen Wirtschaftsgemeinschaft* beteiligt.

Fünfte Republik: Aufgrund der 1958 in Kraft getretenen Verfassung trat *de Gaulle* 1959 das Amt des Präsidenten an. Algerien wurde 1962 selbstständig. 1963 wurde der Vertrag über die deutsch-französische Zusammenarbeit unterzeichnet. 1966 zog sich Frankreich aus der militärischen Organisation der NATO zurück; Grund war die US-amerikanische Dominanz. 1968 kam es zu schweren Studentenunruhen, die auch auf einige andere europäische Länder übergriffen. Nach dem Rücktritt de Gaulles wurde 1969 G. *Pompidou* Staatspräsident. Ihm folgte 1974 V. *Giscard d'Estaing*, der 1981 von dem Sozialisten F. *Mitterrand* abgelöst wurde, dessen Politik auf eine Einigung Europas im Rahmen der EU hinzielte. 1995 wurde der Gaullist J. *Chirac* zum Staatspräsidenten gewählt. Vorzeitige Parlamentswahlen 1997 gewannen die Sozialisten. Premierminister wurde L. *Jospin*. Bei den Präsidentschaftswahlen 2002 setzte sich Chirac im Stichentscheid mit überwältigender Mehrheit gegen J.-M. *Le Pen*, Führer des rechtsextremen *Front National*, durch. Der von Chirac ernannte Premierminister J. P. *Raffarin* (UMP) bildete nach den Parlamentswahlen eine von den Gaullisten dominierte rechtsbürgerliche Regierung. Im Irakkonflikt 2002/2003 lehnte die französische Regierung eine militärische Lösung ab und stellte sich damit gegen die USA und Großbritannien. Die Innenpolitik wurde von Auseinandersetzungen über Sozialreformen bestimmt. Nachdem sich die Bevölkerung 2005 in einem Referendum gegen den EU-Verfassungsvertrag aussprach, ernannte Staatspräsident Chirac D. de *Villepin* zum neuen Regierungschef. 2007 wurde N. *Sarkozy* (UMP) zum neuen Staatspräsidenten gewählt. Er ernannte F. *Fillon* (UMP) zum neuen Premierminister.

Franz Joseph I., * 1830, † 1916; Kaiser von Österreich (seit 1848) und König von Ungarn (seit 1867). Franz Joseph I. war seit 1854 mit *Elisabeth von Bayern* (»Sis[s]i«) verheiratet.

Was war die … Französische Revolution

Als Französische Revolution wird die politische und gesellschaftliche Umwälzung in Frankreich am Ende des 18. Jahrhunderts bezeichnet, die auch das übrige Europa erfasste.

Ursachen und Beginn: Die absolutistische Herrschaft der französischen Könige, das sogenannte Ancien régime (französisch für alte Regierungsform), hatte Frankreich in eine tiefe politische und wirtschaftliche Krise gestürzt. Geistlichkeit und Adel, der erste und zweite Stand, verteidigten ihre Privilegien gegenüber Bürgern und Bauern, dem dritten Stand, und verhinderten eine Sanierung der zerrütteten Staatsfinanzen. König Ludwig XVI. sah sich aufgrund der katastrophalen Lage gezwungen, erstmals seit 1614 die Generalstände, eine für gesamtfranzösische Belange zuständige Versammlung aus Vertretern der drei Stände, nach Versailles einzuberufen (5. 5. 1789). Die erste Phase der Revolution wurde eingeleitet, als sich die Vertreter des dritten Standes weigerten, nach Ständen abzustimmen statt nach Köpfen, und sich am 17. Juni zur Nationalversammlung und am 20. Juni mit dem Ballhausschwur im Ballsaal von Versailles zur verfassunggebenden Versammlung erklärten. Auf die Erstürmung der Bastille, des alten Stadtge-

Französische Revolution: Das Bild zeigt den Sturm auf die Bastille.

fängnisses, durch Pariser Volksmassen (14. 7 1789) folgten die Abschaffung aller feudalen Rechte, die Verkündigung der Menschen- und Bürgerrechte, die Aufhebung der Klöster und Orden, das Einziehen des Kirchengutes, die Verstaatlichung der Schulen und die Einführung der Zivilehe. Die Verfassung von 1791 machte Frankreich zur konstitutionellen Monarchie.

Radikalisierung und Terrorherrschaft: Der Fluchtversuch Ludwigs XVI. und die Einmischung des Auslands beschleunigten die Radikalisierung der Revolution. 1792 stürmten die revolutionären Massen das Stadtschloss des Königs. Ein neu gewählter Nationalkonvent rief am 22. 9. 1792 die Republik aus und ließ den König am 21. 1. 1793 hinrichten. Bei den in politischen Klubs organisierten Revolutionären setzten sich immer mehr die radikalen Jakobiner, benannt nach ihrem Versammlungsort, dem Kloster Saint-Jacques, durch. Unter Führung von G. Danton, J.-P. Marat und M. de Robespierre begann eine blutige Terrorherrschaft (terreur) mit Massenhinrichtungen unter der Guillotine, dem Fallbeil.

Den Hinrichtungswellen fielen schließlich auch Danton, Marat und Robespierre selber zum Opfer. Nach der Annahme der bürgerlichen Direktorialverfassung begann 1795 die Phase der Herrschaft eines fünfköpfigen Direktoriums. Napoleon Bonapartes Staatsstreich (1799) stürzte dieses Direktorium und beendete damit die Französische Revolution.

Franz von Assisi, * 1181 oder 1182, † 1226; italienischer Gründer des katholischen Mönchsordens der *Franziskaner.* Nach einer sorglosen Jugend entschied sich Franz von Assisi für ein Leben der Buße, des Gebets und der tätigen Liebe an Kranken und Armen. Seine Lobgesänge auf Gott und auf die Liebe zu allen Geschöpfen hatten große Wirkung; er wurde 1228 heiliggesprochen.

fräsen, Werkstücke mit einem sich drehenden, mit scharfen Messern besetzten Werkzeug *(Fräser)* bearbeiten. Dabei werden Späne von dem Werkstück abgehoben.

Frauenbewegung [die], eine auf das 18. Jh. zurückgehende Reformbewegung mit dem Ziel, die *Emanzipation* der Frau durchzusetzen. Die Träger der Bewegung waren die Frauen vereine und Frauenrechtlerinnen. Ein Erfolg der Frauenbewegung in Deutschland war die Durchsetzung des aktiven und passiven Wahlrechts für Frauen seit 1919. Obwohl die Gleichberechtigung in der Bundesrepublik Deutschland seit 1953 im Grundgesetz festgeschrieben ist, wird sie im Alltag nicht immer erreicht. So hat sich in den 1960er und 1970er Jahren eine neue Frauenbewegung *(Feminismus)* gebildet, zu deren Projekten beispielsweise Frauenhäuser, Frauengruppen und Frauenzeitschriften gehören.

Franz von Assisi auf einem Fresko von Giotto di Bondone, wie er den Vögeln predigt.

Frauenhäuser [Pl.], in den 1970er Jahren entstandene Zufluchtsstätten für Frauen (und deren Kinder), die von ihren Ehemännern oder Partnern misshandelt werden.

Fraunhofer, Joseph von, * 1787, † 1826; deutscher Physiker. Er vervollkommnete das Fernrohr und erfand das Beugungsgitter, mit dem er die Wellenlängen der Absorptionslinien im Sonnenspektrum maß, die nach ihm *Fraunhofer'sche Linien* heißen.

Freeclimbing ['fri:klaimiŋ], eine Form des Extrem-Klettersports an äußerst schwierigen Felswänden. Freeclimbing erfordert große Körperbeherrschung, da nur die Hände und Füße zum Festhalten benutzt werden.

Freeware ['fri:wɛə], Software, die von privaten Anwendern kostenlos benutzt, kopiert und weitergegeben werden darf.

Freiburg im Breisgau, Stadt im südlichen Schwarzwald, in Baden-Württemberg, 213 000 Einwohner. Berühmt ist vor allem das im romanisch-gotischen Stil erbaute Freiburger Münster.

Freie Demokratische Partei [die], Abkürzung FDP (1969–2001 F.D.P.), 1948 in der Bundesrepublik Deutschland gegründete Partei, die liberale Grundsätze in der Politik und der Wirtschaft vertritt. Die FDP war mehrfach an der Bundesregierung beteiligt (1949–1956, 1961–1966, 1969–1982 und 1982 bis 1998).

Freihafen [der], abgeschlossener, zollfreier Hafen oder Hafenteil zur Lagerung und zum Umladen von ausländischen Waren.

Freihandel [der], Handelsverkehr zwischen verschiedenen Staaten ohne Beeinflussung durch Zölle und andere staatliche Maßnahmen. In Europa wurde der Freihandel innerhalb bestimmter Zusammenschlüsse *(EFTA, Europäische Union)* durchgesetzt.

Freiheit [die], die Unabhängigkeit von jedem Zwang sowie die Fähigkeit zur Selbstbestimmung; im Idealfall das Recht des Menschen, alles zu tun, was keinem anderen schadet. Die Freiheit des Einzelnen im Staat ist in den Grundrechten festgelegt.

Freimaurer [Pl.], internationale Vereinigung, die im 17./18. Jh. in Geheimgesellschaften mit besonderen Zeichen und Ritualen entstand. Der Freimaurerbund besteht aus einzelnen *Logen,* deren Mitglieder sich *Brüder* nennen. Die Freimaurer treten für die freiheitlichen Ideale der Aufklärung ein, z. B. für Toleranz, Überwindung der nationalen und konfessionellen Gegensätze.

Freeclimbing: Die größte Herausforderung in diesem Extremsport ist das Klettern an einem Überhang, wo es keine Möglichkeit zum Abstützen oder Ausruhen gibt.

Freischärler [Pl.], ursprünglich freie Scharen neben regulären Kampftruppen, also freiwillige Kampftruppen. Heute werden Freischärler oft als *Partisanen* bezeichnet.

Fremdenlegion [die], eine aus angeworbenen Ausländern und französischen Offizieren bestehende Truppe, die von Frankreich seit 1830 unterhalten wird.

Fremdwort [das], Bezeichnung für eine Wortart, die aus einer fremden Sprache in die eigene eingeflossen ist. Fremdwörter sind vor allem in der Fach- und Wissenschaftssprache unentbehrlich (z. B. Atom, Computer, Gen) und können kaum durch deutsche Wörter ersetzt werden. Manche aus fremden Sprachen übernommene Wörter haben sich allerdings in Schreibweise und Aussprache so sehr an die Sprache, in die sie eingeflossen sind, angeglichen, dass sie nicht mehr als fremd empfunden werden. Solche Wörter bezeichnet man als *Lehnwörter* (z. B. Straße aus lateinisch »strata«).

Frequenz [die], allgemein Häufigkeit; in der Physik die Anzahl der Schwingungen je Zeiteinheit (z. B. Wechselstrom, elektromagnetische Wellen). Sie wird in *Hertz* (1 Hz = 1 Schwingung pro Sekunde) gemessen.

Fresko [das, Pl. Fresken, von ital. fresco, »frisch«], eine Technik der Wandmalerei mit Wasserfarben auf dem noch nassen Verputz. Die Farbe und die Putzschicht verbinden sich beim Trocknen eng miteinander. Michelangelo schuf die berühmten Fresken der Sixtinischen Kapelle in Rom.

Wer war ... Sigmund Freud

Sigmund Freud (* 1856, † 1939) war ein österreichischer Neurologe und Psychiater. Er veränderte durch die Einbeziehung des Unbewussten in die Forschung die Psychologie und Medizin entscheidend. Freud begründete mit seinen Studien zur Hysterie und Neurosen (»Studien über Hysterie«) sowie seiner »Traumdeutung« die Psychoanalyse. 1938 musste er wegen seiner jüdischen Abstammung nach London emigrieren, wo er ein Jahr später starb. Freud war der Auffassung, dass menschliches Verhalten v. a. von der Libido, dem Geschlechtstrieb, sowie vom sogenannten Todestrieb gesteuert wird. Seelische Erkrankungen führte Freud auf einen Kompromiss zwischen »Über-Ich« (Verinnerlichung von Konventionen und Normen) und verdrängten Trieben zurück (»Das Ich und das Es«, 1923). Freud arbeitete fast sein ganzes Leben in Wien, seit 1886 als Nervenarzt und Dozent für Neuropathologie (1902 Professor). Er entwickelte Methoden zur Diagnose und Behandlung von Neurosen und äußerte sich auch zu kulturellen und gesellschaftlichen Themen (u. a. Religionswissenschaft, Ethnologie, Mythologie). Viele seiner Begriffe wie »Es«, »Ich«, »Über-Ich«, das »Unbewusste« oder »Ödipus-Komplex« wurden sprachliches Allgemeingut. Seine Lehre blieb zwar umstritten, doch hatte sie großen Einfluss auf die Behandlung seelischer Erkrankungen, ebenso auf Kunst und Literatur.

Sigmund Freud

Friedenspfeife [die], die heilige Tabakspfeife der nord amerikanischen Indianer, die bei Friedensverhandlungen in der Runde reihum ging.

Friedensvertrag [der], Vereinbarung zwischen kriegführenden Staaten, zur Beendigung des Krieges und zur Wiederaufnahme diplomatischer Beziehungen. Dem voraus geht in der Regel ein *Waffenstillstand.*

Caspar David Friedrich: Das Bild »Kreidefelsen auf Rügen« (um 1818) ist eines seiner bekanntesten Werke.

Friedrich, Caspar David, * 1774, † 1840; deutscher Maler und Grafiker, Hauptmeister der deutschen Romantik. Seine oft sinnbildhaften, schwermütigen Bilder haben durch ihre Komposition und Ausschnitthaftigkeit der Malerei neue Wege gewiesen.

Friedrich I. Barbarossa, * 1122, † 1190, deutscher Kaiser 1155–1190. Friedrich zählt zu den bedeutendsten Herrschergestalten des Mittelalters. Um ihn bildete sich die Sage, wonach der Kaiser in einer Höhle im thüringischen Bergrücken Kyffhäuser bis zu seinem Wiedererwachen schläft. Wegen seines rötlichen Bartes wurde er von den Italienern Barbarossa (»Rotbart«) genannt.

Friedrich, der Sohn des staufischen Herzogs Friedrich II. von Schwaben, wurde 1152 deutscher König und 1155 von Papst Hadrian IV. zum Kaiser gekrönt. Friedrichs Regierungszeit war geprägt von langwierigen Auseinandersetzungen mit dem Papst und den oberitalienischen Städten der Lombardei. Zur Durchsetzung seiner Machtposition unternahm Friedrich mehrere Italienzüge. 1162 zerstörte er Mailand. Nach der Eroberung Roms (1167) erlebte er einen schweren Rückschlag, als die Malaria seine Truppen dezimierte. 1176 unterlag Friedrich gegen ein lombardisches Heer bei Legnano. 1177 schloss er den Frieden von Venedig mit Papst Alexander III. 1183 folgte der Konstanzer Friede mit den lombardischen Städten, deren Autonomie Friedrich akzeptieren musste. Durch die Vermählung seines Sohnes Heinrich VI. mit der normannischen Königstochter Konstanze 1186 verband Friedrich staufisches und normannisches Erbe. In Deutschland zerschlug er 1180 die Machtstellung seines Gegenspielers, des Welfenherzogs Heinrich des Löwen. 1189 brach Friedrich als Führer des 3. Kreuzzugs zur Befreiung Jerusalems auf, erreichte sein Ziel jedoch nicht, sondern ertrank im Fluss Saleph in der heutigen Türkei.

Friedrich II., von Hohenstaufen, Enkel von *Friedrich I. Barbarossa,* * 1194, † 1250; deutscher König und Kaiser des Heiligen Römischen Reiches. Friedrich II. widmete sich besonders dem Ausbau seiner Macht in Süditalien.

Wer war …
Friedrich II., der Große

Friedrich II., der Große (* 1712, † 1786), war von 1740–1786 König von Preußen. Er erhob Preußen durch mehrere Kriege in den Rang einer europäischen Großmacht. Als bedeutender Vertreter des aufgeklärten Absolutismus führte er Reformen in der Landwirtschaft, im Gewerbe und in der Industrie, in der Justiz und im Schulwesen durch. In das breitere deutsche Geschichtsbewusstsein ist Friedrich als der »Alte Fritz« eingegangen, als der strenge, aber gerechte Landesvater. Der hoch begabte und vielseitig interessierte Friedrich geriet durch seine geistigen und künstlerischen Neigungen früh in Gegensatz zu seinem Vater, dem »Soldatenkönig« Friedrich Wilhelm I. 1730 unternahm Friedrich einen Fluchtversuch und musste eine Festungshaft in Küstrin verbüßen. Nach förmlicher Aussöhnung mit dem Vater schloss er 1733 die aus politischen Gründen gewünschte Ehe mit Elisabeth Christine Ulrike von Braunschweig-Bevern. Seit 1736 lebte Friedrich in Rheinsberg. Nach der Regierungsübernahme 1740 fiel Friedrich im Bund mit Sachsen und Frankreich in Schlesien ein (Schlesische Kriege), das er eroberte und dessen Besitz er sich von Maria Theresia im Frieden von Dresden 1745 bestätigen ließ. Friedrich konnte im Siebenjährigen Krieg trotz schwerer Verluste den eroberten Besitzstand behaupten (Friede von Hubertusburg 1763). 1772 gewann er das bisher polnische Westpreußen. Im Bayerischen Erbfolgekrieg 1778/1779 unterband Friedrich österreichische Absichten auf Bayern.

Innenpolitisch bemühte Friedrich sich mit starkem persönlichen Einsatz um den Ausbau des Staates. Wie bei der Führung des stehenden Heeres, das Friedrich auf eine Größe von fast 200 000 Mann und auf einen hohen Ausbildungsstand brachte, stützte er sich in erster Linie auf den Adel, dem er wirtschaftliche Vergünstigungen gewährte. In Potsdam ließ der König Schloss Sanssouci bauen. Als Anhänger der französischen Aufklärungsphilosophie zog er 1750–1753 Voltaire an seinen Hof. Friedrich war auch schriftstellerisch tätig und Musiker (Flötenspiel).

Friedrich II. der Große, König von Preußen

Friedrich Wilhelm, der *Große Kurfürst*, * 1620, † 1688; Kurfürst von Brandenburg. Friedrich Wilhelm baute Brandenburg nach dem Dreißigjährigen Krieg wieder auf, er förderte Wirtschaft und Handel und holte aus Frankreich ausgewiesene Hugenotten ins Land.

Fries [der], schmückende, schmale Streifenfläche mit Ornamenten oder Figuren. Im Innern eines Bauwerkes werden meist gemalte Friese, außen Reliefs angebracht.

Friesen [Pl.], westgermanischer Stamm an der Nordseeküste, im 8. Jh. von den Franken unterworfen und christianisiert.

Friesische Inseln [Pl.], Inselkette vor der niederländischen und deutschen Nordseeküste, in der Deutschen Bucht. Die Friesischen Inseln waren früher Teile des Festlands und sind durch Sturmfluten abgetrennt worden. Zu ihnen gehören die *Westfriesischen Inseln* vor der niederländischen Küste von Texel bis zur Emsmündung, die *Ostfriesischen Inseln* zwischen der Ems- und der Wesermündung (Borkum, Juist, Norderney, Baltrum, Langeoog, Spiekeroog, Wangerooge) und die *Nordfriesischen Inseln* (Amrum, Pellworm, Nordstrand, Föhr, Sylt, Halligen) nördlich der Elbemündung.

Frisch, Max, * 1911, † 1991; schweizerischer Schriftsteller. Frisch beschäftigte sich in seinen Stücken besonders mit der Selbstentfremdung des Menschen in der heutigen Gesellschaft. Er schrieb u. a. »Andorra«, »Stiller«, »Homo faber«.

Fronleichnam [der, mittelhochdeutsch, »Leib des Herrn«], ein hoher katholischer Feiertag. Das Fronleichnamfest wird seit 1264 am zweiten Donnerstag nach Pfingsten zur feierlichen Verehrung der *Eucharistie* begangen. Dabei wird die geweihte Hostie (in der Monstranz) in Prozessionen auf Straßen und Plätze hinausgetragen.

Front [die], **1.** Vorderseite, z. B. eines Gebäudes. **2.** die (vor derste) Kampflinie, die Trennlinie zwischen kämpfenden Heeren.

Frösche [Pl.], Familie der → Froschlurche, deren Arten (mit Ausnahme der Polargebiete) weltweit verbreitet sind. Mit ihrem stromlinienförmigen Körper und den langen, muskulösen Hinterbeinen, meist mit Schwimmhäuten versehen, sind sie sehr gut an ihre springende und schwimmende Lebensweise angepasst. Am bekanntesten sind die Braun- und Grünfrösche, wie etwa der *Moor-* und der *Teichfrosch.* Die Mehrzahl der Frösche lebt im Wasser, wenige sind zu Baumfröschen geworden oder haben sich gar an das Landleben angepasst. Fast alle Arten legen ihren Laich im Wasser ab, wo sich die Kaulquappen zu Fröschen entwickeln.

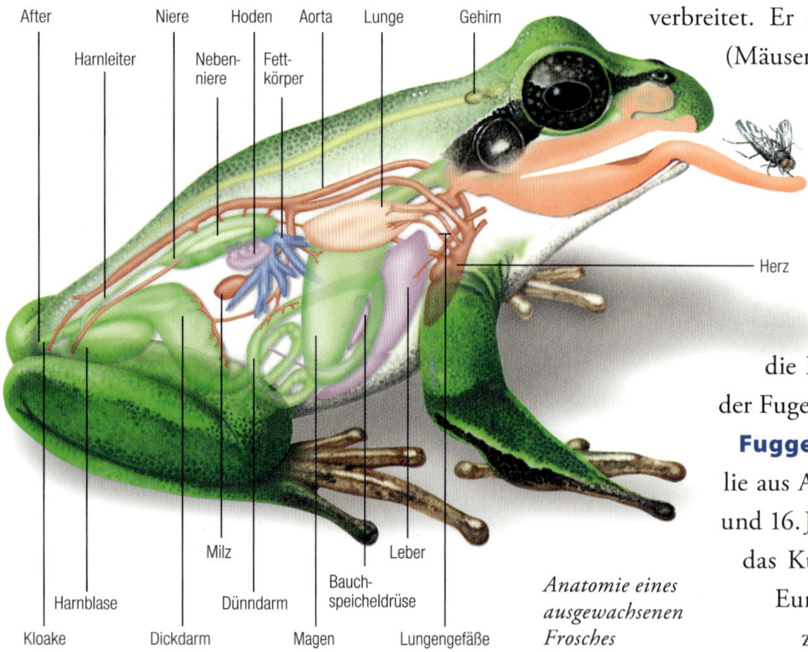

Anatomie eines ausgewachsenen Frosches

Froschlurche [Pl.], eine artenreiche Tiergruppe der Amphibien, zu der die *Kröten,* die *Unken* und die *Frösche* gehören. Die Froschlurche sind weltweit verbreitet. Sie ernähren sich von Insekten, haben eine Lunge und Beine und leben vorwiegend an Land. Die Eier *(Froschlaich)* legen sie ins Wasser. Aus dem Laich entwickeln sich die Larven *(Kaulquappen),* die einen Ruderschwanz und Kiemen besitzen.

Frost [der], Lufttemperatur unter 0 °C.

Frucht [die], ein aus der Blüte hervorgehendes pflanzliches Organ, das die Samen bis zur Reife umschließt und dann ihrer Verbreitung dient.

Frühgeburt [die], die vorzeitige Beendigung der Schwangerschaft durch die Geburt eines schon lebensfähigen Kindes.

Frühgeschichte [die] → Geschichte.

Frühling [der] → Jahreszeiten.

Frustration [die], Enttäuschung, Misserfolg, Entmutigung.

Fuchs [der], ein zu den Hundeartigen gehörendes Raubtier. Der Fuchs ist in vielen Unterarten weltweit verbreitet. Er ernährt sich meist von Kleinsäugern (Mäusen) und Insekten, aber auch von Früchten und Aas. Bei uns ist der *Rotfuchs* (Reinecke) heimisch.

Fuge [die], eine musikalische Kompositionstechnik, mit dem *Kanon* verwandt. Bei der Fuge durchzieht das Thema alle Stimmen nacheinander. Ihren Höhepunkt fand die Fuge in der Musik J. S. *Bachs* (»Kunst der Fuge«).

Fugger [Pl.], eine reiche Kaufmannsfamilie aus Augsburg, die als Handelsherren im 15. und 16. Jh. Weltgeltung erlangten. Sie erwarben das Kupfermonopol in Europa und besaßen Europas größtes Bankhaus, wodurch sie zu Geldgebern für Kaiser und Päpste

Genauer betrachtet …
Führerschein

A	Krafträder mit Leistungsbeschränkung in den ersten zwei Jahren bis 25 kW, nicht mehr als 0,16 kW/kg (18 Jahre*)
A1	Leichtkrafträder bis 125 cm³, bis 11 kW (16 Jahre*)
B	Kraftfahrzeuge bis 3,5 t mit Anhänger bis 750 kg oder mit Anhänger über 750 kg, sofern die zulässige Gesamtmasse des Anhängers die Leermasse des Zugfahrzeugs nicht übersteigt und die Gesamtmasse des Zuges 3,5 t nicht übersteigt (18 Jahre*)
C	Kraftfahrzeuge über 3,5 t mit Anhänger bis 750 kg (18 Jahre*)
C1	Kraftfahrzeuge von mehr als 3,5 t und nicht mehr als 7,5 t mit Anhänger bis 750 kg (18 Jahre*)
D	Kraftomnibusse mit mehr als 8 Fahrgastsitzplätzen mit Anhänger bis 750 kg (21 Jahre*)
D1	Kraftomnibusse mit mehr als 8 und nicht mehr als 16 Fahrgastsitzplätzen mit Anhänger bis 750 kg (21 Jahre*)
E	erweitert die Klassen B, C, C1, D und D1 um Anhänger über 750 kg
M	Kleinkrafträder, Fahrräder mit Hilfsmotor bis 50 cm³ und 45 km/h (16 Jahre*)
L, T	Land- und forstwirtschaftliche Zugmaschinen, selbstfahrende Arbeitsmaschinen und Flurförderfahrzeuge bis 25 km/h (16 Jahre*)
S	Dreirädrige Kleinkrafträder und vierrädrige Leichtkraftfahrzeuge (Miniautos und Quads) bis 50 cm³ und 45 km/h, Leergewicht maximal 350 kg (16 Jahre*)

*= Mindestalter

Fuchs: Der Rotfuchs beobachtet mit seinen außerordentlich feinen Sinnen ständig seine Umgebung.

wurden. Die Fugger förderten die Künste und Wissenschaften.

Führerschein [der], eine amtliche Erlaubnis zum Führen eines Kraftfahrzeuges. In Deutschland ist der Führerschein in 16 Klassen unterteilt. Wenn man einen Führerschein machen will, muss man für die verschiedenen Klassen ein Mindestalter haben. Da Fahranfänger, egal wie alt sie sind, häufiger an Unfällen beteiligt sind als andere Fahrer, werden die Führerscheine zunächst auf Probe erteilt. Die Probezeit dauert 2 Jahre. Begeht der Inhaber eines Führerscheins auf Probe eine Ordnungswidrigkeit oder Straftat im Straßenverkehr, so kann beim ersten Mal die Teilnahme an einem Nachschulungskurs angeordnet werden. In den meisten Bundesländern gibt es den »Führerschein mit 17« (begleitetes Fahren). Auch →»Genauer betrachtet«.

Fuji, *Fudschiyama,* der mit 3776 m höchste Berg Japans, auf der Hauptinsel Honshu, südwestlich von Tokyo. Der Fuji ist ein Vulkan mit mehreren Kratern (letzter Ausbruch 1707); er ist für die Japaner ein Nationalheiligtum.

Fulbe [Pl.], ein Volk in Westafrika. Die heute etwa 12 Mio. Fulbe haben eine hellbraune Hautfarbe und leben besonders in Nigeria, Guinea, Senegal, Mali, Obervolta und Tschad. Sie sind meist Moslems.

Fuller ['fulə], Richard Buckminster, * 1895, † 1983; US-amerikanischer Architekt und Ingenieur. Er war

Genauer betrachtet …

Fußball

Die Weltmeisterschaft im Fußball findet alle vier Jahre statt. Die Endrunde wurde zunächst von 16 Mannschaften bestritten. Seit 1998 nehmen 32 Mannschaften an der Endrunde teil.

Austragungsland	Jahr	Weltmeister	Vizeweltmeister
Uruguay	1930	Uruguay	Argentinien
Italien	1934	Italien	Tschechoslowakei
Frankreich	1938	Italien	Ungarn
Brasilien	1950	Uruguay	Brasilien
Schweiz	1954	Deutschland	Ungarn
Schweden	1958	Brasilien	Schweden
Chile	1962	Brasilien	Tschechoslowakei
England	1966	England	Deutschland
Mexiko	1970	Brasilien	Italien
Deutschland	1974	Deutschland	Niederlande
Argentinien	1978	Argentinien	Niederlande
Spanien	1982	Italien	Deutschland
Mexiko	1986	Argentinien	Deutschland
Italien	1990	Deutschland	Argentinien
USA	1994	Brasilien	Italien
Frankreich	1998	Frankreich	Brasilien
Korea und Japan	2002	Brasilien	Deutschland
Deutschland	2006	Italien	Frankreich

ein Pionier der Erforschung geometrischer Strukturen und entwickelte industriell herzustellende Konstruktionen, darunter 1947 die sogenannte Fuller'sche Kuppel (»geodätische Kuppel«) nach dem Prinzip des räumlichen Tragwerks.

Functional Food ['fʌŋkʃənəl fuːd] → funktionelle Lebensmittel.

Fundament [das], Unterbau bei Bauwerken, auch geistige Grundlage.

Fundamentalismus [der], ursprünglich eine Bewegung des Protestantismus in Nordamerika, die davon ausgeht, dass die Bibel unmittelbar das Wort Gottes wiedergibt und daher irrtumsfrei ist. Allgemein versteht man heute unter Fundamentalismus das unbedingte Festhalten an überlieferten Glaubenslehren, verbunden mit einer feindseligen Einstellung gegen Neuerungen. Als *Fundamentalisten* bezeichnet man die Anhänger orthodoxer religiöser Strömungen im Islam.

fundiert, gefestigt, gesichert (z. B. Existenz); auch sachkundig.

Fünfkampf [der], ein sportlicher Wettkampf, der aus fünf Übungen besteht. Der *leichtathletische Fünfkampf* der Männer besteht aus den Disziplinen 200-m-Lauf, Speerwerfen, Diskuswerfen, Weitsprung und 1500-m-Lauf. Der *moderne Fünfkampf* (olympischer Fünfkampf) besteht aus Springreiten, Degenfechten, Pistolenschießen, Schwimmen und Geländelauf.

Fünf-Prozent-Klausel [die] → Wahlsysteme.

Funk [fʌŋk, der], eine Richtung des Jazz, die auf afroamerikanische Musik und Blues zurückgreift.

Funke, Cornelia, * 1958; deutsche Kinder- und Jugendbuchautorin. Sie schreibt fantastische und realitätsbezogene Bücher wie z. B. die Mädchenreihe »Die wilden Hühner« oder die »Tintenwelt«-Reihe und ist auch international erfolgreich.

Funksprechgerät [das, engl. »Walkie-Talkie«], ein tragbares Gerät zur drahtlosen Übermittlung von Nachrichten. Die Geräte werden u. a. im Polizeifunk und im öffentlichen beweglichen Funkdienst eingesetzt.

Funktechnik [die], die drahtlose Übertragung von Signalen mit Hilfe elektromagnetischer Wellen. Beim Rundfunk und Fernsprecher werden Töne, bei der Telegrafie Morse zeichen und beim Fernsehen Bilder übertragen. Sonderzweige der Funktechnik sind z. B. *Richtfunk* und *Radar.*

Funktion [die], **1.** Tätigkeit, Amt, Wirksamkeit in einem größeren Zusammenhang. **2.** *Abbildung,* in der Mathematik die Zuordnung eines Elementes aus einer Menge (x) zu einem Element aus einer zweiten Menge (y). Die Funktionsgleichung lautet: y ist eine Funktion von x oder kurz: $y = f(x)$.

Funktionär [der], jemand, der ehrenamtlich oder hauptberuflich für eine Partei, Gewerkschaft, einen Sportverein u. Ä. tätig ist.

funktionelle Lebensmittel, *Functional Food, Designer Food,* Nahrungsmittel, die durch Zugabe bestimmter Substanzen einen gesundheitlichen Zusatznutzen erbringen sollen.

Funsport [fʌn-], seit den 1980er Jahren als Gegenkultur zum herkömmlichen leistungsorientierten Sport entstandener Sporttrend, bei dem nicht der Wettkampf, sondern der Spaß an der Bewegung, die Geschicklichkeit und das Naturerlebnis im Vordergrund stehen. Beispiele sind *Inlineskating, Mountainbiking* und *Freeclimbing.*

Furnier [das], dünnes Deckblatt aus edlem Holz, das bei der Holzverarbeitung auf einfacheres Holz oder Pressspanplatten aufgeklebt wird.

Fürst [der], regierender Herrscher. Im Mittelalter bildeten sich weltliche (Herzöge, Grafen) und geistliche Fürsten (Bischöfe, Äbte), die großen Einfluss auf das Geschehen des Landes nahmen. Besonders in Deutschland gewannen sie immer mehr an Macht und wurden zu selbstständigen *Landesfürsten.* Am bedeutendsten waren die *Kurfürsten,* die den König wählen durften.

Furt [die, Pl. Furten], eine Schwelle in einem Flussbett, durch die ein seichter Übergang entsteht.

Furunkel [der oder das], eine Entzündung im Bereich einer Haarwurzel mit meist starker Bildung von Eiter.

Fürwort [das] → Pronomen.

Fusion [die], Verschmelzung, Zusammenschluss; besonders die Vereinigung zweier oder mehrerer Unternehmen zu einer einzigen Gesellschaft.

Fuß [der], unterster Teil des Beins vom Knöchel bis zu den Zehen bei Wirbeltieren und beim Menschen. Der menschliche Fuß besteht aus sieben Fußwurzelknochen, fünf Mittelfußknochen und fünf Zehen.

Fußball [der], Ballspiel zwischen zwei Mannschaften, bestehend aus zehn Feldspielern und einem Torwart, die versuchen durch geeignetes Zuspiel mit dem Fuß oder den Kopf, den Ball ins gegnerische Tor zu bringen. Der Ball darf, außer vom Torwart, nicht mit Armen und Händen berührt werden. Wer die meisten Tortreffer erzielt, ist Sieger. Das Spiel dauert zweimal 45 Minuten (2 *Halbzeiten)* mit einer Halbzeitpause von 15 Minuten.

Wichtigste internationale Wettbewerbe sind die alle 4 Jahre stattfindenden *Weltmeisterschaften* und die *Europameisterschaften,* die von Nationalmannschaften ausgetragen werden. Auch →»Genauer betrachtet«.

Fußpilz [der], eine Erkrankung der Füße, die von kleinen Pilzen verursacht wird. Man erkennt sie an juckenden Bläschen und Hautschuppen.

Futur [das, lat. futurum, »zukünftig«], in der Grammatik die Zeitform des Verbs zur Bezeichnung zukünftiger Handlungen und Geschehnisse. Dabei unterscheidet man *Futur I* (»ich werde essen«) und *Futur II, vollendete Zukunft* (»ich werde gegessen haben«).

Futurologie [die], Zukunftsforschung; eine Wissenschaft, die versucht, aus den gegebenen Voraussetzungen Vorhersagen z. B. mit Hilfe von Computern zu machen.

G

g, Kurzzeichen für Gramm.

G, siebenter Buchstabe des Alphabets (Konsonant).

Ländersteckbrief
Gabun

Fläche:	267 667 km²
Einwohner:	1,4 Millionen = 5 je km²
Hauptstadt:	Libreville
Religion:	Christentum, Naturreligionen
Amtssprache:	Französisch
Währung:	CFA-Franc

Gabun, Staat in Zentralafrika.

Das feuchttropische, von Regenwald bestandene Land zieht sich über eine bis 200 km breite Küstenebene auf das Hochland von Gabun hinauf (bis 1370 m hoch). Die Bevölkerung (überwiegend Bantu) bekennt sich vorwiegend zum Christentum. Wichtige Exportartikel sind Erdöl (78% der Gesamtausfuhr), Edelhölzer, Mangan, Gold und Kakao. Haupthäfen sind Libreville und Port-Gentil.

Geschichte: Seit 1854 französische Kolonie und seit 1910 ein Teil von Französisch-Äquatorialafrika, wurde die Republik 1958 autonom und am 17. 8. 1960 unabhängig. 1991 wurde eine neue Verfassung verabschiedet. Staatspräsident ist seit 1967 O. *Bongo,* der zuletzt 2005 im Amt bestätigt wurde.

Gagarin, Jurij Alexejewitsch, * 1934, † 1968 (Flugzeugabsturz); sowjetischer Astronaut. Er schrieb Raumfahrtgeschichte, als er am 12. 4. 1961 mit dem Raumschiff »Wostok I« den ersten bemannten Raumflug ausführte. 1968 kam er auf einem Routineflug beim Absturz seiner MIG 15 ums Leben.

Gage ['ga:ʒə, die, franz.], das Gehalt für Künstler.

Galápagosinseln, *Schildkröteninseln,* eine Gruppe vulkanischer Inseln im Pazifik, die zu Ecuador gehört. Die unter Naturschutz stehenden Inseln sind wegen der einmaligen Tier- und Pflanzenwelt berühmt, u. a. Galápagos-Riesenschildkröten und -Meerechsen.

Galaxien [Pl.], *Milchstraßensysteme,* alle selbstständigen Sternsysteme außerhalb unseres eigenen Milchstraßensystems im Weltall. Die Gesamtzahl aller Galaxien in dem Teil des Weltalls, der zur Zeit beobachtet werden kann, wird auf rund 100 Mrd. geschätzt.

Galeere [die], ein schnelles Ruderkriegsschiff mit geringem Tiefgang, das im Altertum und im Mittelalter eingesetzt wurde. Galeeren waren bis 40 m lang, 5 m breit und mit 50 oder mehr Ruderern (Sklaven,

Juri Alexejewitsch Gagarin im Weltraumanzug unmittelbar vor seinem Flug ins All mit dem Raumschiff »Wostok«; 1961

später Sträflinge) besetzt. Zunächst waren sie mit Wurfmaschinen, später mit Geschützen bestückt.

Galerie [die], **1.** ein Ausstellungsraum für Kunstwerke. **2.** ein erhöhter Gang mit Brüstung, der um eine Halle läuft. **3.** der oberste Raum im Zuschauerraum eines Theaters.

Galiläa, eine Landschaft im Norden Israels; Heimat und Wirkungsbereich Jesu Christi und seiner Jünger.

Wer war ... Galileo Galilei

Galileo Galilei (* 1564, † 1642) war ein italienischer Mathematiker, Physiker und Astronom. Er gilt als Begründer der modernen, auf Erfahrung und Experiment beruhenden Naturwissenschaften und Symbolgestalt des Kampfes um ein wissenschaftliches Weltbild. 1581–1585 studierte Galilei in Pisa Medizin, danach in Florenz Mathematik. 1589–1592 war er Lektor in Pisa, 1592–1610 Professor in Padua und ab 1610 Hofmathematiker in Florenz. Durch seine Experimente schuf Galilei die Grundlagen der klassischen Mechanik. So formulierte er bereits als Student das Gesetz der Schwingungsdauer des Pendels und konstruierte eine hydrostatische Waage zur Bestimmung spezifischer Gewichte. In Padua leitete er in reinen Gedankenexperimenten die Fallgesetze her. Dort erfand er u.a. auch als Rechengerät den Proportionalzirkel und nutzte die Konstanz kleiner Pendelschwingungen zur Zeitmessung aus. Mit dem 1609 von ihm gebauten Fernrohr entdeckte er z.B. die Mondberge, die vier hellsten Jupitermonde und die Phasenwechsel (ähnlich wie der Mond) von Venus und Merkur. 1615 geriet er wegen seines Bekenntnisses zum heliozentrischen Weltsystem des Kopernikus mit der Sonne im Mittelpunkt mit der römischen Kirche in Konflikt, die ihn im Jahr darauf zum Schweigen verurteilte. 1626–1630 entstand seine Schrift »Dialog über die beiden hauptsächlichsten Weltsysteme, das Ptolemäische und das Kopernikanische«, in der er erneut die Richtigkeit des heliozentrischen Weltbildes zu beweisen suchte. Wegen Ungehorsams und Ketzerei angeklagt, widerrief er 1633 in Rom vor dem Inquisitionsgericht. Dass er seinen Widerruf mit den Worten »Eppur si muove« (»Und sie [die Erde] bewegt sich doch«) zurückgenommen habe, ist Legende. Galilei blieb bis zu seinem Tod als Gefangener der Inquisition unter Hausarrest. Ein letztes Werk zur Mechanik erschien 1638 in Leiden. 350 Jahre nach seinem Tod wurde Galilei von Papst Johannes Paul II. rehabilitiert.

Galileo Galilei machte bahnbrechende Erfindungen auf mehreren Gebieten der Naturwissenschaften.

Galle [die], eine grünliche, bittere Flüssigkeit, die von der Leber ausgeschieden und beim Menschen in der Gallenblase gesammelt wird. Im Zwölffingerdarm trägt die Galle zur Vorverdauung der Fette bei. Ein Rückstau von Galle führt zur *Gelbsucht*.

Gallien, ein Gebiet, das von den keltischen Galliern besiedelt war. Es umfasste das heutige Frankreich, Belgien, die Schweiz und Oberitalien. Seit Anfang des 2. Jh. v. Chr. wurden die Gallier von den Römern zunächst in Oberitalien, dann besonders durch Cäsar 58–51 v. Chr. im Gallischen Krieg unterworfen.

Galvanotechnik [die], eine zusammenfassende Bezeichnung für technische Verfahren, bei denen Gegenstände mit Hilfe der *Elektrolyse* mit einer Metallhaut überzogen werden. Diese Haut kann aus Kupfer, Zink, Chrom, Silber oder Gold bestehen.

Gama, Vasco da, Graf von Vidigueira, * 1469, † 1524; portugiesischer Seefahrer und Vizekönig von Ostindien. Er umsegelte 1497/98 das Kap der Guten Hoffnung und gelangte so auf dem Seeweg nach Indien.

Ländersteckbrief
Gambia

Fläche:	11 295 km²
Einwohner:	1,6 Millionen = 138 je km²
Hauptstadt:	Banjul
Religion:	Islam
Amtssprache:	Englisch
Währung:	1 Dalasi = 100 Bututs

Gambia, Staat in Westafrika.

Das flachwellige Land ist eine Enklave innerhalb von Senegal und zumeist von Savannen, Sumpfland und einigen Wäldern bedeckt; wechselfeuchtes, randtropisches Klima mit Trockenzeit im Winter. Die Bevölkerung (Malinke, Fulbe, Wolof, Diola) ist vorwiegend islamisch. Der Erdnussanbau liefert 68% des Ausfuhrwerts; außerdem wird Fischfang betrieben. Hauptverkehrsader für das gesamte Land ist der Fluss Gambia.

Geschichte: Das heutige Gambia war im 13. und 14. Jh. Teil des Mali-Reiches. Mitte des 15. Jh. wurde die Küste von Portugiesen entdeckt. 1843 kam das Gebiet in britischen Besitz. 1965 wurde Gambia unabhängig im Commonwealth und 1970 Republik. 1982–1989 bestand die Konföderation »Senegambia« mit Senegal. 1996 stimmte die Bevölkerung in einem Referendum einer neuen präsidialen Verfassung zu. Im selben Jahr wurde Y. *Jammeh,* der 1994 durch Putsch an die Macht gekommen war, zum Präsidenten gewählt (Wiederwahl 2001 und 2006).

Gammastrahlen [Pl.], elektromagnetische Strahlen mit sehr kleiner Wellenlänge, die besonders beim radioaktiven Zerfall und bei Kernumwandlungen entstehen. Gammastrahlen werden in der Medizin zur Bestrahlung von Tumoren verwendet.

Gämsen [Pl.], ziegenartige Horntiere. Sie sind gute Kletterer und leben auf der Nordhalbkugel in den felsigen Hochgebirgsregionen bis 4500 m.

Gandhi, Indira, * 1917, † 1984 (ermordet); indische Politikerin (Kongresspartei). Sie war 1966 bis 1977 und 1980–1984 Premierministerin Indiens; unter ihrer Regierung stieg das Land zur stärksten Macht des Subkontinents auf.

Wer war ...
Mahatma Gandhi

Mohandas Karamchand Gandhi , genannt Mahatma, *»Große Seele«,* (* 1869, † 1948 [ermordet]) war ein indischer Politiker. Er gilt als der herausragende Führer der indischen Unabhängigkeitsbewegung gegen die britischen Kolonialherren, die er durch seine Aktionen des gewaltlosen Widerstandes in die Defensive drängte.

Der einer wohlhabenden Hindufamilie entstammende und in Großbritannien ausgebildete Rechtsanwalt begann seinen Kampf gegen den Kolonialismus in Südafrika. Hier trat er für die

Gleichstellung der dort lebenden Inder ein und entwickelte das Mittel des gewaltlosen politischen Kampfes. 1914 kehrte er nach Indien zurück und bemühte sich nun um die Befreiung von der britischen Herrschaft. Berühmtheit erlangte hierbei sein legendärer Salzmarsch, bei dem ihm 1930 hunderttausende seiner Landsleute zum Meer folg-ten, um mit dem dort gewonnen Salz gegen das britische Salzmonopol zu protestieren. Mit seinen Aktionen nahm Gandhi ganz bewusst teilweise mehrjährige Haftstrafen in Kauf. Entschieden wandte er sich auch gegen die gesellschaftliche Benachteiligung der sogenannten Unberührbaren, die keiner Kaste angehörten. Gandhi lehnte den technischen Fortschritt ab und bekannte sich zum einfachen Leben der indischen Bauern. Seine Politik trug entscheidend dazu bei, dass Großbritannien Indien 1947 in die Unabhängigkeit entließ, allerdings unter Verlust der Einheit des Landes, da das muslimische Pakistan als eigener Staat gegründet wurde. Damit waren Gandhis Bemühungen um eine Verständigung mit der muslimischen Bevölkerung gescheitert. Er wurde 1948 von einem hinduistischen Fanatiker erschossen.

Mahatma Gandhi (rechts) mit dem indischen Politiker Jawaharlal Nehru

Ganges [der], längster Strom Indiens, 2511 km. Er entspringt im Himalaya, durchströmt die Gangesebene und bildet mit dem Brahmaputra das größte Delta der Erde. Er mündet mit zahllosen Armen in den Golf von Bengalen. Der Ganges ist der heilige Strom der Inder.

Gangway ['gæŋwɛi, die, engl.], ein Laufsteg oder eine Treppe mit Geländer zum Schiff oder Flugzeug für Passagiere und Personal.

Gänse [Pl.], Schwimmvögel. Sie ähneln den verwandten Schwänen, haben aber einen kürzeren Hals und einen gedrungenen Körper. Sie ernähren sich von Pflanzen und Kleintieren. Gänse leben in lebenslanger Einehe. Außerhalb der Brutzeit halten sie sich in größeren Gesellschaften auf.

García Lorca [gar'θia-], Federico, * 1898, † 1936 (im spanischen Bürgerkrieg erschossen); spanischer Schriftsteller. Er war einer der bedeutendsten spanischen Dichter des 20. Jh., der in seinen Theaterstücken die überlieferten Regeln und Zwänge der Gesellschaft anprangerte. Zu García Lorcas' Hauptwerk gehören die Dramen »Bluthochzeit« und »Bernarda Albas Haus«.

García Márquez [gar'θia 'markes], Gabriel, * 1927; kolumbianischer Schriftsteller. Er ist einer der bedeutendsten Schriftsteller Lateinamerikas. In seinen Romanen arbeitet er mit realistischen und fantastischen Elementen wie z.B. in »Hundert Jahre Einsamkeit«. 1982 erhielt er den Nobelpreis für Literatur.

Gardasee [der], der größte See Italiens, am Südrand der Alpen, nordwestlich von Verona.

Garfield, Comicfigur von Jim Davis; ein fetter, fauler und meist griesgrämig dreinblickender Kater.

Garibaldi, Guiseppe, * 1807, †1882; italienischer Freiheitskämpfer. Er kämpfte seit 1848 für die Einigung Italiens und wurde zu einem Wegbereiter des italienischen Königreichs.

Garnelen [Pl.], eine Unterordnung der Krebse, mit einem wenig verkalkten Panzer. Sie sind in der Nord- und Ostsee verbreitet sowie in Süßwassern in Afrika, Süd- und Mitteleuropa. Im Handel werden sie unter der Bezeichnung *Krabben* als Delikatesse verkauft. Sie sind verwandt mit den *Schrimps* aus dem Atlantik und den *Scampis* und *Crevettes* des Mittelmeeres.

Gärung [die], Zersetzung organischer Stoffe durch Mikroorganismen (z. B. Bakterien, Pilze). Bei der alkoholischen Gärung werden durch die Einwirkung von Hefepilzen Kohlenhydrate (Zucker, Stärke) in Alkohol und Kohlendioxid umgewandelt.

Gas [das], → Aggregatzustand der Materie, in dem diese keine bestimmte Gestalt hat, sondern jeden Raum, in den sie gebracht wird, voll ausfüllt. Bei einem Gas sind die einzelnen Moleküle bzw. Atome relativ weit voneinander entfernt und befinden sich in dauernder ungeordneter Bewegung. In diesen Zustand kann jedes System aus Molekülen bzw. Atomen bei genügend hoher Temperatur gebracht werden. So erreicht Wasser seinen Siedepunkt bei 100 °C und verwandelt sich in Gas, das wir als Dampf wahrnehmen. Einige Stoffe kommen bereits als Gas in der Natur vor, z. B. Sauerstoff.

Garfield: Zu den Lieblingsspeisen des launischen dicken Katers gehört die Lasagne.

Paul Gauguin: In leuchtenden Farben malte er unter anderem »Zwei Frauen von Tahiti« (1891/1893).

Gashydrate, feste, eisähnliche Verbindung aus Wasser- und Gasmolekülen, die sich bei hohem Druck und bei niedrigen Temperaturen in den Sedimenten der Meere und tiefen Lagen von Permafrostböden bilden. Etwa 90% der Gashydrate enthalten Methan. Nach Schätzungen übertrifft die in Gashydraten gespeicherte Menge an Methan das Energiepotenzial aller bekannten Lagerstätten fossiler Brennstoffe.

Gates [gɛits], William Henry (Bill), * 1955; US-amerikanischer Software-Entwickler und Unternehmer. Er gründete 1975 mit P. *Allen* die Firma *Microsoft*, die zum weltweit führenden Anbieter von Computer-Software aufstieg.

Gattung [die] → Art.

GAU, Abkürzung für **g**rößter **a**nzunehmender **U**nfall, eine schwere Störung in einem Kernreaktor.

Gaucho [gautʃo, der, span.], ein berittener Viehhirte in Südamerika.

Gauguin [go'gɛ̃], Paul, * 1848, †1903; französischer Maler. Er lebte jahrelang in Abwendung von der Zivilisation auf Südseeinseln. Mit seinen Bildern von Menschen und Landschaften der Südsee bereitete er den *Expressionismus* vor.

Gaulle [go:l], Charles de, * 1890, †1970; französischer General und Politiker. Er organisierte im

Zweiten Weltkrieg den französischen Widerstand gegen die deutsche Besatzung. 1958–1969 war er Staatspräsident und schloss 1963 mit Bundeskanzler Konrad Adenauer einen deutsch-französischen Freundschaftsvertrag.

Gauß, Karl Friedrich, * 1777, †1855; deutscher Mathematiker, Physiker und Astronom. Seine Arbeiten waren bahnbrechend für die moderne Mathematik, außerdem konstruierte er den ersten elektromagnetischen Telegrafen.

Gazellen [Pl.], schlanke, zierliche Tiere mit geringelten Hörnern, die in Rudeln Steppen und Wüsten Afrikas und Asiens bewohnen.

Gebärmutter [die], *Uterus,* weibliches Geschlechtsorgan beim Menschen und bei Säugetieren, zwischen Eileiter und Scheide. In der Gebärmutter entwickelt sich das befruchtete Ei bis zur Geburt.

Gebirge [Pl.], ausgedehnte, höhere Erhebungen der Erdoberfläche, mit einem Wechsel von Bergen und Tälern. Man unterscheidet Gebirge nach der Form der Gipfel (z. B. Kettengebirge, Kammgebirge), nach der Höhe (Mittelgebirge, Hochgebirge) oder nach der Entstehung (z.B. vulkanische Gebirge und Erosionsgebirge).

Gebiss [das], Kauorgan, das aus allen Zähnen gebildet wird. Der Mensch hat von Geburt an die Anlage für 2 Gebisse. Das erste Gebiss (»Milchgebiss«) ist bis zum Alter von 3 Jahren durchgebrochen. Es besteht aus 20 Zähnen (4 Schneide-, 2 Eck- und 4 Backenzähnen im Oberkiefer und im Unterkiefer). Etwa ab dem 5. Lebensjahr (bis zum 14.) wird das erste durch das zweite Gebiss ersetzt. Es besteht aus 4 Schneide-, 2 Eck-, 4 Vormahl- und 4 Mahl- oder Backenzähnen in jedem Kiefer. Später kommen noch 4 Backenzähne (»Weisheitszähne«) hinzu.

Geckos: Die Oberfläche ihrerer fünfgliedrigen Füße greift in winzige Unebenheiten des Untergrunds ein.

Geburt [die], *Entbindung, Niederkunft,* die Ausstoßung der lebensfähigen Frucht aus dem Mutterleib. Beim Menschen vollzieht sich die Geburt am Ende der *Schwangerschaft,* etwa 270 Tage nach der Befruchtung. Die Geburt beginnt mit den *Wehen,* dem immer stärker werdenden rhythmischen Zusammenziehen der Gebärmuttermuskulatur. Dadurch wird der *Geburtskanal* (Gebärmutterhals, Muttermund, Scheide) gedehnt, und das Kind wird ausgestoßen. Spätestens wenn der Gebärmuttermund geöffnet ist und der Kopf des Kindes in die Scheide eindringt, platzt die Fruchtblase und das Fruchtwasser fließt aus. In den meisten Fällen wird das Kind, mit dem Kopf voran, durch die Scheide gepresst und erblickt dann das Licht der Welt. Die Nabelschnur muss sofort durchtrennt werden. Der Mutterkuchen mit den Eihäuten wird durch die Nachgeburt ausgestoßen.

Geburtenkontrolle [die], *Geburtenregelung, Familienplanung,* Methoden und Mittel, um Anzahl und Zeitpunkt von Geburten beim Menschen zu planen. Die wichtigste Funktion der Geburtenkontrolle ist die Herabsetzung der Geburtenrate in den überbevölkerten Entwicklungsländern. Zur Geburtenkontrolle gehören Empfängnisverhütung, Schwangerschaftsabbruch und freiwillige Sterilisation.

Geckos [Pl.], kleine Echsen, die in wärmeren Ländern verbreitet sind. Finger und Zehen haben oft einen Haftapparat aus feinsten Borsten, so dass sich die Tiere an Hauswänden und Zimmerdecken halten können. Geckos sind Insektenfänger.

Gedächtnis, die Fähigkeit des Nervensystems, Informationen zu speichern und wieder abzurufen.

Gedicht [das], Dichtwerk in Versen; → Lyrik.

Gefahrensymbole [Pl.], Zeichen, mit denen die Verpackungen gefährlicher Stoffe gekennzeichnet werden müssen.

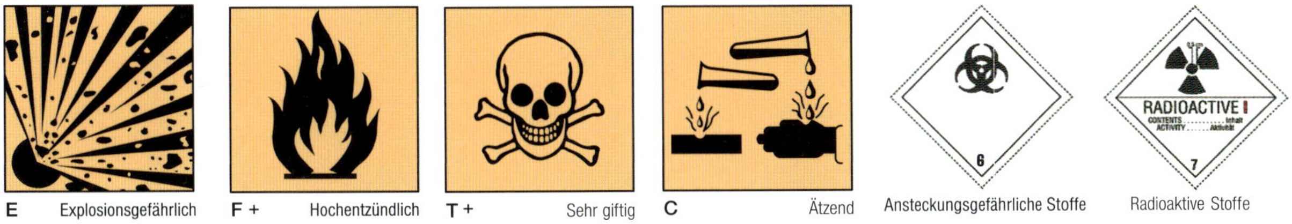

Gefahrensymbole und Gefahrzettel (Auswahl)

Gefrierpunkt [der] → Aggregatzustand.

Geheimdienst [der], *Nachrichtendienst,* eine Organisation, die Nachrichten über innere und äußere Feinde eines Staates sammelt und fremde Geheimdienste abwehrt. Diktaturen nutzen Geheimdienste oft zur Bespitzelung der Bevölkerung des eigenen Landes.

Gehirn [das], *Hirn,* bei höher entwickelten Tieren, besonders Wirbeltieren und beim Menschen, das Vorderende des zentralen Nervensystems. Hier werden die Sinneseindrücke verarbeitet und hier befinden sich die übergeordneten Schaltzentren, die über das Rückenmark und die Nerven Befehle an alle Organe geben. Das Gehirn besteht aus 5 Teilen: 1. Das *verlängerte Mark* (Hirnstamm) bildet den Übergang vom Gehirn zum Rückenmark. Hier liegen z. B. das Atemzentrum und das Zentrum der Stoffwechseltätigkeit. 2. Das *Hinterhirn (Kleinhirn)* enthält die Zentren der Bewegungskoordination, der Gleichgewichtsregelung u. a. 3. Im *Mittelhirn* münden die Sehnervenfasern und die Nervenfasern aus dem Innenohr. 4. Das *Zwischenhirn* ist besonders bei Säugetieren ausgebildet, wo es als Schaltstation zwischen dem Großhirn und den hinteren Teilen dient. 5. Das *Großhirn* gliedert sich in 2 Hälften, deren Wand die Hirnrinde bildet. Die Großhirnrinde des Menschen besteht aus etwa 10–20 Mrd. in 6 Schichten gelagerten Nervenzellen. Das Großhirn ist der Sitz von Bewusstsein, Intelligenz, Gedächtnis und Lernfähigkeit. Es leitet auch unser Fühlen und Wollen. Siehe auch ZEIT-Beitrag →»Gehirn: Jedes Gehirn ist einzigartig«, Seite 162–165.

Gehirnerschütterung [die], eine Störung der Gehirntätigkeit durch eine starke Erschütterung (z. B. einen Schlag oder Sturz) des Schädels. Die Gehirnerschütterung ist meist mit Bewusstlosigkeit, Erbrechen, Schwindel verbunden und muss von einem Arzt behandelt werden.

Gehör [das] → Ohr.

Gehry, Frank Owen, * 1929; US-amerikanischer Architekt kanadischer Herkunft. Seine Bauten (oft Museen) zeichnen sich durch ungewöhnliche Materialkombinationen und Formenreichtum aus. Zu seinen bedeutendsten Bauten gehören das Guggenheim-Museum in Bilbao, das Vitra Design Museum in Weil am Rhein und das MARTa in Herford.

Geier [Pl.], adlerartige Greifvögel, die sich besonders von Aas ernähren. Zu ihnen zählen einige der größten flugfähigen Vögel.

Geige [die], *Violine,* ein Streichinstrument aus Holz, dessen vier Saiten in g, d', a', e'' gestimmt sind. Die Saiten werden mit einem Bogen, einem mit Pferdehaar bespannten Holzstab, gestrichen, können aber auch gezupft werden. Berühmte Geigenbauer waren *Amati, Guarneri* und *Stradivari.* Auch →»Genauer betrachtet«, Seite 166.

Wer wir sind, wird durch Umwelt, Erziehung und alle unsere Erfahrungen mitbestimmt

Gehirn

Jedes Gehirn ist einzigartig

Von Bas Kast

Lange Zeit hielt man das Gehirn für einen Computer. Erst in den letzten Jahrzehnten hat man entdeckt, dass es ganz anders aufgebaut ist und völlig anders arbeitet als herkömmliche Rechenmaschinen. So gibt es im Gehirn keine Zentralstelle, über die sämtliche Berechnungen laufen. Es lässt sich auch nicht zwischen Hard- und Software unterscheiden, also zwischen dem Gerät und seinen Programmen. Stattdessen spielt sich alles, was das Gehirn tut, vom Sehen und Hören bis zum Lernen, in weitverzweigten Netzen von Nervenzellen ab. Hard- und Software sind eins. Das Gehirn erledigt außerdem vieles gleichzeitig, statt, wie beim üblichen Computer, blitzschnell nacheinander.

Das menschliche Gehirn sieht aus wie eine sehr große Walnuss, wiegt um die 1,3 Kilogramm und besteht unter anderem aus 100 Milliarden Nervenzellen, den Neuronen. Der Großteil seiner Masse jedoch stellen die Stützzellen, auch Gliazellen genannt; sie sind in erster Linie dazu da, die Neuronen mit Nahrung zu versorgen.

100 Billionen Verbindungen

Die Neuronen übernehmen die Informationsverarbeitung und stehen über rund 100 Billionen Verbindungen miteinander in Kontakt: eine unvorstellbar große Zahl. Ununterbrochen schicken sie sich über Dutzende von Botenstoffen gegenseitig chemische Nachrichten. Die Wahrnehmung der Außenwelt gehört zu den zentralen Aufgaben des Gehirns. Der wichtigste Sinn des Menschen ist der Sehsinn. Natürlich braucht man zunächst einmal Augen, um Sehen zu können, aber das Sehen selbst fängt eigentlich erst im Gehirn an. Die Augen sind nur eine Art Dolmetscher, die das Licht der Außenwelt in die Sprache des Gehirns übersetzen, in elektrische Impulse nämlich.

Neuronen »reden« miteinander

Von der Netzhaut im Auge gelangen die Impulse über Nervenbahnen in den hinteren Teil der Großhirnrinde, den sogenannten »visuellen Kortex«. Erst hier entsteht das, was wir Sehen nennen. Es gibt Menschen, bei denen – oft nach Unfällen – die Sehrinde verletzt ist: Sie sind blind, obwohl ihre Augen noch einwandfrei funktionieren. Wir sehen eben nicht mit den Augen, sondern mit dem Gehirn. Auch alle anderen Sinneswahrnehmungen, wie das Hören oder Riechen, verdanken wir Hirnarealen, die sich auf die Verarbeitung bestimmter Reize, wie Geräusche oder Gerüche, spezialisiert haben.

Das Bild von der Außenwelt, das wir sehen, setzt sich in unterschiedlichen Arealen des Gehirns Stück für Stück zusammen. Es gibt mindestens 50 Hirnfelder, die sich mit dem Sehen beschäftigen. Manche Gegenden analysieren die Farbe des Bildes, andere haben sich auf Bewegungen spezialisiert, wieder andere übernehmen die Verarbeitung von Formen. Es gibt Patienten, die im Großen und Ganzen normal sehen können – nur ist bei ihnen aufgrund eines Hirnschadens ein einzelnes Merkmal des Sehens gestört. So ist die Geschichte eines Malers dokumentiert, der seit einem Autounfall keine Farben mehr sieht: Der Unfall hat den Hirnteil zerstört, der Farben verarbeitet. Der Maler kann sich – ohne das für Farben zuständige Hirnareal – nicht einmal mehr Farben vorstellen!

Eine weitere wichtige Aufgabe des Gehirns besteht im Lernen und Denken. Das Gehirn ist bei der Geburt nicht etwa fertig gebaut. Im Gegenteil, seine Feinstruktur ändert sich täglich und noch bis ins hohe Alter hinein. Jedes Mal, wenn wir etwas lernen, verändern sich die Verbindungen zwischen den am Lernvorgang beteiligten Neuronen. Diese Kontaktstellen nennt man Synapsen.

Wenn ein Neuron aktiv ist, fließt ein schwacher Strom an der Zelle entlang. Am Ende des Neurons, dort, wo es auf das benachbarte Neuron trifft, endet der elektrische Impuls. Die Neu-

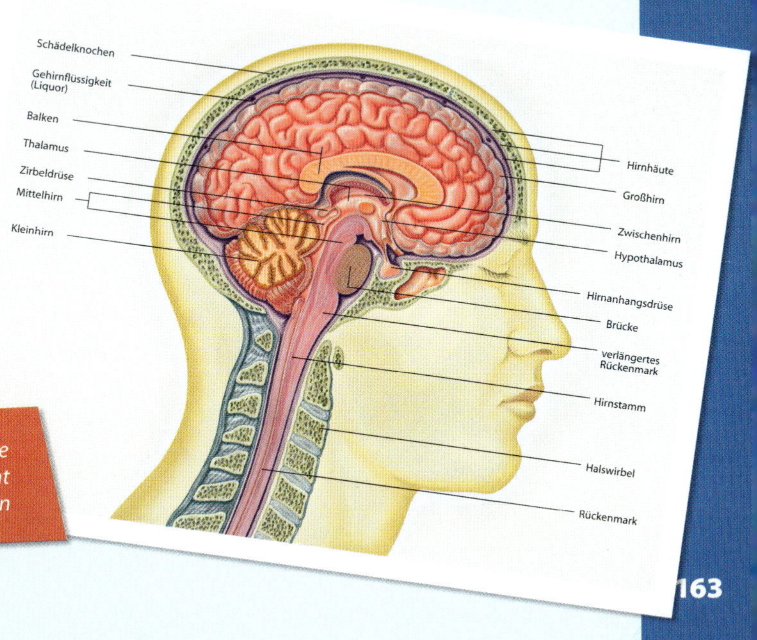

Das menschliche Gehirn sieht aus wie eine sehr große Walnuss, wiegt 1,3 Kilogramm und besteht aus 100 Milliarden Nervenzellen, den Neuronen

ronen berühren sich nicht gegenseitig, deshalb kann auch der Strom nicht von einem Neuron zum nächsten fließen. Dafür wird die elektrische Botschaft an der Kontaktstelle in eine chemische Botschaft übersetzt. Kommt der Impuls am Ende des einen Neurons an, schüttet diese Zelle Botenstoffe aus, die bis ans Ufer der anderen Zelle fließen. Dort können die Botenstoffe das benachbarte Neuron aktivieren – oder daran hindern, aktiv zu werden. Auf diese Weise »reden« die Neuronen miteinander.

Das chemische »Gespräch« der Neuronen ist aber nicht nur wichtig für das Lernen und Denken, sondern auch für unsere Gefühlswelt. Fehlen bestimmte Botenstoffe, etwa das Serotonin, kann das mit schlechter Stimmung bis hin zu schweren Depressionen (Gefühlen von tiefer Angst und Verzweiflung) einhergehen. Viele antidepressive Medikamente wirken deshalb, indem sie die Wirkung gewisser Botenstoffe wie Serotonin auf Trab bringen. Diese Medikamente stellen die chemische Balance im Gehirn wieder her, und damit steigt häufig auch die Stimmung.

Gelassen, aggressiv, schüchtern?

Zahlreiche Krankheiten haben ihren Ursprung im Gehirn. Dazu gehört auch die Alzheimerkrankheit, von der in Deutschland rund eine Million Menschen betroffen sind. Bei dieser Erkrankung sterben Neuronen ab, die einen Botenstoff namens Acetylcholin benötigen.

Mit Hilfe von Medikamenten, die den Abbau von Acetylcholin hemmen, bleibt der Botenstoff länger aktiv. Auf diese Weise lässt sich die Krankheit ein wenig verzögern – eine Heilung von Alzheimer ist aber bislang nicht möglich. Alle unsere Erinnerungen sind in dem Neuronengeflecht unseres Gehirns gespeichert. Wenn diese Netzwerke zerstört werden, wie bei der Alzheimerkrankheit, dann gehen allmählich auch unsere Erinnerungen verloren.

Und nicht nur unsere Erinnerungen, sondern unser gesamtes Ich – unsere Persönlichkeit, unser Charakter, ob wir eher gelassen oder aggressiv, offen oder schüchtern sind –, all dies ist das Ergebnis unserer Hirnstruktur. Diese Hirnstruktur wird teilweise genetisch festgelegt (uns also von unseren Eltern vererbt), andererseits aber wird sie auch entscheidend von der Umwelt, von unserer Erziehung und den Erfahrungen, die wir machen, geprägt. In jedem Menschen bildet sich so im Laufe seines Lebens eine einzigartige Hirnstruk-

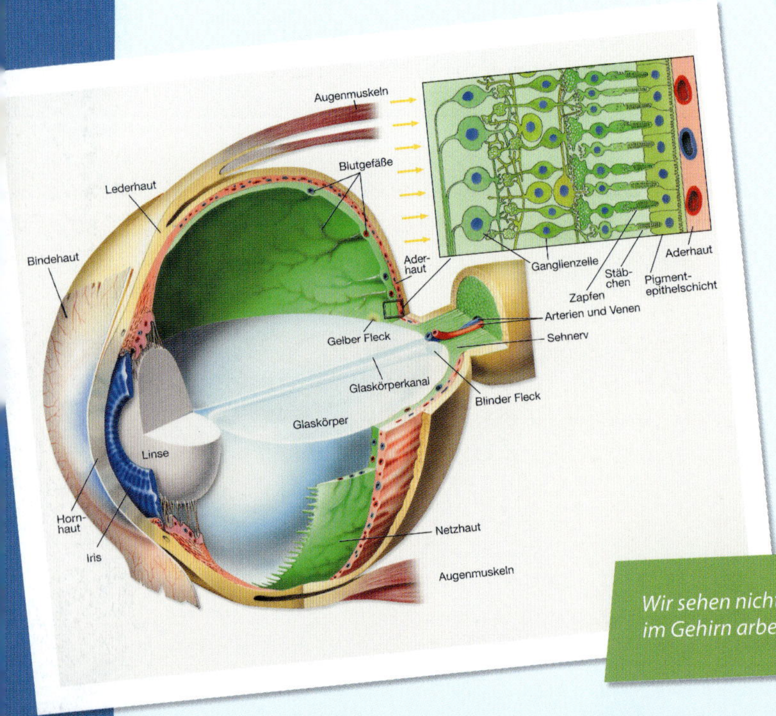

Wir sehen nicht mit dem Auge allein: Mindestens 50 Bereiche im Gehirn arbeiten an unserem Bild von der Außenwelt

Wer lernen will, muss schlafen: Nachts denkt das Gehirn weiter; was wir am Tag erfahren und verstanden haben, verfestigt sich

tur und damit eine einzigartige Persönlichkeit. Auch unser Bewusstsein entsteht im Gehirn, allerdings weiß noch niemand, wie: Das Bewusstsein gehört zu den größten Rätseln, das uns das Gehirn aufgibt. Das Meiste jedoch, was das Gehirn tut, spielt sich unbewusst ab, ohne dass wir etwas davon merken. Man schätzt, dass uns nur etwa 0,1 Prozent dessen, was das Hirn gerade erledigt, bewusst wird – ein winziger Bruchteil.

Die Spitze des Eisberges

Der Wiener Psychoanalytiker Sigmund Freud hat das als einer der Ersten erkannt. Freud hat unseren Geist mit einem Eisberg verglichen: Nur die Spitze, das Bewusstsein, ragt heraus; der Großteil der Masse versteckt sich unter dem Wasser, im Unbewussten.

Auch die Steuerung des Körpers geschieht weitgehend unbewusst: Wir müssen nicht darüber nachdenken, dass und wie wir atmen sollen oder – wenn wir es einmal gelernt haben – darüber, wie wir einen Schritt nach dem anderen setzen. Das erledigt das Gehirn »automatisch«.

Das Gehirn ist immer aktiv. Selbst im Schlaf schaltet es nicht ab. Es sorgt zum Beispiel dafür, dass wir auch im Schlaf weiteratmen. Unsere Träume sind ebenfalls das Resultat von nächtlicher Hirnaktivität. Manchmal träumen wir in Bildern, die so klar sind, als würden wir wirklich etwas vor Augen haben. Das zeigt einmal mehr, dass wir letztlich nicht mit unseren Augen »sehen«, sondern mit dem Gehirn.

Früher dachte man, unsere geistige Aktivität würde im Schlaf erlöschen. Das stimmt nicht, wie schon unsere Träume nahelegen. Heute weiß man, dass das Gehirn während des Schlafs regelrecht »weiterdenkt«. Zum Beispiel verfestigt sich nachts das, was wir am Tag gelernt haben. Das heißt: Wer lernen will, muss schlafen!

Genauer betrachtet … Geige

Der Italiener Antonio *Stradivari* gilt als der berühmteste Vertreter der Geigenbauschule von Cremona. Um 1700 entwickelte er eine neue Geigenform, die sich durch fülligen Wohlklang und eine harmonische Form auszeichnete. Stradivari benutzte Ahorn-, Fichten- und Weidenholz und vergrößerte das Format des Instruments. Er baute über 500 Violinen, die später häufig nach den Virtuosen benannt wurden, die auf ihnen spielten (z. B. *Paganini, Boissier*).

Geiger, Hans, *1882, †1945; deutscher Physiker. Er befasste sich mit Radioaktivität und erfand den Geigerzähler *(Geiger-Müller-Zählrohr)*.

Geigerzähler [der], ein Gerät, mit dem man radioaktive Strahlung nachweisen und messen kann.

Geisteskrankheiten [Pl.], *seelische Krankheiten, Psychosen,* Erkrankungen, die sich durch Störungen des Willens, des Empfindens oder geistiger Fähigkeiten äußern. Die Krankheiten werden durch die *Psychiatrie* mit Medikamenten oder mit Hilfe der *Psychotherapie* behandelt. Geisteskrankheiten können durch krankhafte Veränderungen des Gehirns hervorgerufen werden wie durch Entzündungen, Verletzungen oder auch durch Veränderungen im Alter. Die *Epilepsie* kann angeboren oder erworben sein. Andere Geisteskrankheiten wie die *Schizophrenie* oder die *manisch-depressive Krankheit* können ohne erkennbare Ursachen entstehen.

Gelatine [die], eine farblose Substanz, die durch Kochen von tierischen Knochen, Knorpeln oder Häuten entsteht. Die Gelatine besteht aus einem Eiweißstoff (Kollagen) und wird zur Herstellung fotografischer Schichten, als Nährboden für Bakterien sowie zum Eindicken von Geleespeisen verwendet.

Gelbfieber [das], eine schwere tropische Infektionskrankheit, die mit hohem Fieber und Erbrechen verbunden ist. Sie wird von einem Virus hervorgerufen, der von Mücken übertragen wird.

Gelbsucht [die], Gelbfärbung der Haut, der Schleimhäute, des Harns und anderer Körperflüssigkeiten, die durch das Übertreten des Gallenfarbstoffs ins Blut und ins Gewebe verursacht wird. Die Gelbsucht kann durch verschiedene Störungen der Leber oder der Galle hervorgerufen werden.

Geld [das], mit der Entwicklung des Tauschverkehrs entstandenes, vielgestaltiges Gut, das den zweiseitigen Akt des Naturaltausches in zwei einseitige Akte des Kaufs und des Verkaufs zerlegt. Schon im Altertum dienten Vieh, Muscheln, Salz, Metalle u.a. als Geld (Naturalgeld). Auf Dauer erwiesen sich die (Edel-)Metalle als besonders geeignet; es entstanden die Münzen. Das Papiergeld (als Bank- oder Staatsnote) hat sich in Europa erst im 18. Jh. verbreitet. In den letzten Jahrzehnten trat neben das Bargeld (Münzen und Papiergeld) das Bankgeld (Buch-, Giralgeld; Giroverkehr). Siehe auch ZEIT-Beitrag → »Geld: Perlen, Muscheln, Gold und Scheine«, Seite 168–171.

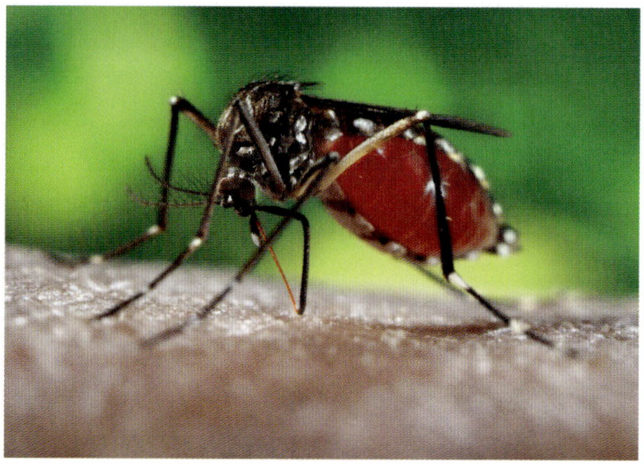

Gelbfieber: Die weibliche Stechmücke überträgt das gefährliche Gelbfiebervirus.

Gelenk [das], eine bewegliche Knochenverbindung. Die Knochenenden im Gelenk sind von einem Knorpel überzogen, der von der Gelenkschmiere ernährt wird. Außerdem wird durch die Schmiere die Reibung im Gelenk gemindert. Das Gelenk wird durch die *Gelenkkapsel,* die aus verstärkten Bändern besteht, zusammengehalten.

Gemeinde [die], kleinste Verwaltungseinheit in einem Staat. Als *Kirchengemeinde* bezeichnet man die kleinste Einheit der kirchlichen Gliederung.

Gemeinschaft Unabhängiger Staaten [die], Abkürzung GUS, aus der UdSSR hervorgegangene lose Staatengemeinschaft. Mitglieder sind Armenien, Aserbaidschan, Georgien, Kasachstan, Kirgisien, Moldova, Russland, Tadschikistan, Turkmenistan, Ukraine, Usbekistan und Weißrussland.

Gemüse [das], ein pflanzliches Nahrungsmittel mit einem hohen Gehalt an Vitaminen und Mineralstoffen wie beispielsweise Kohl, Spinat, Spargel, Salat, Tomaten.

Gen [das], *Erbfaktor,* Abschnitt einer Molekülkette, die aus Desoxyribonucleinsäure besteht und für bestimmte erblich bedingte Strukturen oder Funktionen eines Organismus verantwortlich ist. Auch → Genetik.

Genbank [die], **1.** in der Gentechnik eine systematische Sammlung von DNA-Molekülen. – **2.** in der Pflanzenzucht eine Einrichtung zur Sammlung und Erhaltung von Erbgut bestimmter Pflanzenarten.

Gendatei [die], eine Sammlung genetischer Daten, z. B. von Speichel- und Blutresten, in denen sich *DNA* befindet und die am Tatort oder am Opfer sichergestellt werden (so genannte *genetische Fingerabdrücke*). Die Datei soll dazu dienen, die Täter schwerer Verbrechen (Mord, Sexualverbrechen) schneller zu identifizieren. In Deutschland wurde 1998 im Bundeskriminalamt eine Gendatei eingerichtet.

Generationenvertrag, Schlagwort, das das für eine kollektive Rentenversicherung unumgängliche Umlageverfahren zu einem Vertrag zwischen den Generationen umdeutet, nach dem die jeweils erwerbstätige Generation über die von ihr aufzubringenden Rentenversicherungsbeiträge für die Alterssicherung der nicht mehr erwerbstätigen Generation aufkommt.

Generator [der], eine Maschine zur Umwandlung von mechanischer Energie in elektrische

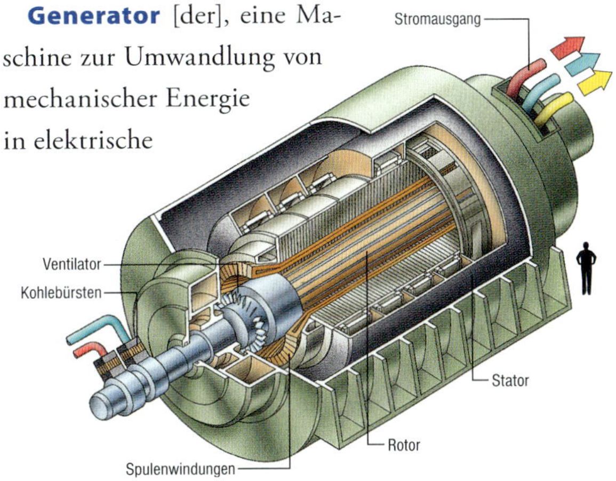

Generator: Die Grafik zeigt den Aufbau eines Kraftwerksgenerators. Der rotierende Elektromagnet induziert eine hohe Wechselspannung in den Spulenwindungen aus massivem Kupfer. Diese laufen durch den Stator, der aus dünnen Eisenplatten mit einer isolierenden Lackschicht zur Vermeidung von gefährlichen Wirbelströmen aufgebaut ist. Um den Generator zu kühlen, kreist Kühlwasser durch den Kern, zusätzlich blasen Ventilatoren Wasserstoffgas durch den Rotor, um dessen Abwärme abzuführen.

Energie. Ein Generator ist wie ein Elektromotor aufgebaut. Durch Drehen einer Spule in einem Magnetfeld wird Strom erzeugt. Als Antriebsmaschinen für Generatoren dienen meist Dampf- oder Wasserturbinen. Ein Generator mit geringer Leistung ist der Fahrraddynamo. Der Generator in Kraftfahrzeugen, Lichtmaschine genannt, wird vom Motor über den Keilriemen angetrieben.

Genesis, Name des ersten Buches der Bibel (1. Mose); erzählt in drei Teilen von der *Urgeschichte* (Gen. 1–11, u.a. mit der Schöpfungsgeschichte), der *Vätergeschichte* um Abraham, Isaak und Jakob (Gen. 12–36) sowie der *Josefsgeschichte* (Gen. 37–50).

Geld für ganz Europa: Im Jahr 2002 wurde der Euro eingeführt

Geld

Perlen, Muscheln, Gold und Scheine

Von Thomas Meyer

Wer im November 1923 zum Bäcker ging, musste eine ganzen Wäschekorb voller Geldscheine dabei haben: Ein Laib Brot kostete damals 1,7 Milliarden Mark! Eine gigantische Summe. Noch wenige Monate zuvor wäre so viel Bargeld ein unfassbares Vermögen gewesen. Doch dann passierte etwas, das Hunderttausende von Menschen in Armut stürzte: Das Geld verlor seinen Wert – und zwar in rasendem Tempo. Im Januar 1923 kostete ein Brot schon 280 Mark, mehr als das hundertfache des zuvor normalen Preises. Im Juli musste man bereits 6600 Mark hinblättern, im September 69 000, Anfang November schließlich 1,7 Milliarden. Die Geldpressen liefen auf Hochtouren, spuckten bald Millionen-Geldscheine aus. Eine Katastrophe – vor allem für Menschen, die in den Jahren davor tapfer gespart hatten. Wie konnte so etwas passieren? Das ist eine komplizierte Frage. Beantworten lässt sie sich nur, wenn man einen Blick in die Geschichte des Geldes wirft. Nur: Was ist das überhaupt – Geld?

Geld ist ein Mittel, das den direkten Tausch von Waren ersetzt. Statt ein Buch gegen ein Brot zu tauschen, bezahlt man beides mit Scheinen oder Münzen. Geld, wie wir es heute kennen, gab es allerdings nicht zu allen Zeiten und nicht überall. In großen Teilen der Welt existierten jahrtausendelang alle möglichen Tauschmittel. Erst bezahlte man mit Gold oder Edelsteinen oder seltenen Muscheln – da lag der Wert im Material der Tauschgegenstände. Später, aber noch weit vor Christi Geburt, kam das Münzgeld auf, das am Anfang noch aus kostbarem Material bestand, zum Beispiel Gold. Viel später kamen die Banknoten, also die Geldscheine hinzu.

Diese waren nur noch ein Zeichen, ein Symbol für einen bestimmten Wert: Man bekam also etwas dafür, weil alle sich einig waren, dass es so sein sollte. Für sich genommen haben sie keinen großen Wert. Sie sind ein reines Tauschmittel, ihr Wert bemisst sich danach, was und wie viel man für sie eintauschen kann. 1,7 Milliarden Mark sind also nur dann viel Geld, wenn nicht schon ein einziger Brotlaib so viel kostet!

Wie aber kann der Wert des Geldes sichergestellt werden? Wie lässt sich verhindern, was 1923 in Deutschland geschehen ist?

Vor allem eines muss dazu garantiert sein: dass nicht beliebig viel Geld verteilt wird. Angenommen etwa, alle Menschen in Deutschland könnten einfach selbst Geld drucken – so viel sie wollten. Eigentlich eine schöne Vorstellung: Jeder könnte Millionär werden! Die Folge wäre aber eine andere: Denn im selben Maße, in dem unkontrolliert immer mehr Scheine in Umlauf kämen, würden bald auch die Preise der Waren steigen – so wie 1923. Niemand wäre am Ende reicher.

Die Gesamtmenge des Geldes muss also begrenzt sein und darf nicht beliebig ab- oder zunehmen, damit die Preise stabil bleiben. Auch wenn Geldscheine an sich keinen Wert haben, müssen sie deshalb trotzdem an tatsächliche Werte gebunden sein. Dies sicherzustellen ist die Aufgabe der sogenannten Zentralbanken. Lange Zeit taten sie dies, indem sie das Geld an den Wert des Goldes koppelten. Man konnte sein Geld bei der Zentralbank also jederzeit in Gold umtauschen. Bei der Bank of England etwa, der englischen Zentralbank. Bis ins 20. Jahrhundert hinein lag dort so viel Gold, wie alles Geld, das die Leute draußen im Land ausgeben konnten, zusammen wert war. So blieb die Währung lange Zeit stabil.

Eine Frage des Vertrauens

Die Zentralbanken sind »Banken der Banken«. Sie versorgen kleinere Institute mit Geld – dort können sich dann Firmen und Privatleute etwas leihen. Die Zentralbank gibt den anderen Banken das Geld allerdings nicht einfach so, sondern erhebt eine Art Gebühr auf das verliehene Geld: Banken, die sich von einer Zentralbank

Jede Menge Euro-Scheine: über ihren Wert wacht die Europäische Zentralbank

eine Summe geliehen haben, müssen am Ende also mehr zurückzahlen, als sie bekommen haben. Dieses »Mehr« sind die Zinsen, der Preis fürs Geldleihen.

Die Zentralbanken achten dabei genau darauf, dass sie nur solchen Banken Geld geben, bei denen sie davon ausgehen können, es auch wieder zurückzubekommen – womit wir bei etwas sind, was für Geld enorm wichtig ist: Vertrauen. Auch wenn man Banknoten aufbewahrt oder Geld auf der Bank anlegt, vertraut man ja darauf, dass sich dessen Wert nicht im Nu in nichts auflöst. Man vertraut also der Zentralbank, dass sie nicht auf einmal so viel Geld in Umlauf bringt, dass das einzelne Geldstück – bei uns der Euro – kräftig an Wert verliert, weil alle so viel davon haben.

Trotzdem verliert das Geld – aus verschiedenen Gründen – in fast jedem Jahr ein bisschen von seinem Wert: Man kann dann etwas weniger dafür kaufen. In Deutschland sind es mal ein bis zwei, mal drei bis vier Prozent. Inflation heißt diese Entwicklung. Und sie ist nicht weiter bedrohlich, solange sie nicht außer Kontrolle gerät.

Um den Wert des eigenen Geldes trotz Inflation zu erhalten, kann man es zum Beispiel einer Bank leihen. Dann bekommt man selbst Zinsen dafür und kann den Wertverlust des Geldes so ausgleichen.

1948 löste die D-Mark die Reichsmark ab

1923 allerdings geriet die Inflation außer Kontrolle. Dies war vor allem eine Folge des Ersten Weltkrieges (1914 bis 1918), der nicht nur Millionen Menschen das Leben gekostet, sondern auch der deutschen Wirtschaft schweren Schaden zugefügt hat. Deutschland, das den Krieg maßgeblich mit angezettelt und am Ende verloren hat, musste als Entschädigung für die Kriegszerstörungen Geld an seine Nachbarländer zahlen. Dies versuchten die Politiker damit zu lösen, dass sie Geld drucken ließen. Bald war die Inflation nicht mehr zu stoppen. Die Leute gaben ihr ganzes Gehalt an dem Tag aus, an dem sie es bekamen – am nächsten Tag hätte man schon wieder weniger dafür kaufen können.

Die Deutschen haben daher traditionell viel Angst davor, dass ihr Geld schnell seinen Wert verliert. Und 1923 war nicht das einzige Jahr der deutschen Geschichte, in dem eine extreme Inflation alle Ersparnisse zunichte machte. So haben die heutigen Großeltern teilweise noch erlebt, wie das Geldsystem 1945 nach dem Zweiten Weltkrieg zusammenbrach und wie ihre Reichsmark im Jahr 1948 von einer neuen Währung abgelöst

Deutschland 1923: Infolge der Inflation genügten 10 Milliarden Mark geradeso für einen Einkauf

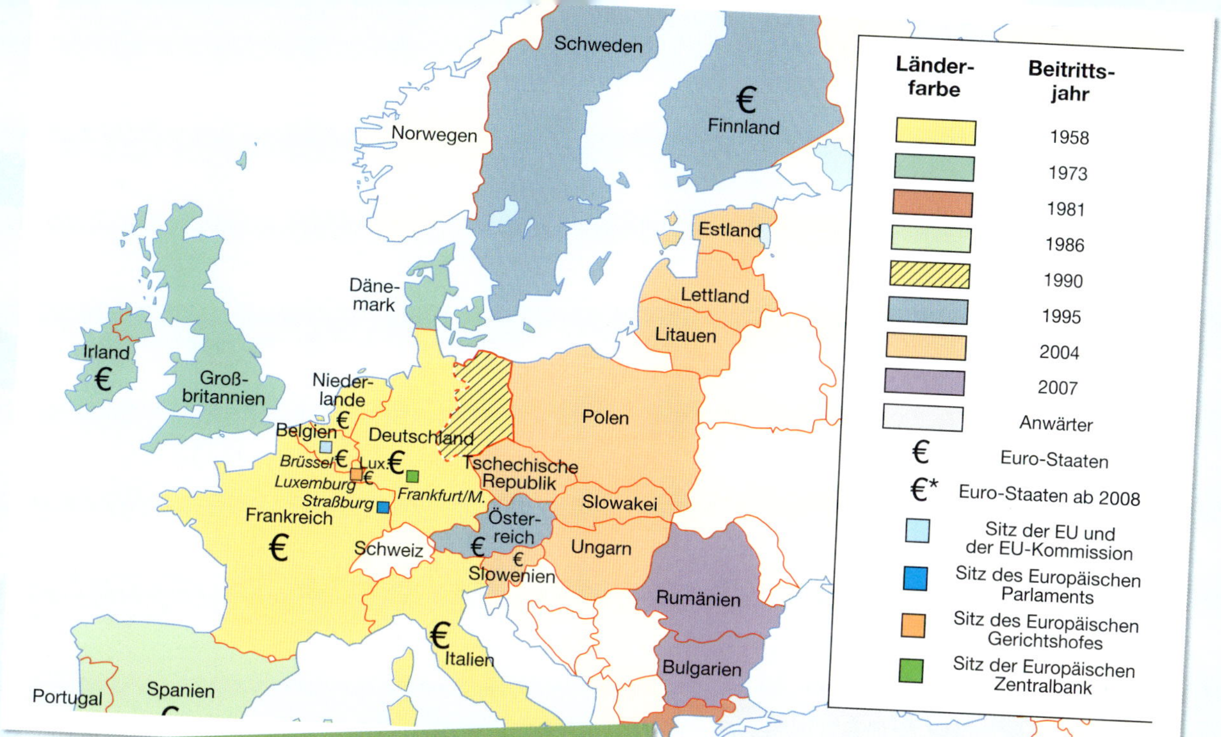

Die Mitgliedstaaten der Europäischen Union im Überblick

wurde – der D-Mark. Von dieser neuen Währung bekam damals jeder eine Art Startgeld: 40 D-Mark. Das waren nicht einmal 20 Euro. Damit musste jeder anfangen. Wer kein Haus, kein Grundstück und keinen Schmuck hatte, den er verkaufen konnte, war ziemlich arm dran.

Deswegen legten die Bundesbürger nach dem Krieg besonderen Wert darauf, dass ihr neues Geld, die D-Mark, wertvoll blieb. Was auch gelang. Ein Grund für die neue Stabilität war, dass man die Bundesbank – die deutsche Zentralbank – unabhängig von der Politik machte. Früher nämlich konnte die Regierung über die von ihr gesteuerte Zentralbank so viel Geld ausgeben, wie sie wollte: Genau das hatte die schreckliche Geldentwertung des Jahres 1923 verursacht! Nun aber entschied die Bundesbank allein, wie viel Geld sie den anderen Banken und damit den Unternehmen und den privaten Kunden gab – und konnte die Geldentwertung dadurch im Zaum halten.

Im Jahr 2002 löste dann der Euro die D-Mark ab – eine gemeinsame Währung für die meisten Länder Europas. Viele Bürger glaubten damals, dass Unternehmen die neue Währung nutzen würden, um ihre Preise kräftig anzuheben. Gerade in Deutschland herrschte deshalb großes Misstrauen.

Doch die Deutschen hätten nicht ganz so viel Angst haben müssen, schließlich ist das Euro-System ganz stark dem alten System der D-Mark nachempfunden, das so gut funktioniert hatte. Statt der Bundesbank macht nun die Europäische Zentralbank die Geldpolitik für Deutschland – und auch für die anderen europäischen Länder. Wie die Bundesbank sitzt auch sie in Frankfurt am Main. Wie die Bundesbank arbeitet sie selbstständig, also unabhängig von der Politik, und ist für den gleichbleibenden Wert des Geldes verantwortlich. Wie ein Wachhund achtet sie auf den Wert unseres Geldes.

Was ist …

Genetik

Genetik ist die Wissenschaft von den Gesetzmäßigkeiten der Vererbung. Jeder weiß, dass Kinder ihren Eltern, Großeltern und Geschwistern in vielen Eigenschaften und Merkmalen ähnlicher als fremden Menschen sind. Die Fähigkeit, bestimmte Merkmale auszubilden, muss also von den Eltern an die Kinder weitergegeben, vererbt werden. Die Genetik untersucht die Vorgänge, die für Gleichheit und Unterschiede der erblichen Merkmale bei Eltern und Nachkommen verantwortlich sind.

Die Vererbungsgesetze Mendels: Schon im Altertum versuchte man, angeregt durch das Wissen um die Ähnlichkeit von Verwandten, die der Vererbung zugrundeliegenden Gesetze zu erforschen. Derartige Bemühungen blieben jedoch bis ins 19. Jh. erfolglos. Der Augustinermönch G. J. Mendel war der Erste, der um 1865 die Frage der Vererbung von Merkmalen mithilfe methodischer Versuche und statistischer Auswertung untersuchte. Er experimentierte u. a. mit der Saaterbse und wählte als Merkmale die Form der Erbsen (rund oder kantig) sowie die Farbe (gelb bzw. grün). Die Ergebnisse seiner Kreuzungsversuche fasste Mendel in den nach ihm benannten Mendel'schen Gesetzen zusammen: 1. Die Nachkommen reinerbiger Individuen sind untereinander gleich (Uniformitätsgesetz); 2. Bei Kreuzung mischerbiger Individuen sind die Nachkommen nicht mehr äußerlich gleichartig, sondern spalten ihr äußeres Erscheinungsbild in einem bestimmten Zahlenverhältnis auf (Spaltungsgesetz); 3. Kreuzt man Individuen mit mehreren Merkmalen, so werden diese unabhängig voneinander vererbt und bei den Nachkommen frei miteinander kombiniert (Gesetz der Neukombination).

Mendels Forschungen blieben in ihrer Bedeutung zunächst unerkannt. Erst 1900 wurden sie wiederentdeckt, und dieses Jahr gilt als die Geburtsstunde der Genetik, die heute in klassische, molekulare und angewandte Genetik unterteilt wird.

Klassische und molekulare Genetik: Anders als Mendel wissen wir heute, dass die Chromosomen im Zellkern jeder Zelle die Träger der Erbinformation oder genetischen Information sind. Sie funktionieren wie »Rezeptbücher«. Die kleinste Informationseinheit, entsprechend einem einzelnen »Rezept«, ist ein Gen. Die Gesamtheit aller Gene eines Organismus wird als Genom bezeichnet und entspricht der gesamten »Bibliothek«. Die Körperzellen der Lebewesen enthalten im Allgemeinen wenigstens zwei Gene für dasselbe Merkmal, eins vom Vater, eins von der Mutter. Man be-

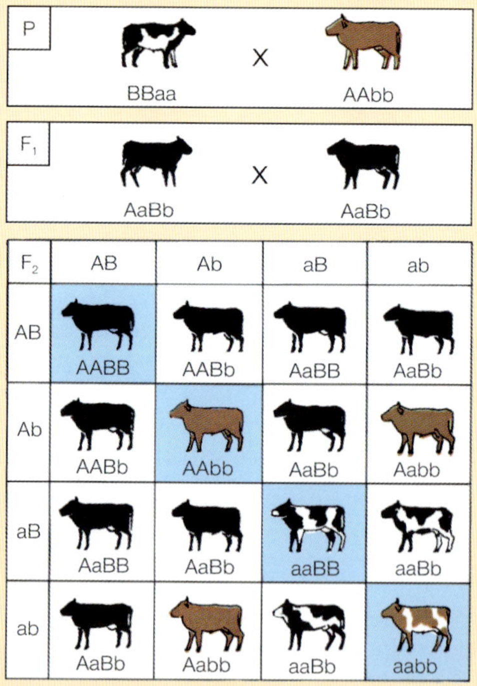

3. Mendel'sches Gesetz, dargestellt an zwei Rinderrassen: Kreuzt man 2 Rassen, die sich in mehreren Merkmalen reinerbig unterscheiden (P), so entstehen in der 2. Filialgeneration (F2) verschiedene Rassen (blaue Kästchen), unter denen neue Merkmalskombinationen auftauchen (hier: braun gescheckt).

zeichnet sie als Allele. Handelt es sich dabei um zwei gleiche Allele, beispielsweise beim Merkmal Fellfarbe zweimal um das Allel für Schwarz, so ist das Tier in Bezug auf dieses Merkmal reinerbig (homozygot). Trägt es aber Allele für schwarzes und weißes Fell, so ist das Tier mischerbig (heterozygot).

Die Chromosomen sind der Hauptuntersuchungsgegenstand der klassischen Genetik. Da sie mit speziellen Farbstoffen angefärbt werden können (chroma: griechisch Farbe), lassen sie sich mit dem Lichtmikroskop gut untersuchen, etwa ihr Verhalten bei der Kern- und Zellteilung und ihre Unregelmäßigkeiten. Zur klassischen Genetik gehört auch die Erforschung der formalen Gesetzmäßigkeiten der Erbgänge sowie der Verbreitung und Veränderung von Erbanlagen in Populationen bzw. Bevölkerungen (Populations-Genetik).

Die biochemische Struktur der Chromosomen wurde erst 1944 als Desoxyribonucleinsäure (DNS, englisch DNA, → Nucleinsäuren) erkannt. Damit begann die molekulare Genetik, die die grundlegenden Phänomene der Vererbung auf der Ebene der Moleküle, nämlich der Erbsubstanz DNA, untersucht. Schließlich beschäftigt sich die angewandte Genetik mit der Züchtung wirtschaftlich bedeutender Pflanzen und Tiere, erbbiologischen Gutachten, genetischen Beratungen u.a. Die moderne Erweiterung der angewandten Genetik ist die Gentechnik.

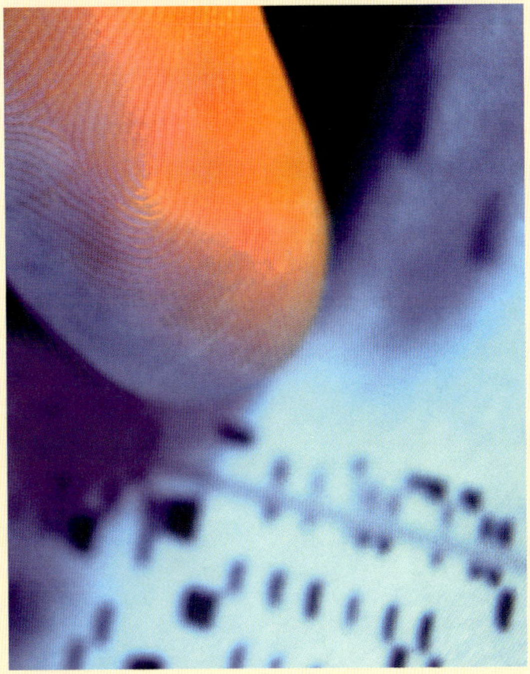

Jeder Mensch hat durch seine Erbanlagen einen unverwechselbaren Bauplan. Dieser Plan ist auf der DNA festgeschrieben und wird auch genetischer Fingerabdruck genannt.

Genf, Stadt in der Schweiz, am Ausfluss der Rhône aus dem Genfer See, 179 000 Einwohner. Die Stadt ist Sitz vieler internationaler Organisationen.

Genfood ['genfu:d, das, engl.] → Novelfood.

Genie [ʒe'ni:, das], ein Mensch mit einer besonders herausragenden Begabung.

Genitalien [Pl.] → Geschlechtsorgane.

Genitiv [der] → Kasus.

Genossen [Pl.], allgemein Kameraden, auch die Mitglieder einer Genossenschaft und die gegenseitige Anrede von Sozialisten.

Genossenschaft [die], Zusammenschluss von Personen, um politische, wirtschaftliche oder andere Ziele gemeinsam zu verfolgen. Zur Gründung einer Genossenschaft sind mindestens 7 Mitglieder notwendig. Nach ihren Zielsetzungen unterscheidet man z. B. ländliche und gewerbliche Genossenschaften, Konsumgenossenschaften, Wohnungsbaugenossenschaften.

Genre [ʒã:rə, das, franz.], Art, Gattung (vornehmlich in der Kunst). Literarische Genres sind z.B. der Kriminalroman oder das Jugendbuch, filmische Genres der Spielfilm oder der Dokumentarfilm.

Was ist …
Gentechnik

Die Gentechnik ist ein Teilgebiet der molekularen Genetik, die Methoden zur Isolierung und Analyse sowie zur gezielten Veränderung von Erbanlagen (Genen) und ihrer Übertragung auf andere Organismen umfasst. Die Gentechnik, vielfach auch als Gentechnologie bezeichnet, spielt in der Grundlagenforschung (Genetik, Entwicklungsbiologie, Biomedizin) wie auch für industrielle Anwendungen (Pharmazie, Landwirtschaft, Lebensmittelindustrie, Umwelttechnik) eine bedeutende Rolle und ist zu einem Forschungsschwerpunkt moderner Wissenschaft geworden. Die Folgen von Eingriffen in die Erbanlagen sind – aus Sicht vieler Wissenschaftler und Laien – nur schwer abzuschätzen, was sich in intensiven wissenschaftlichen und öffentlichen Debatten äußert.

Gentechnisch veränderte Bakterien: 1973 gelang es, im Reagenzglas Abschnitte der Erbsubstanz DNA (→ Nucleinsäuren) aus zwei verschiedenen Bakterienarten miteinander zu kombinieren und in ein drittes Bakterium einzuschleusen. Die DNA-Stücke enthielten die Gene für die Resistenz (Widerstandskraft) gegen zwei Antibiotika. Nach der Genübertragung war das so entstandene transgene Bakterium gegen beide Antibiotika resistent. Damit war es erstmals gelungen, einen Organismus gezielt genetisch umzuprogrammieren und ihn mit neuen, vom Menschen gewünschten Eigenschaften auszustatten.

Gentechnische Produktion von Insulin: Beispielhaft soll die Vorgehensweise bei der gentechnischen Produktion von Insulin dargestellt werden, das 1980 als erstes Produkt mittels gentechnischer Methoden industriell hergestellt wurde. Zunächst wird DNA aus menschlichen Zellen isoliert und mit einem sogenannten Restriktionsenzym behandelt. Dies zerschneidet die DNA-Doppelstränge an einer bestimmten Stelle, so dass genau festgelegte DNA-Bruchstücke entstehen, die das gewünschte Gen für die Insulinproduktion tragen. Zur Übertragung der DNA-Abschnitte auf die Bakterien wird ein sogenannter Vektor als Transportmolekül benötigt. Als Vektoren dienen Plasmide, kleine Ringe aus doppelsträngiger DNA, die frei im Plasma von Bakterien vorkommen. Sie werden mit demselben Enzym wie die Spender-DNA an einer bestimmten Stelle aufgeschnitten, so dass eine Lücke entsteht. In diese fügen sich die DNA-Bruchstücke passgenau ein und werden unter Einwirkung des Enzyms DNA-Ligase mit den aufgeschnittenen Plasmiden zu einer neuen Bakterien-DNA vereinigt. Diese enthält nun das menschliche Gen für die Produktion von Insulin und wird in Coli-Bakterien eingeschleust, die sie bei jeder Zellteilung verdoppeln und an alle Tochterzellen weitergeben. Es existiert eine Vielzahl von Restriktionsenzymen, die alle verschiedene Schnittstellen erzeugen.

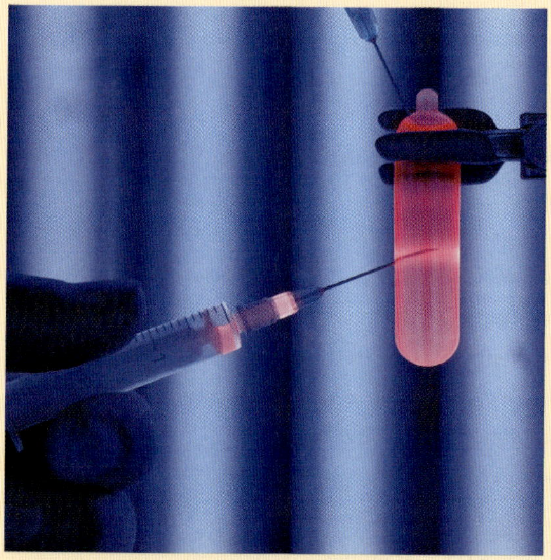

Nach einer mehrstündigen Zentrifugation werden unter UV-Licht die Plasmide, die Träger der Erbinformation in Bakterienzellen, sichtbar.

Anwendungsgebiete und Risiken: Zu den Anwendungsgebieten der Gentechnik gehören im medizinischen Bereich v.a. die Medikamentenentwicklung und Gendiagnostik zur Früherkennung möglicher Erbkrankheiten sowie die Rechtsmedizin und hier beispielsweise die Analyse von Verwandtschaftsverhältnissen. In der Tier- und Pflanzenzucht geht es besonders um Ertragssteigerung und Resistenz gegen äußere Einflüsse wie Krankheiten, Klima und Schädlinge. Auf der anderen Seite ruft die Gentechnik aber auch Befürchtungen hervor hinsichtlich der möglichen Unverträglichkeit gentechnischer Produkte für Mensch und Tier sowie der möglichen Übertragung der Resistenz auf Organismen, die eigentlich bekämpft werden sollen beispielsweise Unkräuter). In Deutschland trat deshalb 1990 ein Gentechnik-Gesetz in Kraft, das die Rahmenbedingungen für den Umgang mit genetisch veränderten Organismen enthält.

Genua, größte Hafenstadt Italiens, am Golf von Genua, der Westküste Italiens, 605 000 Einwohner. Genua war seit dem 10. Jh. selbständige Republik. Im Mittelalter war die Stadt eine mächtige Seemacht und oft in Kämpfe mit Pisa und Venedig verwickelt. 1861 kam Genua zum Königreich Italien.

Genus [das, lat.], das grammatische Geschlecht eines Sub stantivs. Man unterscheidet in der deutschen Sprache: *Maskulinum* (= männlich; *der* Schrank), *Femininum* (= weiblich; *die* Tür) und *Neutrum* (= sächlich; *das* Auto).

Genussmittel [Pl.], Lebensmittel, die im Vergleich zu Nahrungsmitteln nur einen geringen Nährwert, aber in erster Linie einen Genusswert haben. Sie wirken oft anregend, z. B. Kaffee, Tee, Tabak, Cola und alkoholische Getränke.

Geographie [die], *Geografie,* Erdkunde, die Wissenschaft, die die Erdoberfläche als Ganzes sowie verschiedene Aspekte einzelner Teilräume erforscht. Auch → »Genauer betrachtet«, Seite 177.

Geologie [die], die Wissenschaft vom Aufbau und der Entstehung der Erde.

Geometrie [die], ein Teilgebiet der Mathematik, das die Gesetzmäßigkeiten und Größenbeziehungen von Körpern, Flächen und Linien bezeichnet.

Ländersteckbrief
Georgien

Fläche:	69 700 km²
Einwohner:	4,4 Millionen = 64 je km²
Hauptstadt:	Tbilissi
Religion:	orthodoxe Kirche, Islam
Amtssprache:	Georgisch
Währung:	1 Lari = 100 Tetri

Georgien, Staat in Vorderasien.

Landesnatur: Zu Georgien gehören die Republiken Abchasien und Adscharien sowie die autonome Verwaltungseinheit Südossetien. Das Land umfasst die Südabdachung des westlichen Großen Kaukasus (über 5000 m

Georgien: Die Stadt Mzcheta, nördlich von Tbilissi, wurde im 1. Jahrtausend v. Chr. gegründet.

hoch) und die nordwestlichen Gebirgszüge des Kleinen Kaukasus (bis 3000 m hoch). Dazwischen liegen die dicht besiedelten und landwirtschaftlich genutzten Flusstäler des Rioni und der oberen Kura. Am Schwarzen Meer herrscht subtropische Vegetation, über ein Drittel Georgiens sind bewaldet.

Bevölkerung: Die Bevölkerung besteht zu 71,7% aus Georgiern, 8% Armeniern, 6% Russen und 6% Aserbaidschanern. Ein Großteil der Bevölkerung bekennt sich zum orthodoxen Christentum, 11% sind Muslime.

Wirtschaft: Grundlage der Wirtschaft sind die reichen Bodenschätze (Mangan, Baryt, Kupfer, Zink u. a.) und die intensive Landwirtschaft (Anbau von Tee, Obst, Gewürzen, Tabak); Nahrungsmittel-, Maschinen-, Metallindustrie; internationaler Flughafen Tbilissi.

Geschichte: Erste Staatsbildungen entstanden im 4. Jh. v. Chr. Im 1. Jh. v. Chr. wurde das Gebiet dem Römischen Imperium angegliedert. Im 4. Jh. breitete sich das Christentum aus. Unter der Bagratidendynastie erreichte Georgien im 12. und 13. Jh. die größte Ausdehnung und eine kulturelle Blüte. 1801 wurde es russische Provinz. Nach der Oktoberrevolution erklärte sich das Land 1918 für unabhängig, wurde aber 1921 von der Roten Armee besetzt und zunächst als Teil der Transkaukasischen Sowjetrepublik und später als eigenständige Unionsrepublik (1936) in die UdSSR gezwungen. Am 9. 4. 1991 erlangte Georgien die Unabhängigkeit. Der erste Präsident S. *Gamsachurdia* wurde 1992 gestürzt. Nachfolger wurde E. *Schewardnadse.* Mit Abchasien und Südossetien kam es zu blutigen Nationalitätenkonflikten. 1993 vollzog Schewardnadse den Beitritt zur GUS. 1995 trat eine neue Verfassung in Kraft (präsidiale Republik). 2003 erzwang die Opposition durch mehrwöchige unblutige Demonstrationen *(Rosenrevolution)* Schewardnadses Rücktritt. Die Bevölkerung wählte M. *Saakaschwili* 2004 zum neuen Präsidenten.

Gepard [der], zur Familie der Katzen gehörendes Raubtier mit lang gestrecktem Körper und schwarzgelb geflecktem Fell. Der Gepard lebt in den Steppen Asiens und Afrikas. Er ist auf kurzen Strecken das schnellste Säugetier der Welt (100 km in der Stunde).

Gericht [das] → Recht.

geringfügige Beschäftigung, steuerfreies Arbeitsverhältnis mit einer Verdienstgrenze bis 400 Euro pro Monat, für die der Arbeitgeber Sozialversicherungsbeiträge abführt.

Geparden pirschen sich auf 50–100 m an ihre Beute heran, um sie dann in einem kurzen Sprint zu erlegen.

Genauer betrachtet …
Geographie

Geographische Höchstwerte der Erde sind:

Größtes Gebirge	Himalaya	2500 km lang, 150–280 km breit
Längstes Gebirge	Kordilleren	rund 15 000 km
Größter Berg	Kilimandscharo (Tansania)	80 km lang, 60 km breit und 5895 m hoch
Höchster aktiver Vulkan	Guallatiri (Chile)	6060 m
Größte Schlucht	Grand Canyon (USA)	bis 1800 m tief, 350 km lang
Tiefster See	Baikalsee (Russland)	1637 m tief
Größter Süßwassersee	Oberer See (Kanada/USA)	82 103 km²
Wasserreichster Fluss	Amazonas (Brasilien)	mittlerer jährlicher Abfluss an der Mündung: 100 000–120 000 m³/s
Größte Halbinsel	Arabien	rund 3 000 000 km²
Größte Insel in einem Binnensee	Manitoulin (Huronsee; Kanada/USA)	rund 2760 km²
Größter Unterschied zwischen Ebbe und Flut (Tidenhub)	Fundybay (Kanada)	Tidenhub 14–21 m
Heißester Ort	Azizia (Libyen)	57,8 °C
Kältester Ort	Wostok (Ostantarktis)	–89,2 °C, mittlere Jahrestemperatur –56,6 °C
Regenreichster Ort	Mount Waialeale (Hawaii; USA)	12 547 mm mittlerer Jahresniederschlag
Trockenstes Gebiet	Wüste Atacama (Chile)	praktisch kein Niederschlag

Germanen [Pl.], von den Römern im 1. Jh. v. Chr. eingeführte Bezeichnung für verschiedene Stämme, die damals in Nord- und Mitteleuropa lebten. Die Germanen wurden von den Römern als große, blauäugige Menschen mit blonden Haaren beschrieben. Sie siedelten in Dörfern und Einzelgehöften und lebten von Ackerbau und Viehzucht. Auch das Handwerk, besonders das Schmiedehandwerk, war schon entwickelt und der Handel (z. B. mit Pelzen) war rege. Zwischen den Germanen, bei denen sich in den ersten Jahrhunderten n. Chr. einige Stämme herausgebildet hatten (z. B. Goten, Franken, Sachsen, Alemannen), und den Römern kam es häufig zu Kriegen. Berühmt ist die Schlacht 9 n. Chr. im Teutoburger Wald, in der *Arminius,* ein Cheruskerfürst, die römischen Legionen unter *Varus* vernichtend schlug. Zur Sicherung ihrer Reichsgrenze errichteten die Römer zwischen Rhein und Donau eine befestigte Militärgrenze, den *Limes.* Doch die Germanen bedrängten zunehmend das Weströmische Reich und führten 476 seinen Untergang herbei.

Gershwin ['gəːʃwin], George, * 1898, † 1937; US-amerikanischer Komponist und Pianist. Ihm gelang mit dem Konzertstück »Rhapsody in Blue« eine Verbindung aus gehobener Unterhaltungsmusik und Jazzelementen; seine Oper »Porgy and Bess« gilt als erste bedeutende amerikanische Oper. Gershwin komponierte auch Filmmusik und über 700 Lieder.

Gerste [die], eine Getreidepflanze mit kurzem Halm und einer Ähre mit langen Grannen. Gerste wird vor allem in der Bierbrauerei, in der Malzherstellung und zur Tierfütterung verwendet.

Gerstenkorn [das], eine eitrige Entzündung am Augenlid durch Infektion.

Aus Gerste werden auch Graupen und Kaffeeersatz hergestellt.

Gesamthochschule [die], eine Hochschulform, bei der durch den Zusammenschluss verschiedener Hochschulen (Universitäten, Fachochschulen, Kunsthochschulen u. Ä.) der Übergang von einer Form zur anderen erleichtert werden soll.

Gesamtschule [die], ein Schultyp, in dem die drei herkömmlichen Schulformen (Hauptschule, Realschule, Gymnasium) zusammengefasst sind. Dieser Schultyp soll den Schülern ermöglichen, leichter zwischen den einzelnen Formen zu wechseln. In der *kooperativen Gesamtschule* bleiben die drei Schultypen erhalten, aber die Lehrerschaft wird organisatorisch zusammengefasst. Die *integrierte Gesamtschule* bietet Kernunterricht für alle Schüler eines Jahrgangs und Fachkurse mit unterschiedlichem Leistungsgrad.

Geschichte [die], *Historie,* der zeitliche Ablauf allen Geschehens in Natur und Gesellschaft. Zu den Quellen der Geschichtswissenschaft gehören Ausgrabungsfunde (z. B. Ruinen, Waffen, Schmuck) und schriftliche Überlieferungen. Die geschichtlichen Epochen sind eingeteilt in:

Vorgeschichte: der Zeitraum, der vor Beginn der Geschichtsschreibung liegt, etwa ab 600 000 v. Chr. bis zum Beginn des Altertums. Er wird in *Steinzeit, Bronzezeit* und *Eisenzeit* eingeteilt.

Altertum: die Zeit der frühen Hochkulturen etwa ab 4000 v. Chr. (Induskultur, frühe Kulturen Ägyptens, Mesopotamiens und Kleinasiens) bis zum Untergang der antiken Mittelmeerkulturen zwischen dem 4. und 7. Jh. n. Chr.

Frühgeschichte: in Mitteleuropa der Zeitabschnitt, der auf die Vorgeschichte folgt und in dem bereits schriftliche Zeugnisse vorliegen, etwa ab Mitte des 1. Jh. v. Chr. bis zum Ende der Völkerwanderungszeit im 6. Jh. n. Chr.

Mittelalter: der Zeitraum zwischen Altertum und Neuzeit, vom Zeitalter der Völkerwanderung (4. bis 6. Jh.) an gerechnet bis zur Reformation (1517). Charakteristisch für diese Zeit ist die unangefochtene Stellung der Kirche in der Gesellschaft und im Leben eines jeden Einzelnen. Kennzeichnend für das Hochmittelalter (10.–13. Jh.) ist das aufblühende Rittertum und Lehnswesen, für das Spätmittelalter (14. und 15. Jh.) das Erstarken des Bürgertums, der Aufstieg der Städte und die Entstehung der Geldwirtschaft.

Neuzeit: der Zeitabschnitt, der an das Mittelalter anschließt und bis zur Gegenwart reicht, etwa ab 1500. Bestimmend für den Beginn der neuen Zeitepoche waren: die Eroberung Konstantinopels durch die Türken 1453, die Entdeckung Amerikas 1492, das Aufkommen von Renaissance, Humanis mus und Reformation sowie die Anfänge wissenschaftlichen Denkens. Die Französische Revolution (1789) wird wiederum als Einschnitt gewertet, mit dem die *Neuere Zeit* beginnt. Die Oktoberrevolution in Russland (1917) markiert den Beginn der *Zeitgeschichte.*

Geschlechtshormone [Pl.], *Sexualhormone,* Hormone, die von den männlichen und weiblichen Keimdrüsen gebildet werden. Sie bewirken die Ausprägung der Geschlechtsmerkmale und steuern die Reifung der Samen- und Eizellen. Männliche Geschlechtshormone werden in den Hoden gebildet und – in geringer Menge – in beiden Geschlechtern in der Nebennierenrinde. Es sind die *Androgene,* und das wichtigste darunter ist das *Testosteron.* Die weiblichen Geschlechtshormone entstehen in den Eierstöcken. Die *Östrogene* steuern den Menstruationszyklus. Die *Gestagene,* die im Gelbkörper gebildet werden, sorgen für die Erhaltung der Schwangerschaft.

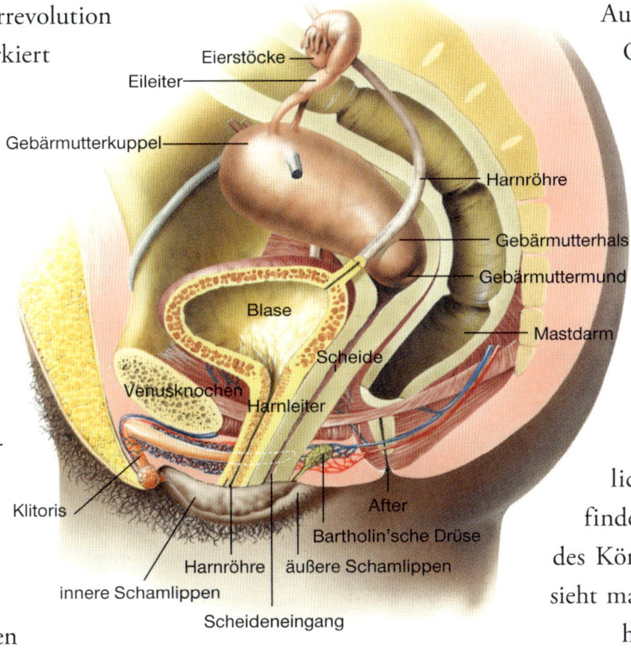

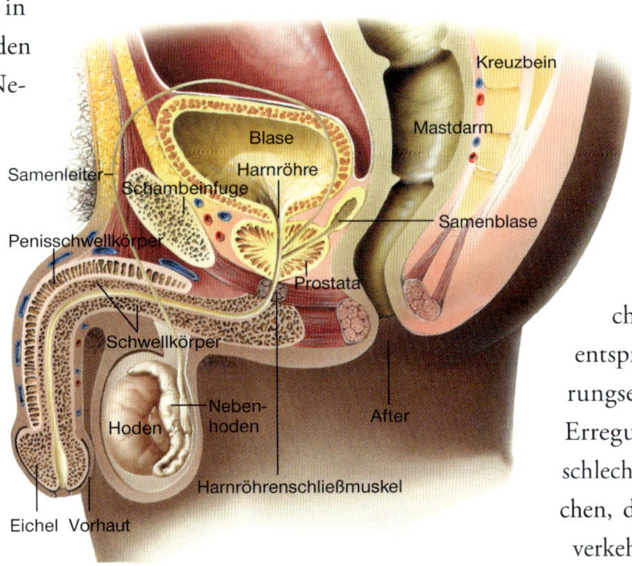

Die Grafiken geben einen Überblick über die Lage der weiblichen und männlichen Geschlechtsorgane.

Geschlechtskrankheiten [Pl.], Krankheiten, die meist durch geschlechtliche Kontakte übertragen wurden (Infektionskrankheiten). Bekannte Geschlechtskrankheiten sind *Tripper,* ein eitriger Ausfluss aus dem männlichen Glied oder der weiblichen Scheide, und *Syphilis,* die mit Knötchenbildung und Blutveränderungen einhergeht und zum Tode führen kann.

Geschlechtsorgane [Pl.], *Genitalien,* alle Organe bei Tieren und Menschen, die der Fortpflanzung dienen. Die weiblichen Geschlechtsorgane befinden sich weitgehend im Innern des Körpers, im Becken. Äußerlich sieht man die *Schambehaarung.* Dahinter liegen die beiden *großen Schamlippen,* die die beiden *kleinen Schamlippen* überlappen. Hinter letzteren münden Harnröhre und Scheideneingang. Nach oben hin umschließen die kleinen Schamlippen die *Klitoris (Kitzler),* die der Eichel des männlichen Gliedes entspricht und besonders berührungsempfindlich ist. Sie trägt zur Erregung der Frau beim Geschlechtsverkehr bei. Bei einem Mädchen, das noch keinen Geschlechtsverkehr hatte, wird der Scheideneingang durch das *Hymen (Jungfernhäutchen)* teilweise verschlossen. Die *Scheide (Vagina)* stellt eine schlauchartige Verbindung zwischen äußeren und inneren weiblichen Geschlechtsorganen dar und ist mit einer Schleimhaut ausgekleidet, die zum Schutz gegen das Eindringen von Bakterien ein Sekret absondert. Die *Gebärmutter (Uterus),* ein birnenförmiger Hohlmuskel, ragt mit dem Gebärmuttermund in das hintere Drittel der Scheide hinein. Die Verbindung zwischen der Gebärmutter und den Eierstöcken stellen die etwa bleistiftdicken und 10–20 cm langen, rechts und links der Gebärmutter anliegenden *Eileiter* her. Die etwa walnussgroßen *Eierstöcke* sind die Keimdrüsen der Frau und befinden sich unterhalb der Eileiter. Sie enthalten rund 500 000 *Eizellen,* von denen bis zu 450 zu Eiern ausreifen.

Im Gegensatz zu den weiblichen Geschlechtsorganen sind die männlichen Geschlechtsorgane größtenteils nach außen verlagert. Von der Geschlechtsbehaarung umgeben, hängt das *Glied (Penis),* ein schlauchartiges Gebilde, vor dem Hodensack und den Oberschenkeln gewöhnlich herab. In seiner ganzen Länge wird es von der Harnröhre durchzogen. Im Zustand geschlechtlicher Erregung füllen sich die Schwellkörper des Gliedes mit Blut, so dass es größer und dicker wird und sich aufrichtet *(Erektion).* Dabei muss sich die Vorhaut zurückschieben lassen, die die *Eichel,* die Spitze des Gliedes, bedeckt. Eine im Schwellkörper erzeugte Absonderung macht die Eichel für den Geschlechtsverkehr gleitfähig. Die Eichel enthält viele Sinneskörperchen, deren Reizung zur sexuellen Erregung des Mannes und damit zum Samenerguss *(Ejakulation)* führt. Der *Hodensack* ist ein dünner bräunlicher Hautbeutel, der durch eine Mittelwand in zwei Kammern geteilt ist. In ihnen befinden sich die etwa walnussgroßen Keimdrüsen, die *Hoden,* in denen täglich etwa 300 Mrd. Samenzellen und Hormone (Andragene) erzeugt werden. Aus den Hoden führen die *Nebenhoden* heraus, in denen die *Samenzellen* ausreifen und gespeichert werden. Sie gehen in zwei bindfadendünne, etwa 50–60 cm lange Kanäle, die *Samenleiter,* über, die sich durch den Leistenkanal zur Harnröhre hinziehen (sie wird dadurch zur Harn-Samen-Röhre). Bevor die Samenleiter durch die vor der Harnblase liegende *Vorsteherdrüse (Prostata)* führen, nehmen sie von den seitlich der Harnblase gelegenen Bläschendrüsen eine eiweißhaltige Absonderung auf, die die Beweglichkeit der Samenfäden fördert. Die Vorsteherdrüse umschließt den Anfangsteil der Harn-Samen-Röhre und erzeugt die Hauptmasse der Samenflüssigkeit, in der die Samenzellen schwimmen. Samenzellen und Samenflüssigkeit *(Sperma)* werden während des Samenergusses durch die Harn-Samen-Röhre nach außen gespritzt.

Genauer betrachtet …
Geschwindigkeit

	m/s	km/h
Haarwachstum	0,000 000 003	0,000 000 011
Schnecke	0,002	0,007
Fußgänger	1,4	5
Passagierschiff	17,8	64
Radrennfahrer	20	72
Orkan	45	162
Schwalbe	90	324
Hochgeschwindigkeitszug	134	482
Düsenverkehrsflugzeug	250	900
Schall in der Luft	332	1195
Gewehrgeschoss	870	3132
Mondrakete	11 200	40 320
Erde um die Sonne	30 000	108 000
Licht im Vakuum	299 792 458	1 079 252 849

Geschlechtsverkehr [der], *Geschlechtsakt, Beischlaf, Koitus,* → Sexualität.

Geschlechtswort [das] → Artikel (1.).

Geschwindigkeit [die], das Verhältnis von der Strecke, die ein Körper zurücklegt, zu der dazu benötigten Zeit. Die Geschwindigkeit wird in Meter pro Sekunde (m/s) oder Kilometer pro Stunde (km/h) gerechnet. Auch →»Genauer betrachtet«.

Geschwulst [die], *Tumor,* allgemein eine krankhafte Neubildung von Körpergewebe, die sich im Gegensatz zu einer Schwellung oder einem Geschwür nicht wieder zurückbildet. Wenn die Geschwulst auf die Grenzen des befallenen Gewebes beschränkt bleibt, spricht man von einer gutartigen Geschwulst. Greift sie dagegen zerstörend in benachbartes Gewebe ein und bildet sie Tochtergeschwülste in anderen Körperteilen, handelt es sich um eine bösartige Geschwulst *(Krebs).*

Geschwür [das], schlecht heilende Gewebezerstörung der Haut oder Schleimhaut.

Geselle [der], Gehilfe eines Handwerkers, der nach einer meist dreijährigen Lehre die Gesellenprüfung ablegt.

Gesellschaft [die], bezeichnet das geordnete und bewusst organisierte Zusammenleben und Zusammenhandeln der Menschen. Mit der »Lehre von der Gesellschaft« beschäftigt sich v.a. die Soziologie. Unterschieden werden Gesellschaften z.B. nach der vorherrschenden Erwerbsform (z.B. Industriegesellschaft), nach Stand der technischen Entwicklung (z.B. Wissensgesellschaft), nach der Sozialstruktur (z.B. Klassengesellschaft) oder nach dem politischen System (z.B. demokratische Gesellschaft). Stabil und produktiv ist eine Gesellschaft, wenn ihre Mitglieder hinsichtlich der Grundwerte übereinstimmen und ein hoher Grad an sozialer Integration besteht.

Gesellschaft mit beschränkter Haftung [die], Abkürzung GmbH, eine Handelsgesellschaft. Die GmbH ist ein Wirtschaftsunternehmen, an dem mehrere Gesellschafter beteiligt sind, die jeweils eine bestimmte Summe des Stammkapitals (mindestens 25 000 Euro) in das Unternehmen einbringen. Gegenüber Gläubigern haften nicht die Gesellschafter persönlich, sondern nur die GmbH mit ihrem Stammkapital.

Gesetz, *Naturgesetz,* Regelmäßigkeiten, die bei einem Forschungsgegenstand auftreten und in einem »Satz« zusammengefasst sind, z.B. das Gesetz der Schwerkraft.

Was ist ein … Gesetz

Ein Gesetz ist allgemein die einzelne Rechtsvorschrift oder die systematische Zusammenfassung mehrerer Rechtssätze. Ein Gesetz legt generell für einen theoretisch formulierten Tatbestand eine bestimmte Rechtsfolge fest bzw. stellt ein Gebot oder Verbot auf. Es wird auf eine unbestimmte Anzahl von Sachverhalten angewendet und richtet sich an eine unbestimmte Vielzahl von Personen.

Vom Gesetz zur Kodifizierung: Bereits in der Antike gab es Initiativen zur schriftlichen Aufzeichnung von Gesetzen, z.B. der babylonische Codex Hammurapi, das römische Zwölftafelgesetz und die jüdisch-christlichen Zehn Gebote. Im Mittelalter wurden Gesetze aufgeschrieben, meist Gewohnheits-, Volks- und Stammesrecht (beispielsweise Sachsenspiegel). Doch erst im 18./19. Jh. entstanden Gesetzgebungswerke (Kodifikationen), die, aufbauend auf dem Römischen Recht, versuchten, Recht zu systematisieren und einheitliche juristische Regeln für alle Rechtsfälle aufzustellen. So entstanden 1804 mit dem Code civil (auch Code Napoléon) das erste bürgerliche Gesetzbuch, 1794 das »Allgemeine Landrecht für die Preußischen Staaten«, das erst 1896 im deutschen Kaiserreich vom Bürgerlichen Gesetzbuch (BGB) abgelöst wurde, oder 1900 das Handelsgesetzbuch (HGB).

Wann ein Gesetz ein Gesetz ist: In der Demokratie unterliegt ein Gesetz angesichts der allumfassenden Zuständigkeit des parlamentarischen Gesetzgebers keiner Beschränkung auf bestimmte Gegenstände mehr. Unter Gesetz im formellen Sinn wird heute jeder vom Parlament in einem verfassungsmäßig festgelegten Verfahren beschlossene Akt (Gesetzgebung) verstanden. Das betrifft auch spezielle Maßnahmen wie die Feststellung des Haushaltsplans. Ein Gesetz im materiellen Sinn ist jede abstrakte und generelle Rechtsvorschrift, die für eine Vielzahl von Personen allgemein verbindliche Regelungen enthält. Dazu gehört auch die durch Regierung oder Verwaltung erlassene Rechtsverordnung (Verordnung).

Gesetzgebung in Deutschland: Ein Gesetzentwurf kann durch die Bundesregierung, vom Deutschen Bundestag und durch den Bundesrat eingebracht werden. Die meisten Gesetzesvorlagen stammen von der Bundesregierung und werden in den Ministerien ausgearbeitet. Gesetzesentwürfe durchlaufen drei Lesungen im Bundestag und werden in der Regel nach der ersten Lesung den zuständigen Parlamentsausschüssen zur Beratung zugeleitet. Ein Gesetz ist angenommen, wenn es in der 3. Lesung die Mehrheit der Stimmen erhält. Das Grundgesetz unterscheidet zwischen einfachen und zustimmungsbedürftigen Gesetzen. Zustimmungsbedürftige Gesetze sind z.B. verfassungsändernde Gesetze und Gesetze, welche die Länder oder Abkommen mit anderen Staaten betreffen. Ihnen muss der Bundesrat zustimmen. Billigt der Bundesrat ein vom Bundestag beschlossenes Gesetz nicht, kann er den Vermittlungsausschuss anrufen, damit die Vorlage geändert wird. Er kann auch Einspruch erheben, den der Bundestag dann mit entsprechender Mehrheit zurückweisen muss. Zustimmungsgesetze sind gescheitert, wenn der Bundesrat sein (absolutes) Veto einlegt. Das Gesetz gilt dann als nicht zustande gekommen. Nach Abschluss des Gesetzgebungsverfahrens wird das Gesetz dem zuständigen Fachminister zur Unterschrift gegeben. Versehen mit dem großen Bundessiegel, wird es dem Bundeskanzler und dem Bundespräsidenten zur Unterzeichnung vorgelegt. Mit dessen Unterschrift ist das Gesetz »ausgefertigt«. Es wird im Bundesgesetzblatt veröffentlicht und so »verkündet«.

Gestagene [Pl.] → Geschlechtshormone.

Gestapo [die], Abkürzung für **Ge**heime **Sta**ats-**Po**lizei, die nationalsozialistische politische Polizei 1933 bis 1945 in Deutschland und den besetzten Gebieten. Die Gestapo verfolgte rücksichtslos und unmenschlich alle, die von den nationalsozialistischen Machthabern als Gegner betrachtet wurden.

Gesteine [Pl.], Zusammensetzungen aus verschiedenen Mineralien, die die feste Erdrinde aufbauen. Nach der Bildungsweise unterscheidet man: 1. *Erstarrungsgestein,* entstanden durch Erstarren des Schmelzflusses im Erdinnern. 2. *Ablagerungsgestein,* entstanden durch Ablagerung von zerriebenem Gesteinsmaterial im Wasser, durch Wind oder Gletscher. 3. *Umwandlungsgestein,* entstanden aus Erstarrungs- oder Ablagerungsgestein durch physikalische oder chemische Einflüsse (z. B. Druck, Stoffaustausch).

Getreide [das], Pflanzen, die in Ähren oder Rispen angeordnete Körner tragen. Sie dienen der Ernährung von Mensch und Tier. Getreide wird schon über Jahrtausende angebaut und ist weltweit verbreitet. Hauptgetreidearten in Europa sind: *Roggen, Weizen, Gerste* und *Hafer.* In den südlichen Zonen und in Asien werden vor allem *Reis, Mais* und *Hirse* angebaut.

Getriebe [das], eine Vorrichtung, mit der Kräfte in Bewegungen umgewandelt werden. Beim Kraftfahrzeug wird z. B. die Motorkraft auf die Räder übertragen, sodass sich das Fahrzeug fortbewegt.

Getto [das], *Ghetto,* ein abgesondertes Wohnviertel für Bevölkerungsminderheiten. Im Mittelalter war es oft durch eine Mauer von der übrigen Stadt abgetrennt. Der Name kommt von der Judeninsel Getto in Venedig (seit 1516). Judengettos gab es in Europa bis ins 19. Jh. Der Nationalsozialismus errichtete Gettos für die Juden in den eroberten Ostgebieten, wo Hunderttausende verhungerten.

Gewaltenteilung [die], die Aufteilung der staatlichen Macht in die gesetzgebende *(Legislative),* die ausführende *(Exekutive)* und die Recht sprechende *(Jurisdiktion)* Gewalt. In Diktaturen gibt es keine Gewaltenteilung.

Gewebe [das], **1.** ein flächenförmiges Textilerzeugnis mit sich rechtwinklig kreuzenden Fäden. **2.** bei Lebewesen die untereinander verbundenen Zellen. Nach Aufgabe des Gewebes unterscheidet man *Oberflächen-* oder *Epithelgewebe* (Haut), *Stütz-* und *Bindegewebe* (Knochen, Sehnen), *Muskel-* und *Nervengewebe.*

Geweih: Mit zunehmendem Alter bekommt das Geweih der Rothirsche mehr Enden, doch kommt nicht regelmäßig jedes Jahr ein Ende hinzu.

Gewehr [das], eine Handfeuerwaffe mit lang gezogenem Lauf. Das Gewehr kam im 14. Jh. in Gebrauch und wird heute zur Kriegführung, zur Jagd und im Sport eingesetzt.

Geweih [das], knöcherne Stirnauswüchse der männlichen Hirsche (beim Ren tragen auch die Weibchen ein Geweih). Das Geweih wird jährlich abgeworfen und erneuert. Es besteht aus zwei Stangen und einer Zahl von Verzweigungen *(Enden).* Ab Bildung dreier Enden zählt man beide Stangen zusammen und spricht von einem Sechsender, Achtender usw. Das Geweih des Rehbocks wird als *Gehörn,* beim Elch als *Schaufeln,* beim Hirsch als *Stangen* bezeichnet.

Gewerkschaften [Pl.], eine Vereinigung von Arbeitnehmern zur Verbesserung ihrer wirtschaftlichen und sozialen Lage, besonders zur Erreichung besserer Arbeitsbedingungen gegenüber den Arbeitgebern. Die Gewerkschaften entstanden im Zuge der industriellen Entwicklung im 19. Jh. Ihr heutiger Einfluss reicht weit über die Wahrnehmung der ursprünglichen Aufgaben hinaus. Die Gewerkschaften verhandeln mit den Arbeitgebern über allgemeine Arbeitsbedingungen und über die Löhne. Die Verhandlungsergebnisse werden in Tarifverträgen festgeschrieben. Können die Gewerkschaften ihre Interessen nicht durchsetzen, steht ihnen das Mittel des Arbeitskampfes (Streik) zur Verfügung. In Deutschland sind die meisten Einzelgewerkschaften im *Deutschen Gewerkschaftsbund (DGB)* zusammengeschlossen.

Gewichtheben [das], eine schwerathletische Sportart, bei der Hanteln gehoben werden. Es gibt zwei Hebetechniken: beim *Reißen* muss die Hantel in einem Zug durch Ausfallschritt oder Hocke vom Boden zur Hochstrecke gebracht werden. Beim *Stoßen* wird

Gewitter: Beim Gewitter entlädt sich die elektrische Spannung, die sich aufgebaut hat, über Blitze. Ein Blitz dauert oft nur den Bruchteil einer Sekunde, im Blitzkanal fließt dabei ein Strom von bis zu 100 000 Ampere.

das Gewicht durch Hocke oder Ausfallschritt bis zur Schulterhöhe gehoben und dann durch Strecken von Armen und Beinen zur Hochstrecke gestoßen. Heben zwei Athleten im Wettkampf das gleiche Gewicht, ist der leichtere Heber Sieger. Die Gewichtheber werden nach ihrem Körpergewicht in zehn Gewichtsklassen eingeteilt.

Gewitter [das], Unwetter mit Blitz und Donner, das meist von heftigen Regenschauern begleitet wird. Gewitter entstehen vor allem bei großer Hitze und hoher Luftfeuchtigkeit und wenn kalte und warme Luftmassen aufeinanderprallen. Aus der aufsteigenden Warmluft entwickeln sich große, hohe Gewitterwolken, die sich elektrisch aufladen. Zwischen diesen Wolken und der Erde entsteht eine hohe elektrische Spannung. Wird diese zu stark, entlädt sie sich in Form von Blitzen. Dem Blitz folgt ein rollendes oder krachendes Geräusch, der Donner. Er entsteht durch die plötzliche Ausdehnung der vom Blitz erhitzten Luft und breitet sich mit Schallgeschwindigkeit aus.

Gewürze [Pl.], Pflanzenteile, die zum Würzen von Speisen dienen. Sie werden frisch oder getrocknet verwendet. Durch den Gehalt an ätherischen Ölen und an Bitterstoffen erhöhen sie den Geschmack oder wirken appetitanregend und gesundheitsfördernd. Dabei kommen die unterschiedlichsten Pflanzenteile in Frage, z. B. Blätter und Kräuter (Majoran, Dill, Thymian), Wurzeln (Wurzelpetersilie, Ingwer, Meerrettich), Rinden (Zimt, Kassia), Blüten und Knospen (Gewürznelken, Kapern) und Samen (Pfeffer, Muskat, Kümmel, Fenchel).

Geysir [der], brodelnde oder Wasserstrahlen und Dampf hochschleudernde heiße Quelle in vulkanischen Gebieten. Ein Geysir entsteht, wenn die Vulkanhitze Grundwasser aufheizt und Überdruck erzeugt. Geysire kommen vor allem in Island, im Yellowstone-Nationalpark (USA), auf Neuseeland und in Japan vor.

Gezeiten [Pl.], *Tiden,* das abwechselnde Ansteigen *(Flut)* und Absinken *(Ebbe)* des Meeresspiegels, zweimal innerhalb von 24 Stunden und 50 Minuten. Die Anziehungskraft des Mondes und die Zentrifugalkraft der Erde erzeugen Flutberge, die durch die Erdumdrehung rings um den Erdball wandern. *Tidenhub* wird der Unterschied zwischen höchstem und niedrigstem Wasserstand genannt.

Ghadafi, *Gaddafi*, *Khadafi*, Muammer Al, * 1942; libyscher Offizier und Politiker. Er stürzte 1969 die Monarchie, war bis 1979 unter wechselnden Bezeichnungen Staatschef, trat dann zurück, blieb aber

Geysir: Der Old Faithful Geysir im Wyoming Nationalpark in den USA gilt mit seinen regelmäßigen, über 55 m hohen Fontänen als berühmtester Geysir der Welt.

als »Führer der Revolution« tatsächlicher Machthaber in Libyen. Ghadafi strebte nach einem Zusammenschluss aller arabischen Staaten und galt als Förderer des internationalen Terrorismus. 2003 wechselte er seinen politischen Kurs und näherte sich dem Westen an, um Libyen aus der internationalen Isolierung zu befreien.

Ländersteckbrief Ghana

Fläche:	238 539 km²
Einwohner:	22,6 Millionen = 95 je km²
Hauptstadt:	Accra
Religion:	Christentum, Naturreligionen, Islam
Amtssprache:	Englisch
Währung:	1 Cedi = 100 Pesewas

Ghana, Staat in Westafrika.

Landesnatur: Hinter der feuchttropischen Küste erhebt sich das dicht bewaldete, regenreiche Bergland von *Ashanti*, dem sich nach Norden Feucht- und Trockensavannen anschließen.

Bevölkerung: Die Bevölkerung gehört vielen verschiedenen Stämmen an (Ashanti, Fanti, Ewe, Mossi u. a.). 60% sind Christen, 16% Muslime, der Rest Anhänger traditioneller Religionen.

Wirtschaft: Hauptanbauprodukt ist Kakao (weltweit zweitgrößter Produzent). Die Wälder liefern Mahagoni u. a. Edelhölzer. Die wichtigsten Bergbauprodukte sind Bauxit, Gold, Mangan, Diamanten. Die Industrie ist noch wenig entwickelt. Wichtigster Stromlieferant ist das Wasserkraftwerk bei Akosombo am Volta-Stausee. – Haupthäfen sind Takoradi und Tema. Internationaler Flughafen: Accra.

Geschichte: 1850 wurde die britische Kolonie Goldküste ausgerufen. 1957 erlangte die Goldküste als Ghana die Unabhängigkeit. 1960 wurde das Land Republik. Erster Staatspräsident war K. *Nkrumah*, der 1966 von den Militärs gestürzt wurde. Danach hatte Ghana fast nur Militärregierungen. 1981–2000 regierte J. *Rawlings* das Land. 1993 trat eine neue Verfassung in Kraft. Die Stabilisierung der demokratischen Ordnung verbesserte die Beziehungen zu den westlichen Industriestaaten. Seit 2001 ist J. A. *Kufuor* Staatspräsident.

Ghetto [das] → Getto.

Ghostwriter ['gɔustraitə, der, engl., »Geisterschreiber«], ein Schriftsteller, der für andere Personen Texte schreibt, selbst aber nicht genannt wird. Ghostwriter verfassen beispielsweise Reden für Politiker oder auch die Memoiren berühmter Persönlichkeiten.

Gibbon [der], kleiner Menschenaffe, der vor allem in den Wäldern Südostasiens lebt. Gibbons bewegen sich meist hangelnd durch die Baumkronen (Schwingkletterer); bei aufrechtem Gang berühren ihre langen Arme den Boden.

Gibraltar, eine Halbinsel und Stadt (28 000 Einwohner) an der Südspitze Spaniens. Gibraltar ist seit 1830 britische Kronkolonie und verfügt über einen Kriegs- und Handelshafen. Die *Straße von Gibraltar* trennt Gibraltar von Afrika und verbindet das Mittelmeer mit dem Atlantik.

Gift [das], jeder feste, gasförmige oder flüssige Stoff, der im Körper Gesundheitsschäden hervorrufen kann.

Viele Gifte sind in kleinen Mengen ungefährlich oder dienen sogar als Heilmittel, in größeren Mengen können sie zu Krankheit und Tod führen. Sie können durch die Haut (durch Bisse oder Stiche), durch Einatmen oder die Aufnahme durch den Mund wirken. Es gibt ätzende Gifte, die das Gewebe zerstören, betäubende Gifte, die auf das Gehirn wirken, reizende und erregende Gifte, die vor allem auf die Nerven wirken, und Blutgifte, die das Blut zersetzen und die Atmung blockieren.

Giftpflanzen [Pl.], Pflanzen mit Inhaltsstoffen, die bei Mensch und Tier zu Vergiftungserscheinungen, in schweren Fällen zum Tod führen. Die Gifte, meist Alkaloide, sind in starken Verdünnungen oft Arzneimittel (z. B. bei Tollkirsche, Stechapfel, Mutterkornpilz, Fingerhut, Maiglöckchen) oder Genussmittel (z. B. bei Kakao, Kaffee, Tee, Tabak, Cola). Tödliche Gifte produzieren auch einige Pilze, wie z. B. der Knollenblätterpilz. Vergiftungserscheinungen wie Krämpfe, Schwindelzustände, Sehstörungen u. Ä. werden z. B. durch Fliegenpilz, Satanspilz, Trichterling u. a. hervorgerufen.

Giraffen kommen mit ihrem langen Hals an Nahrung heran, die für andere Tiere unerreichbar ist.

Gifttiere [Pl.], mit Giftorganen versehene Tiere. Die Giftstoffe werden zur Verteidigung oder zum Beutefang eingesetzt. Giftschlangen (z. B. Klapperschlange, Kobra und Mamba) töten ihre Beute mit dem Biss ihrer Giftzähne. Manche Fische sondern ihr Gift durch Stacheln, Zähne oder giftige Körperorgane ab. Manche Spinnen besitzen eine Giftdrüse und übertragen ihr Gift durch Bisse (z. B. Schwarze Witwe, Tarantel).

Giga... [von griech. gigas, »Riese«], Kurzzeichen G, eine Vorsatzsilbe bei Maßeinheiten. Sie gibt das Milliardenfache (= 10^9fache) der jeweiligen Maßeinheit an, beispielsweise 1 Gigabyte (GByte) = 10^9 Byte = 1 000 000 000 Byte.

Giganten [Pl.], in der griechischen Sagenwelt ein Geschlecht von Riesen, das sich gegen die Götter empörte und deren Wohnsitz, den Olymp, zu stürmen versuchte. Mit Hilfe von Herkules wurden sie besiegt.

Ginseng [der], ostasiatisches Efeugewächs, dessen Wurzel seit langer Zeit als Heilmittel gilt.

Gips [der], ein wasserhaltiger schwefelsaurer Kalk, der meist farblos ist. Gips kommt vor als durchscheinendes Kristall (Gipsspat), als perlmutterglänzende Tafeln (Marienglas) oder körnig-kristallin (Alabaster). Gebrannter Gips wird auch als Baugips verwendet.

Giraffen [Pl.], 5 bis 6 m hohe Säugetiere mit bis zu 3 m langem Hals aus der Familie der wiederkäuenden *Paarhufer.* Die Tiere haben ein braunes Fell mit netzartiger gelblich weißer Zeichnung. Sie ernähren sich vorwiegend von Laub und bewohnen in Herden die baumbestandenen Savannen und Buschländer Afrikas.

Girokonto ['ʒi:ro-, das], ein Konto bei Banken oder Sparkassen, über das vor allem bargeldlose Zahlungen (Schecks, Überweisungen) abgewickelt werden.

Gitarre [die], nach arabischen Vorbildern entwickeltes Zupfinstrument mit 6 Saiten, das als volkstümliches Begleitinstrument zum Lied weit verbreitet ist. Man unterscheidet verschiedene Formen: *Bassgitarre, Hawaiigitarre, Schlaggitarre* und *Elektrogitarre.*

Gladiatoren [Pl.], Schwertfechter im alten Rom. Gladiatoren waren Kriegsgefangene, Sklaven, verurteilte Verbrecher und seit Cäsar auch Freiwillige. Die Gladiatorenkämpfe wurden im 1. Jh. v. Chr. zu großen Schauveranstaltungen, bei denen die Gladiatoren gegeneinander (später auch gegen wilde Tiere) kämpfen mussten.

Glas [das], ein spröder, meist durchsichtiger oder durchscheinender Werkstoff aus zahlreichen Rohstoffen (Quarz, Soda, Pottasche, Kalkstein, Marmor oder Kreide), die zusammengeschmolzen werden und beim Abkühlen erstarren. Die hoch erhitzte Glasschmelze wird industriell durch Pressen, Ziehen, Schleudern oder in der Glasbläserei mit der Glasbläserpfeife weiterverarbeitet. Glas wird schon seit 1500 v. Chr. in Ägypten hergestellt. Gegen Ende des Mittelalters wurden erstmals Glasscheiben in die Fenster von Wohnhäusern eingesetzt.

Glasfasern [Pl.], ein Sammelbegriff für Fasern, die aus Glas bestehen. Sie haben einen Durchmesser zwischen 0,1 mm bis zu wenigen Tausendstel mm. Man unterscheidet Glaswolle (Isolierglasfasern), Textilglasfasern und Lichtwellenleiter.

Glasgow ['glaːsgəu], wirtschaftlich wichtigste Stadt Schottlands, 579 000 Einwohner.

Glasnost [die, russisch], seit 1985 von dem sowjetischen Parteichef Michail *Gorbatschow* verbreitetes Schlagwort für eine Politik der Offenheit (z. B. bessere Information der Bevölkerung über staatliche Maßnahmen, öffentliche Aussprache über Missstände im Staat).

Glasur [die], ein dünner, glasartiger, dichter Überzug auf keramischen Erzeugnissen. Die Glasur macht die Gegenstände für Flüssigkeiten und Gase undurchlässig.

Gläubiger [der], jemand, der aufgrund eines Schuldverhältnisses (z. B. geliehenes Geld) eine Leistung vom *Schuldner* fordern kann.

Gleichberechtigung [die], die rechtliche Gleichstellung, besonders von Frau und Mann, die in vielen Industriestaaten weitgehend gesetzlich geregelt ist (in Deutschland »Gesetz über die Gleichstellung von Mann und Frau« von 1958).

Gleichgewicht [das], ursprüngliche Beschreibung des Zustandes, bei dem an jeder Seite einer gleicharmigen Waage eine gleich große Kraft wirkt (Gewicht), so dass die Arme der Waage genau waagerecht stehen. Heute findet der Begriff in sehr vielen Bereichen Verwendung: als physikalisches, chemisches und ökologisches Gleichgewicht in den Naturwissenschaften oder als seelisches Gleichgewicht in der Psychologie und als »Gleichgewicht der Kräfte« in der Politik.

Gleichnis [das], ein dichterisch gestalteter bildlicher Vergleich, der einen Sachverhalt durch eine leicht verständliche Aussage aus einem anderen Bereich deutlich macht.

Gleichrichter [Pl.], elektrische Geräte, die Wechselstrom in Gleichstrom umwandeln. Gleichrichter sind mit Ventilsystemen zu vergleichen, die den Strom nur in eine Richtung durchlassen.

Gleichstrom [der], elektrischer Strom mit stets gleichbleibender Bewegung der Ladungsteilchen *(Elektronen).* Gleichstrom wird von galvanischen Elementen, Akkumulatoren und Generatoren geliefert. Wechselstrom kann mit Hilfe eines Gleichrichters in Gleichstrom verwandelt werden.

Gleichungen, die durch das Gleichheitszeichen (=) symbolisierte Gleichheitsbeziehung zwischen mathematischen Größen. *Identische Gleichungen* gelten für alle Werte der vorkommenden Größen, z. B. $(a + b)^2 = a^2 + 2ab + b^2$. *Bestimmungsgleichungen*, z. B. $x^2 - 9 = 0$, gelten für einen oder mehrere Werte der unbekannten Größe, die bestimmt werden soll. *Algebraische Gleichungen* entstehen durch Nullsetzen einer ganzrationalen Funktion; sie haben die Form $x^n + a_1x^{n-1} + ...a_{n-1}x + a_n = 0$, wobei n eine natürliche Zahl ist. *Transzendente Gleichungen* sind Gleichungen, die nicht algebraisch sind.

gleichwarme Tiere [Pl.] → Warmblüter.

Gleitschirmfliegen, *Gleitsegeln*, *Paragliding*, eine aus dem Fallschirmspringen entwickelte Sportart, bei der von einem Berg oder mit einer Motorwinde gestartet wird.

Gletscher [der], Eismassen oberhalb der Schneegrenze, die nur in der Berührungszone mit dem Untergrund abtauen und langsam talwärts wandern (40 bis 200 m jährlich). Gletscher lassen Gletscherbäche entstehen und führen Schutt mit, dessen Ablagerung als *Moräne* bezeichnet wird. Beim Wandern bilden sich Gletscherspalten. In der Eiszeit bedeckten Gletscher weite Teile der Landflächen. Heute ist die Vergletscherung auf die Polkappen der Erde, auf Erhebungen in kalten Zonen (Island, Spitzbergen, Feuerland) oder große Höhen (z. B. Alpengletscher) beschränkt.

Glied [das], allgemein ein Teil eines Ganzen, auch das männliche Geschlechtsorgan *(Penis).*

Gliederfüßer [Pl.], artenreichster Stamm des Tierreichs mit den Klassen Insekten, Krebs- und Spinnentiere. Charakteristisch für alle ist das äußere Stützskelett (Außenskelett) aus Chitin, das in Scharniergelenken bewegt wird.

Glimmer [der], ein durchsichtiges Mineral, das sich in sehr dünne, durchsichtige Blättchen spalten lässt, die feuerfeste Fensterscheiben und, in der Elektrotechnik, Isoliermaterial liefern.

Globalisierung Bezeichnung für eine zunehmende internationale Verflechtung der Volkswirtschaften durch grenzüberschreitenden Handel mit Gütern, Dienstleistungen, Kapital und technischem Wissen. Siehe auch ZEIT-Beitrag →»Globalisierung: Ein Teddy von Welt«, Seite 190–193.

Global Positioning System ['gləubl pə'ziʃəniŋ 'sistəm, das, engl., »weltweites Standortbestimmungssystem«] → GPS.

Globus [der], eine maßstabsgetreue, verkleinerte Nachbildung der Erdkugel. Der erste brauchbare Globus war der 1492 von M. *Behaim* hergestellte *Erdapfel.*

Glosse [die, griech., »Zunge«], ursprünglich ein unverständlicher, der Erklärung bedürftiger Ausdruck, später auch die Erklärung oder Übersetzung eines solchen Ausdrucks. Sammlungen von Glossen *(Glossare)* sind die Vorläufer von Wörterbüchern. Heute nennt man besonders den witzigen Kurzkommentar in der Zeitung Glosse.

Glück [das], einerseits das Ziel allen menschlichen Strebens und Sehnens, andererseits der Zufall, das Geschick, das jenem Ziel den Inhalt gibt. Siehe auch ZEIT-Beitrag → »Glück: Wie findet man Glück?«, Seite 196–199.

Glucose [die], *Glukose,* die chemische Bezeichnung für Traubenzucker.

Glühlampe [die], *Glühbirne,* eine Lichtquelle. Sie besteht aus einem luftleeren oder mit Edelgas gefüllten Glaskolben, in dem ein Metallfaden (meist aus Wolfram) zum Glühen gebracht wird.

Glukose [die] → Glucose.

GmbH, Abkürzung für → **G**esellschaft **m**it **b**eschränkter **H**aftung.

Gnu [das], eine Kuhantilope; lebt in größeren Herden in den Savannen Süd- und Ostafrikas.

Gobelin [gɔ'blɛ̃, der, franz.], ein handgewebter Bildteppich, der meist als Wandschmuck verwendet wird. Er wurde nach der französischen Familie *Gobelin* benannt, die vom 15. bis 17. Jh. in Paris kostbare Wandteppiche herstellte.

Gobi [mongolisch, »Wüste«], eine riesige Wüsten- und Steppenlandschaft in Innerasien, etwa 1000 m hoch gelegen. Sie gehört politisch zu China und zur Mongolei.

Wer war …
Johann Wolfgang von Goethe

Der deutscher Dichter Johann Wolfgang von Goethe (* 1749, † 1832) ist eine herausragende Gestalt der deutschen Literaturgeschichte. Zusammen mit F. *Schiller* prägte er die literarische Epoche der Weimarer Klassik. Seine Gedichte, Dramen und Romane zählen zum festen deutschen Kulturgut.

Goethe studierte in Leipzig und Straßburg Rechtswissenschaften. In Straßburg begann er, sich unter dem Einfluss J. G. Herders für die antiken Dichter Homer und Pindar, für Shakespeare, aber auch für die gotische Baukunst und für das Volkslied zu begeistern. Er schrieb die Urfassungen des »Faust« (1772–1775) und den »Götz von Berlichingen« (1773) sowie seine erste große Erlebnislyrik, die Sesenheimer Lieder an Friederike Brion (»Willkommen und Abschied«, »Mailied«). Nach Frankfurt zurückgekehrt, war er als Rechtsanwalt tätig. Nach einer Praktikantenzeit in Wetzlar, wo er sich unglücklich in Charlotte Buff (»Lotte«) verliebte, entstand der Briefroman »Die Leiden des jungen Werthers« (1174), der ihm Weltruhm eintrug und ihn zum führenden Dichter des Sturm und Drang machte. 1775 holte Karl August, der Herzog von Sachsen-Weimar, Goethe nach Weimar. Hier gewann Goethe von Jahr zu Jahr an Einfluss, wurde 1776 Geheimer Rat, 1782 Präsident der Finanzkammer und vom Kaiser geadelt.

Johann Wolfgang von Goethe

Da sich Goethe von seinen amtlichen Verpflichtungen zunehmend beengt fühlte, reiste er 1786–1788 nach Italien. Dort beschäftigte er sich mit italienischer und antiker Kunst, und begann, unter dem Einfluss dieser künstlerischen Vorbilder diejenigen Dramen zu schreiben, die heute zu den Meisterstücken der deutschen Klassik zählen. Dazu gehören u. a. »Iphigenie auf Tauris« (1787), »Egmont« (1788) und »Torquato Tasso« (1790). Wieder in Weimar, lernte er 1788 Christiane Vulpius, seine spätere Frau, kennen. Die Französische Revolution erschütterte das Weltbild Goethes; viele Eindrücke dieser Zeit flossen in seine Werke ein. 1790 unternahm er eine zweite Italienreise und widmete sich weiteren naturwissenschaftlichen Studien (»Metamorphose der Pflanzen«, erste Arbeiten zur »Farbenlehre«). Die seit 1794 bestehende Freundschaft mit Schiller wurde für beide Dichter zu einer literarisch fruchtbaren Zeit. Neben der gemeinsamen Arbeit an den verschiedenen Zeitschriftenprojekten Schillers (»Horen«, »Musenalmanach«), beendete Goethe v. a. seinen Erziehungsroman »Wilhelm Meisters Lehrjahre« (1795/1796). Seine wichtigste literarische Arbeit war zu dieser Zeit aber der »Faust«, dessen ersten Teil er 1808 beendete. Goethes dichterisches Spätwerk ist durch die »Wahlverwandtschaften« (1809), »Wilhelm Meisters Wanderjahre« (1821) und den »Faust II« (1832) bestimmt. Daneben verfasste eine eine große Anzahl an Schriften zu Kunst, Literatur und Naturwissenschaft. Seine Leben schilderte er in seiner Autobiografie »Dichtung und Wahrheit« (1811/1814). Als Goethe starb, endete auch die Zeit der deutschen Klassik.

Waren aus aller Welt: Containerschiff im Hafen von Rotterdam

Globalisierung

Ein Teddy von Welt

Von Petra Pinzler

Die meisten Plüschteddys haben eine weite Reise hinter sich, wenn sie im Schaufenster eines Spielzeugladens landen und darauf warten, gekauft zu werden. Zigtausende Kilometer haben sie zurückgelegt, meist aus Hongkong oder anderen Ländern des fernen Ostens. Könnten sie sprechen, so würden sie von einer Welt erzählen, in der die Menschen überall hinreisen können, in der sie von den entferntesten Ecken des Globus miteinander telefonieren oder E-Mails versenden und ihre Waren in allen Ländern der Erde verkaufen. In Zeitungen, im Radio oder im Fernsehen fällt meistens nur ein einziges Wort, wenn von dieser Welt die Rede ist: Globalisierung.

Seit den frühen neunziger Jahren taucht dieser Begriff vermehrt in den Medien auf. Und er ist nicht leicht zu übersetzen. »Global« bedeutet weltweit, Globalisierung also ungefähr »Verweltweitung«. Gemeint ist eine Entwicklung, in der immer mehr Menschen und Unternehmen weltweit handeln.

E-Mail-Freunde in Übersee

Im Privaten kann das heißen, dass man ungehindert verreisen kann oder E-Mail-Freunde in Übersee hat. Für Unternehmen bedeutet es, dass sie ihre Waren nicht nur in aller Welt verkaufen, sondern auch herstellen können. Viele Produkte setzen sich dabei aus Einzelteilen zusammen, die aus verschiedenen Ländern stammen – in der Autoindustrie etwa. Der Welthandel ist dadurch in den vergangenen Jahren mehr gewachsen als je zuvor. Und er hat sich grundlegend gewandelt.

Auch die Herstellung von Teddys ist davon betroffen. Manche von ihnen werden heute zwar noch immer im deutschen Gingen produziert, wo die Firma Steiff ihren Sitz hat. Immer häufiger aber kommen sie aus Asien. In riesigen Containern erreichen sie den Hamburger Hafen und werden von dort an die Spielwarenläden im ganzen Land verschickt. Da Containerschiffe inzwischen alle möglichen Dinge für wenig Geld rund um die Welt schippern, ist die Länge des Transportweges für den Ladenpreis nahezu egal.

Das Internet macht es dabei immer einfacher, den billigsten und besten Teddy auf der Welt zu finden und ihn zu bestellen. Die wenigsten Leute werden das Kuscheltier dabei über das Internet direkt in Hongkong einkaufen. Aber das müssen sie auch gar nicht, denn diese Arbeit übernehmen Importeure, die davon leben, Teddys nach Deutschland einzuführen – zu importieren.

Zudem werden immer mehr Teddys produziert. Denn es gibt weltweit immer mehr Teddyhersteller. Im riesigen China etwa wachsen heute in atemberaubendem Tempo Industrieanlagen in den Himmel – unter anderem, um Spielzeug herzustellen.

Ähnliches gilt für die andere Produkte auch: Billiger Transport, weltweiter Handel über das Internet, weltweit steigende Produktion.

Fragt sich nur: Was ist davon zu halten? Da sind sich die Experten alles andere als einig. Ein heftiger Streit ist um die Globalisierung, ihre Ursachen und Wirkungen entbrannt: Die einen halten sie für böses Hexenwerk, das die Armen ärmer und die Reichen reicher macht. Andere glauben an ihre unbegrenzte Heilkraft – daran, dass sie neuen Wohlstand schafft.

Der umstrittene Welthandel

Die Anhänger der Globalisierung – manchmal werden sie auch »Freihändler« oder »Neoliberale« genannt – argumentieren so:

Die Menschen sollten am besten rund um die Welt ungehindert miteinander handeln dürfen. Denn je leichter die einen ihre Produkte den anderen verkaufen können, desto besser ist es für alle beide. Die einen verdienen Geld und haben Arbeit. Die anderen können billig kaufen, schließlich sorgt die weltweite Konkurrenz – alle wollen den billigsten Teddy anbieten! – für niedrige Preise. Umso besser, sagen sie weiter, dass die billigsten Waren dabei immer öfter aus Entwick-

Billige Kleidung aus Fernost: wenig Geld für harte Arbeit

lungsländern kommen, also Ländern, in denen es den Menschen nicht so gut geht wie uns und in denen zum Beispiel das Recht auf Schulbesuch oder Zugang zu sauberem Wasser keine Selbstverständlichkeit sind. Darüber, dass diese armen Länder heute preisgünstige Waren anbieten, können wir uns freuen. Umgekehrt profitieren davon auch die Menschen in den Entwicklungsländern, denn indem sie Waren produzieren und verkaufen, steigern sie ihren Wohlstand und können ihre Lebensumstände verbessern …

Stopp!, rufen da die Globalisierungskritiker. So einfach ist das nicht! Wenn jeder jedem ohne Regeln seine Sachen verkaufen darf, ist das schlecht für alle. Denn dann setzen sich die durch, in deren Ländern am wenigsten Rücksicht auf die Umwelt genommen wird und die ihre Leute am schlechtesten bezahlen, ja sie regelrecht ausbeuten unter unmenschlichen Arbeitsbedingungen! Außerdem musste manche Bärenfabrik, die zuvor noch in der Nachbarstadt in Deutschland stand, deswegen längst nach China umziehen. Dort verdienen die Arbeiter wenig, also können die Kuscheltiere billiger hergestellt werden. Den Menschen, die deswegen hierzulande ihren Arbeitsplatz verlieren, hilft die Globalisierung also gar nichts. Und auch den Kindern nicht: Die bekommen vielleicht mehr Teddys. Aber aus China sind in letzter Zeit viele Spielzeuge zu uns gekommen, die der Gesundheit schaden. Deswegen brauchen wir neue Regeln: zum Schutz der Arbeiter in Ländern wie China. Zum Schutz der Verbraucher. Und zum Schutz der Natur.

Alles hängt zusammen

Vorsicht, entgegnen da wieder die Globalisierungsfans. Sicher muss die Gesundheit geschützt werden. Handelsregeln aber werden leicht missbraucht, um den unliebsamen Konkurrenten auszuschließen. Wenn plötzlich kein Spielzeug aus China mehr hier verkauft werden darf, nützt das doch auch keinem – weder den Eltern noch den Kindern, noch den Arbeitern. Im Gegenteil. Ein Land wie Deutschland, das vom Handel mit der Welt lebt, sollte keine neuen Schranken erheben. Dann tun die anderen das vielleicht ebenfalls. Auch Waren aus unserem Land lassen sich dann nicht mehr verkaufen.

Die Freihändler schlagen deswegen eine andere Strategie vor. Sie sagen: Wir sollten versuchen, die besten Produkte der Welt herzustellen! Dann müssten wir auch keine Konkurrenz fürchten. Damit das aber funktioniert, brauchen wir gute Ingenieure, Erfinder und Arbeiter. Um der Globalisierung zu trotzen, sollten wir deshalb viel Geld für gute Schulen und Universitäten ausgeben … und so geht die Debatte immer weiter.

Hauptsache günstig: Spielzeuglaster aus China

Bundeskanzlerin Angela Merkel (Mitte) beim G8-Treffen in Heiligendamm (2007)

Wer hat recht? Das ist schwer zu sagen. Einfache Antworten jedenfalls gibt es nicht. Denn in einer globalisierten Welt hängt alles mit allem zusammen. Auch deswegen streiten sich die Experten und Politiker darüber schon seit Jahren.

Die Mächtigen und der Protest

Die mächtigste Organisation, in der über Fragen der Globalisierung diskutiert wird, ist die Welthandelsorganisation (WTO). Sie sitzt in Genf. Botschafter aus 151 Ländern beraten dort über faire Regeln für den Handel. Sie legen etwa fest, welche Zölle ein Land erheben darf, um Waren aus dem Ausland teurer zu machen und so die eigene Industrie (und Arbeitsplätze) zu schützen.

Die Globalisierungsgegner und viele Regierungen der Entwicklungsländer finden die geltenden Regeln der Welthandelsorganisation jedoch ungerecht. Die seien vor allem von den Reichen geschrieben worden, sagen sie – und zwar ausschließlich zu deren eigenem Nutzen. Eine Kritik, die nicht unberechtigt ist. Aber wie lässt sich die Globalisierung gerechter gestalten?

Um dazu Vorschläge zu erarbeiten, setzen sich auch die Globalisierungskritiker immer wieder zusammen. Oder sie protestieren – zum Beispiel bei den jährlichen Treffen der Regierungschefs der sogenannten G8-Staaten. Zu dieser »Gruppe der Acht« zählen Deutschland, Frankreich, Italien, Japan, Kanada, Russland, die USA und Großbritannien – Staaten, die weltweit große Macht und Einfluss haben. Doch alle Konferenzen, alle Beratungen und Proteste haben noch kein Ergebnis erbracht, auf das sich alle einigen konnten. Nur in einem Punkt sind sich Kritiker und Anhänger der Globalisierung weitgehend einig: Stoppen lässt sich die Globalisierung nicht mehr. Wie sie geregelt werden soll, darüber wird der Streit indes noch lange weitergehen.

Gogh [gɔch], Vincent van, * 1853, †1890; niederländischer Maler. Er lebte ab 1886 in Paris und ab 1888 in Arles (Südfrankreich). Anfangs malte er die Bauern und Arbeiter sowie die Landschaften seiner Heimat in eintönigen, dunklen Farben. In Paris wurde er vom *Impressionismus* beeinflusst. Später malte er im Stil des *Expressionismus,* als dessen Begründer und Wegbereiter er gilt. Durch ungewöhnliche Farbgebung schuf er Bilder mit starker Leuchtkraft. Nach einer schweren Krankheit nahm er sich in Auvers, wo er bei seinem Arzt lebte, das Leben.

Gokart ['gɔukaːt, der, engl.], Kleinstrennwagen, eine in den USA entwickelte Stahlrohrkonstruktion mit vier Rädern und kleinem Motor. Gokart-Bahnen sind 500–1000 m lang, 6–9m breit und durch Strohballen gesichert. Die Fahrzeuge erreichen Geschwindigkeiten um 160 km in der Stunde.

Gold [lat. aurum], ein chemisches Element mit dem Zeichen Au, ein glänzendes Edelmetall. Gold ist verhältnismäßig weich, lässt sich gut polieren und ist beständig gegen fast alle chemischen Einflüsse. Es kommt meist gediegen (rein) vor allem in Südafrika, Russland, den USA, Kanada und Australien vor. In Form von Legierungen mit Silber, Platin und Kupfer wird es als Münzmetall und zur Herstellung von Schmuck verwendet.

Vincent van Gogh: Das Bild »Sternennacht« (1889) zeigt seine typische Malweise mit züngelnden Linien.

Goldhamster: Gegen Artgenossen können auch die meist friedlichen Goldhamster sehr aggressiv sein. Vor allem bekämpfen sich fremde männliche Tiere heftig, wenn sie um ein Weibchen werben.

Goldener Schnitt [der], die Teilung einer Strecke in zwei Abschnitte, so dass sich die ganze Strecke zum größeren Abschnitt so verhält wie dieser zum kleineren Abschnitt. Mathematisch lässt sich das Verhältnis so ausdrücken: $a:b=b:(a+b)$. Der Goldene Schnitt war in der Baukunst und der Malerei von Bedeutung, da er sehr harmonisch wirkt.

Goldfisch [der], Karpfenfisch, der in China schon vor über 1000 Jahren gezüchtet wurde. Bei uns ist der Goldfisch ein beliebter Zierteich- und Aquarienfisch von rötlich gelber bis roter Farbe.

Goldhamster [der], ein aus Syrien stammendes Nagetier; es wird heute als Haustier und in Laboratorien gehalten.

Golf, **1.** [der, griech.], eine große Meeresbucht, z. B. der Golf von Persien. **2.** [das, engl.], ein aus Schottland stammendes Rasenspiel. Ein Golfball muss mit Hilfe eines Golfschlägers mit möglichst wenig Schlägen vom Abschlag zum »Loch« geschlagen werden. Der normale Golfplatz hat 18 Bahnen, die ca. 150–500 m lang sind und an deren Ende sich jeweils die »Grüns« mit der Zielfahne und dem Loch befinden. Natürliche und künstliche Hindernisse erschweren das Golfspiel.

Gorilla: Berggorillas gehören zu den am stärksten bedrohten Tieren, vermutlich gibt es nur noch etwa 500–600; sie sind durch Lebensraumzerstörung und Wilderei gefährdet.

Golfkrieg [der], **1.** eine politische und 1980 bis 1988 kriegerische Auseinandersetzung zwischen Iran und Irak am Persischen Golf um das Mündungsgebiet von Euphrat und Tigris. **2.** um die Befreiung des vom Irak besetzten Kuwaits 1991 geführter Krieg zwischen dem Irak und einem multinationalen Streitkräfteverband unter Führung der USA. Kuwait war 1990 von irakischen Truppen besetzt und zur irakischen Provinz erklärt worden. **3.** → Irak-Krieg

Golfstrom [der], eine warme Meeresströmung, die im Karibischen Meer entsteht, den Atlantik durchquert und Nordwesteuropa berührt. Durch den Golfstrom haben Irland und Norwegen auch im Winter eisfreie Häfen und ein mildes Klima.

Golgatha [aramäisch, »Schädelstätte«], ein Hügel bei Jerusalem, auf dem nach dem Neuen Testament Jesus Christus gekreuzigt wurde.

Google® ['gu:gəl], Internet-Suchmaschine der US-amerikanischen Firma Google Inc., Sitz: Mountain View, Calif.; 1998 gegründet, seit 1999 am Netz; bearbeitet heute weltweit mehr als die Hälfte aller WWW-Suchanfragen.

Gorbatschow, Michail S., * 1931; sowjetischer Politiker. Unter den Schlagworten »Glasnost« und »Perestrojka« leitete er eine Reform des sowjetischen Staats- und Wirtschaftssystems ein. Gorbatschow war seit 1985 Generalsekretär der Kommunistischen Partei (Regierungschef) und seit 1990 Staatspräsident. Mit der Auflösung der Sowjetunion 1991 verlor er seine politischen Ämter. Gorbatschow erhielt 1990 den Friedensnobelpreis.

Gorilla [der], ein großer, schwerer Menschenaffe. Er ernährt sich von Pflanzen und lebt in Familien in den Wäldern Zentralafrikas.

Gorkij, Maxim, eigentlich Alexej Maximowitsch *Peschkow*, * 1868, †1936; russischer Schriftsteller. Er schildert das Leben der Armen und den Zerfall der bürgerlichen Gesellschaft in Russland. Sein Drama »Nachtasyl« machte ihn weltberühmt.

Gospelsong [der], geistliches Lied der Schwarzen Nordamerikas mit Jazz-Elementen.

Goten [Pl.], ein ostgermanisches Volk, das ursprünglich in Skandinavien ansässig war. Anfang des 3. Jh. v. Chr. zogen sie in das Schwarzmeergebiet, wo sie sich in *Ostgoten* und *Westgoten* teilten. Die Westgoten zogen bis Südfrankreich, wo ihre Herrschaft 507 durch den Frankenkönig *Chlodwig* beendet wurde, und Spanien, wo sie 711 von den Arabern geschlagen wurden. Die Ostgoten gründeten ein Reich in Italien, das bis 533 bestand.

Geborgen sein und sich wohlfühlen – dafür braucht es oft nicht viel

Glück

Wie findet man Glück?

Von Elisabeth von Thadden

Es gibt Wörter, die stehen im Lexikon, obwohl jeder weiß, dass nachschlagen allein nichts hilft. Denn oft man muss fühlen, hören oder schmecken, um zu wissen, worum es geht. Glück ist so ein Wort. Das Glück hat etwas Unbeschreibliches, wie die Nähe der Menschen, die man am liebsten hat; wie das Gefühl, wenn man etwas findet, das man lange gesucht hat – oder wenn man einem anderen Menschen zu seinem Glück verhelfen konnte. All das kann glücklich machen.

Aber Glück ist nicht gleich Glück: Glücklich zu sein ist zum Beispiel etwas ganz anderes, als Glück zu haben. Beim Glück ist die reiche deutsche Sprache rätselhaft knapp: Nur ein Wort hat sie für zwei Sorten von Glück – für das Gefühl des Wohlbefindens zum einen, das Glücklichsein; und zweitens für den erfreulichen Zufall. Wenn einer vom Baum fällt und unverletzt unten ankommt, ist er ein Glückspilz. Wenn einer zufrieden ist und sich wohlfühlt, zum Beispiel, weil er Ferien in den Bergen verbringt, dann ist er glücklich – ohne Mithilfe des Zufalls oder des Schicksals.

Im Einklang mit sich selbst

Die meisten Sprachen haben für diese zwei Sorten von Glück zumindest zwei verschiedene Worte, die französische Sprache *bonheur* und *chance,* die englische *happiness* und *luck,* die lateinische *beatitudo* und *fortuna*. Im Deutschen hingegen weiß man nicht einmal genau, woher das eine, doppeldeutige Wort Glück kommt.

Das Glück ist nicht nur rätselhaft, es wird auch von allen gesucht. Seit etwa 250 Jahren finden die Menschen in der westlichen Welt sogar, sie hätten ein Recht, das Glück suchen zu gehen. In der amerikanischen Unabhängigkeitserklärung von 1776 steht das Streben nach Glück unter den wichtigsten Freiheitsrechten des modernen Menschen. Die Suchmaschine im Computer findet heute fast 34 Millionen Hinweise zum Stichwort »Glück« – zum »Pech« aber und zur »Traurigkeit« gibt es nur einen winzigen Bruchteil davon. Nach dem Pech und der Traurigkeit sucht eben fast niemand.

Aber was genau ist Glück? Fast jeder würde etwas darum geben, das Glück zu spüren, wie jener wohlbekannte Bär Pu mit wenig Verstand es kann, den sich der englische Schriftsteller A. A. Milne ausgedacht hat. Mitten im Bach auf einem Stein sitzt eines Morgens dieser Bär und singt: »Oh wie wohl ist mir am Morgen als Pu.« Dieses Wohlsein, das Einverständnis mit sich selbst, auch mit der Natur: Das ist das Glück, würden viele Philosophen sagen. Wer es spürt, würde es am liebsten festhalten. Aber viele spüren es nicht einmal. Der Gelehrte aus dem 1808 erschienenen Drama *Faust* des Dichters Johann Wolfgang von Goethe ist sogar bereit, dem Teufel seine Seele dafür zu verwetten, dass der ihm bei der Glückssuche hilft. Das hat in diesem Schauspiel allerdings tödliche Folgen. Das Glück lässt sich nämlich nicht herbeihandeln. Es lässt sich auch nicht kaufen, wie die Redensart »Geld macht nicht glücklich« besagt. Wirtschaftswissenschaftler und Psychologen haben sogar herausgefunden, dass ausgerechnet die Menschen in Bangladesch, die Allerärmsten der Armen, zu den glücklichsten der Welt gehören.

Um Reichtum geht es nicht

Daraus zu schließen, dass Armut glücklich macht, wäre nun allerdings auch verkehrt. Aber heute weiß die Glücksforschung, dass es für das Wohlbefinden wichtiger ist, Arbeit, verlässliche Menschen und eine finanzielle Grundausstattung zu haben, als sehr viel Geld zu verdienen. Denn an den Wohlstand gewöhnen sich die Menschen so schnell, dass sie bald wieder so unzufrieden sind wie zuvor. Es macht nicht glücklich, immer mehr Reichtümer anzuhäufen. Entscheidend für

Gelassen und weise: der Dalai-Lama, Tibets geistiges Oberhaupt

unser Glücksgefühl ist außerdem die Möglichkeit, über sich selbst bestimmen zu können. Das wussten schon die Philosophen der Antike.

Glück fällt nicht vom Himmel

Schon vor fast 2000 Jahren schrieb etwa der römische Philosoph Seneca über die schwierige Suche nach dem Glück. *Vom glücklichen Leben* heißt sein Buch. Es beginnt so: »Ein Leben im Glück wünschen sich wohl alle, ebenso tappen aber auch alle im Dunkeln, wenn es darum geht, sich die Voraussetzungen für ein echtes Lebensglück deutlich vor Augen zu stellen.« Seneca war Lehrer des später maßlos verschwenderischen und verbrecherischen Kaisers Nero, deshalb war er mit allen Scheußlichkeiten des Menschen vertraut. Er gehörte zur römischen Stoa, einer Gruppe von Denkern, die in den Jahrzehnten nach Christi Geburt darüber nachdachten, wie das menschliche Leben gelingen könne. Senecas Antwort hieß: »Glücklich darf man nur jemanden nennen, der weder Wünsche hegt noch Furcht empfindet.« Keine Wünsche haben und sich nicht fürchten – das ist nicht leicht. Und Seneca fügt hinzu: Nur wer Vernunft besitzt und die Kraft hat zu urteilen, der kann auch wirklich glücklich sein.

Vom Zufall, ob einem Schönes passiert, oder vom Wohlfühlen sollte man sein Glück nicht abhängig machen, denken Philosophen wie Seneca. Denn dann wäre man ja in schwierigen Zeiten – etwa bei Krankheit, Arbeitslosigkeit, im Krieg und wenn es ans Sterben geht – dazu verdammt, unglücklich zu sein. Und das passt nicht dazu, dass der Mensch frei ist. Für diese Philosophen war es wichtig, dass bleibendes Glück keineswegs vom Himmel fällt, sondern dass man es erlernen kann und muss. Man kann den Geist nämlich darin trainieren, dass er sich innerlich frei macht von dem Unglück, das sich nicht ändern lässt.

Glücklich ist, wer innerlich kein Sklave ist, selbst wenn er im Gefängnis sitzen muss oder im Elend lebt. Interessanterweise denkt nicht nur die europäische Antike so, sondern in den anderen Weltkulturen wie dem Buddhismus oder dem Hinduismus kommen die Weisheitslehrer zu ähnlichen Schlüssen. Viele Europäer wollen heute vom Dalai-Lama – dem geistlichen Oberhaupt Tibets – lernen, wie ein Mensch glücklich sein kann. Aber bei den eigenen Vorfahren, den europäischen Stoikern wie Seneca oder dem römischen Kaiser Marc Aurel würden sie ganz Ähnliches lernen können. Offenbar haben die Menschen entscheidende Fragen und Antworten überall auf der Welt gemeinsam.

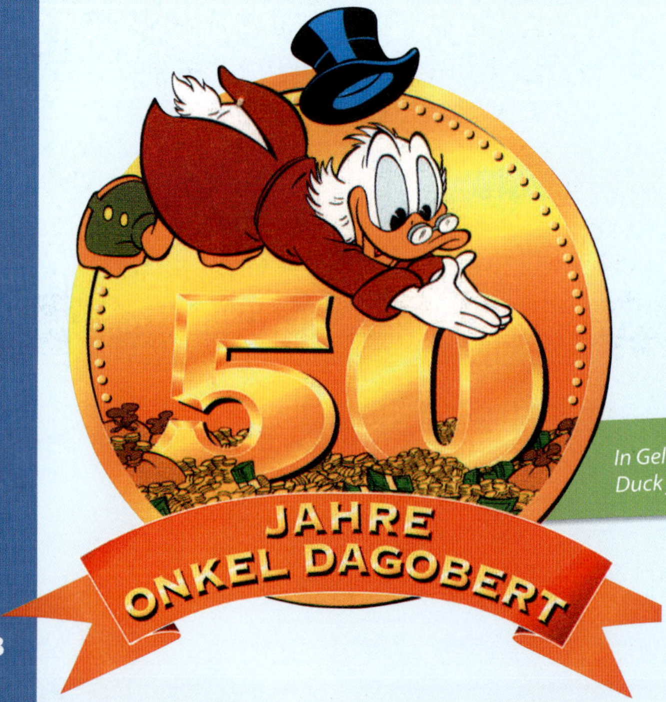

In Geld baden: Ob das glücklich macht? Dagobert Duck jedenfalls sieht selten so fröhlich aus wie hier

Beim Roulette gewinnt, wer Glück hat. Glücklich ist er deshalb noch lange nicht …

Gegenwärtig gibt es einen Philosophen, Martin Seel, der hat zum Glück noch einen Gedanken hinzugefügt, der für Menschen kostbar sein kann, die in überreichen Gesellschaften wie der unseren leben: Seel sagt, zu einem glücklichen Leben gehöre dazu, dass nicht alle Wünsche erfüllt werden und dass man neugierig bleiben kann bis zum Ende des Lebens.

Das Leben sinnvoll finden

Ein anderer Philosoph, Wilhelm Schmid, schreibt, das Glück umfasse nicht nur das Angenehme und Schöne, sondern glücklich werde man erst, wenn man verstehe, dass Glück und Leid untrennbar zusammengehört. Noch wichtiger als das Glück sei es, das menschliche Leben *sinnvoll* finden zu können. Vielleicht sind solche Gedanken die beste Hilfe dagegen, sich immer mehr zu wünschen, was einen dann doch nicht recht froh macht. Im 19. Jahrhundert wollte der britische Wirtschaftswissenschaftler Francis Edgeworth das Gefühl Glück am liebsten mit einem Gerät messen können, weil ihm am Glück möglichst vieler Menschen gelegen war. Heute können die Wissenschaften, die sich mit dem Gehirn beschäftigen, tatsächlich vieles messen, was im Gefühlsleben geschieht. Aber viele bezweifeln, dass es dem Glück gut bekommt, wenn man es zu messen versucht.

Jener am Anfang erwähnte Bär Pu übrigens war besonders glücklich, als er dem traurigen Esel Iaah einen leeren Honigtopf geschenkt hatte, in den man etwas hineintun konnte, zum Beispiel einen geplatzten Luftballon. »Ich bin sehr froh darüber«, sagt Pu glücklich, »dass ich daran gedacht habe, dir einen nützlichen Topf zu schenken, in den man Sachen tun kann.« Das kann also auch glücklich machen: daran zu denken, für andere etwas zu tun. Nur erzwingen lässt sich das nicht.

Was ist die … Gotik

Die Gotik ist eine Stilepoche der europäischen Kunst zwischen 1150 und 1550. Die Bezeichnung »Gotik« geht auf einen italienischen Künstler des 16. Jh. zurück (G. *Vasari*), der die gotische Kunst im Vergleich zu der Kunst der Antike als minderwertiger ansah, da es angeblich die Goten – die Barbaren aus dem Norden – gewesen seien, die diese Kunst geschaffen hätten. »Gotik« war also zuerst ein Schimpfname, bevor der Begriff später zu einer festen Stilbezeichnung wurde. Die Kunst der Gotik setzte in Frankreich um die Mitte des 12. Jh., in Deutschland erst im 13. Jh. ein. In vielen Teilen Europas blieb sie bis zum Anfang des 16. Jh. vorherrschend.

Architektur: Das Zeitalter ist besonders durch den Bau der großen Kathedralen in West- und Mitteleuropa gekennzeichnet. Deren Architektur diente in erster Linie dazu, die christliche Ideenwelt zu versinnbildlichen. Die gotische Kathedrale kann man v. a. an ihrer nach oben strebenden Bauweise erkennen. Mit ihren Pfeilern, Spitzbögen, hohen Fensteröffnungen und schlanke Türmen führte sie neue Formen in die Architektur ein. Die Anfänge der gotischen Baukunst lagen in Nordfrankreich; berühmtestes Beispiel ist hier die frühgotische Kathedrale Notre-Dame in Paris, deren Bau 1163 begonnen wurde. Die englische Gotik, wie man sie z. B. in der Kathedrale von Westminster in London findet, nahm Elemente der normannischen Kunst in sich auf. Typisch sind u. a. die Längenbetonung der Anlage, doppelte Querschiffe von ungleicher Breite, geschlossener Chor und ein locker gefügter Aufbau. In Deutschland wurde die Bauweise nach französischem Muster stufenweise eingeführt, so z.B. beim Kölner Dom, dessen Bau 1248 begann.

Bildhauerkunst und Malerei: Die gotische Bildhauerkunst des 13. Jh. steht in engem Zusammenhang mit der Architektur. Es wurden v. a. Steinskulpturen geschaffen, die das Portal oder das Innere der Kirchen schmückten. Skulpturen aus Holz wurden meist für Andachtsbilder und später für Schnitzaltäre angefertigt. Kennzeichen der gotischen Figuren ist, dass sie viel lebendiger und persönlicher wirken als die Skulpturen der vorhergehenden romanischen Epoche. Die schlanken Gestalten nehmen meist eine ungezwungene Haltung ein und zeichnen sich durch ihre üppig-fließenden Gewänder aus. Bedeutende Bildhauer dieser Epoche waren V. *Stoß* und T. *Riemenschneider*. In der Malerei wurden Landschaften und Dinge zum ersten Mal naturnah dargestellt Die Figuren sind anmutig, die Farbe leuchtend. Wichtige Maler der Gotik sind u. a. Giotto, J. van Eyck oder S. Lochner.

Gotik: Perspektivischer Schnitt durch eine gotische Kathedrale. Gut zu erkennen ist, wie die Senkrechte des Raumes durch die aufstrebende Architektur betont wird.

Gotland, zu Schweden gehörende größte Insel der Ostsee, zwischen der südschwedischen Küste und Lettland, 57 800 Einwohner.

Gott [der], bei den Christen der Herr der Welt, der sich ihnen in Jesus Christus und seinem Wort offenbart hat. Juden, Christen und Moslems glauben nur an einen Gott *(Monotheismus)*. In anderen Religionen werden mehrere Götter verehrt *(Polytheismus)*.

Götter [Pl.] → Germanen, → griechische Götter, → römische Götter.

Göttingen, Stadt in Niedersachsen, an der Leine, 123 000 Einwohner.

Gourmet [gur'mɛ, der], ein Feinschmecker.

Goya, Francisco José de, eigentlich Goya y *Lucientes*, * 1746, †1828; spanischer Maler und Grafiker. Goya stellte die Schrecken des Krieges und die Hintergründigkeit des Menschen mit schonungsloser Offenheit dar. Die Werke seiner Spätzeit haben fantastisch-dämonische Züge.

GPS [das], Abkürzung für engl. **G**lobal **P**ositioning **S**ystem, ein »weltweites Standortbestimmungssystem«. GPS beruht darauf, zu messen, wie lange ein Funksignal von einem Bezugspunkt zur eigenen Position braucht. Da die Geschwindigkeit des Signals bekannt ist, kann von der Dauer auf die Entfernung geschlossen werden. Als Bezugspunkte dienen jeweils mindestens 3 Satelliten in der Erdumlaufbahn, deren Position zu jeder Zeit exakt bekannt ist. Ein Mensch auf der Erde kann so mit einem GPS-Empfangsgerät seine Position bis auf 1 m genau bestimmen.

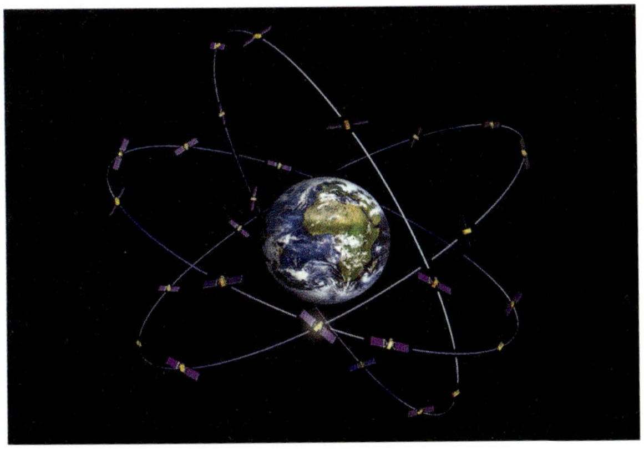

GPS: Satelliten umkreisen die Erdumlaufbahn.

Gracht [die, niederländisch, »Graben«], ein schiffbarer Kanal in einer Stadt, besonders in holländischen Städten.

Grad [der], **1.** Teil einer Messskala, z.B. des Thermometers. **2.** Einheit für die Messung der Größe eines → Winkels.

Gradnetz [das], ein gedachtes Netz aus sich schneidenden Linien, den sogenannten *Längen-* und *Breitenkreisen*, das rund um die Erdkugel gezogen ist. Mit seiner Hilfe lässt sich die geographische Lage jedes beliebigen Ortes genau bestimmen. Auch → Erde.

Graf [der], zunächst Stellvertreter des Königs als Grafschaftsverwalter; später ein erblicher Adelstitel.

Graffiti, Malerei oder Parole, die mit Dosenfarbe auf Wände, Fassaden, U-Bahnen oder Busse gesprüht wird. Die Spraykunst begann in den 1970er Jahren als Ausdruck von politischem Protest in den USA und wurde in Europa durch H. *Naegli* populär. Inzwischen hat sich u.a. durch K. *Haring* eine Graffitiart entwickelt, die auch auf Leinwand übertragen wird. Rechtlich gilt Graffiti dann als Sachbeschädigung, wenn die Beseitigung die Substanz der besprühten Fläche nicht unerheblich beschädigt.

Grafik [die], *Graphik*, Sammelbezeichnung für ein- und mehrfarbige Flächenkunst auf Papier. Die Grafik umfasst neben der Kunst der Zeichnung auch die Druckgrafik. Diese verwendet Druckplatten und -stöcke z.B. aus Holz, Metall, Stein. Die wichtigsten grafischen Techniken sind Holzschnitt, Kupferstich, Radierung und Lithographie. Eine ganz neue grafische Technik ist die Computergrafik.

Gral [der], in der Legende des Mittelalters ein geheimnisvolles Heiligtum (Schale oder Stein), dessen Besitz irdisches und himmlisches Glück verleihen konnte.

Granada: Die Alhambra in Granada war von 1238 bis 1492 der Herrschaftssitz der maurischen Nasriden-Dynastie.

Gramm [das], Kurzzeichen g, Einheit der Masse (und des Handelsgewichts): 1 g = 0,001 kg (Kilogramm).

Grammatik [die], *Sprachlehre,* ein Teilgebiet der Sprachwissenschaft. Die Grammatik beschäftigt sich vor allem mit dem Aufbau und den Gesetzmäßigkeiten der Sprache, den verschiedenen Wortarten und ihren Beugungsformen *(Morphologie)* sowie der Verwendung der Wörter für den Satzbau *(Syntax).*

Granada, eine Stadt in Südwestspanien, 238 000 Einwohner. Granada wurde 711 von den Arabern erobert, von 1238 bis 1492 war die Stadt ein maurisches Königreich. Viele Kunstdenkmäler Granadas sind Zeugen der maurischen Zeit (z. B. die berühmte *Alhambra,* der Königspalast der islamischen Herrscher).

Granat [der], ein rotes bis braunes Mineral, das auch in kristallisierter Form vorkommt. Viele Granate dienen als Schmucksteine.

Granate [die], im Mittelalter eine mit Pulver gefüllte eiserne Hohlkugel zur Sprengung von Festungsmauern. Heute wird die Granate als Handgranate im Nahkampf oder als Langgeschoss der Artillerie verwendet.

Gran Canaria, die drittgrößte der spanischen Kanarischen Inseln, 755 000 Einwohner; Hauptstadt und Hafen ist *Las Palmas.*

Grand Canyon ['grænd 'kænjən], die tiefste Schlucht des Colorado River (USA), 350 km lang, bis 1800 m tief.

Grandprix [grã'pri, der, franz.], Bezeichnung für große internationale Sportveranstaltungen, besonders im Automobilsport und im Pferdesport.

Granit [der], ein helles, körniges Gestein aus Quarz, Feldspat und Glimmer.

Grapefruit ['grɛipfruːt, die, engl.], ein tropischer Baum mit gelben, herbsüßen Früchten. Sie sind kleiner als die der *Pampelmuse,* mit der die Grapefruit oft verwechselt wird. Auch → Zitrusfrüchte.

Graphit [der], *Grafit,* ein grauschwarzes, weiches, metallisch glänzendes Mineral aus reinem Kohlenstoff. Graphit wird zur Herstellung von Bleistiften, Schmelztiegeln und Elektroden verwendet.

Graphologie [die], *Grafologie,* die Lehre von der Handschriftendeutung beziehungsweise Handschriftenbeurteilung. Der Graphologie kommt beispielsweise bei der Beurteilung von Bewerbungen (handgeschriebener Lebenslauf) und bei Gerichtsgutachten Bedeutung zu.

Gräser [Pl.], Steppen- und Wiesenpflanzen mit schmalen, parallelnervigen Blättern und meist hohlen, knotigen Stängeln. Die einkeimblättrigen Gräser werden vom Wind bestäubt; daher sind die zu Ähren oder Rispen vereinten Blüten unscheinbar. Gräser sind wichtige Nahrungsmittel für den Menschen (Getreide) und für Haustiere (Heu und Grünfutter).

Zu den Gräsern gehören auch Zuckerrohr, Schilf, Papyrus und Bambus.

Grass, Günter, * 1927; deutscher Schriftsteller und Grafiker. Seine Romane, Erzählungen und Theaterstücke beschäftigen sich vor allem mit der Zeit des Nationalsozialismus und dessen Nachwirkungen. Seine bekanntesten Werke sind »Die Blechtrommel«, »Katz und Maus«, »Hundejahre«, »Der Butt« und »Ein weites Feld«. 1999 erhielt er den Nobelpreis für Literatur.

Gräten [Pl.], Verknöcherungen zwischen den Muskeln der Knochenfische.

Graupeln [Pl.], undurchsichtige Eiskörner, die entstehen, wenn Schneeflocken in der Luft mit unterkühlten Regentropfen zusammentreffen.

gravieren, erhabene oder vertiefte Zeichnungen, Muster oder Schrift auf Metall, Stein oder Ähnlichem mit besonderen Werkzeugen herstellen. Die Berufsbezeichnung dafür ist *Graveur.*

Gravitation [die, von lat. gravis, »schwer«], *Massenanziehung,* Kraft, mit der sich zwei Körper anziehen, auf der Erde als *Schwerkraft* bekannt, die alle Körper zu Boden fallen lässt. Der Physiker *Newton* erkannte, dass sich generell alle Körper im Weltraum gegenseitig anziehen, egal wo sie sich befinden. Aus dieser Erkenntnis entwickelte er mit Hilfe der Kepler'schen Gesetze zur Planetenbewegung das *Gravitationsgesetz.* Auch die Gezeiten sind eine Folge der Gravitation und beruhen auf der Anziehung des Meerwassers durch den Mond.

Graz, Hauptstadt der Steiermark, zweitgrößte Stadt Österreichs, am Ostrand der Alpen, 234 000 Einwohner.

Grazien [Pl.], drei römische Göttinnen, die Anmut, Liebreiz und Frohsinn verkörpern.

graziös, anmutig, zierlich, gewandt.

Greco [span., »Der Grieche«], El Greco, eigentlich Dominico *Theotocopuli,* * 1541, †1614; spanischer Maler und Bildhauer griechischer Herkunft. Er malte vor allem Altarbilder, aber auch Porträts und Landschaften. Charakteristisch für seinen Malstil sind lange, schmale Proportionen, irrationale Lichteffekte und leuchtende Farben.

Greenpeace ['gri:npi:s, engl., »Grüner Friede«], eine internationale Umweltschutzorganisation.

Greifvögel [Pl.], eine Ordnung der Vögel, die früher als »Raubvögel« bezeichnet wurde. Greifvögel sind meist gewandte Flieger und haben ein gutes Sehvermögen. Der Hakenschnabel und die spitzen Krallen der Greiffüße dienen zum Fang lebender Beute, wie z. B. Vögel oder Mäuse. Zu den Greifvögeln gehören u. a. Adler, Bussarde, Falken, Geier, Habichte.

Gremium [das, lat.], Kreis von Fachleuten, Ausschuss von Sachverständigen.

Ländersteckbrief
Grenada

Fläche:	344 km²
Einwohner:	104 000 = 302 je km²
Hauptstadt:	St. George's
Religion:	Christentum
Amtssprache:	Englisch
Währung:	1 Ostkaribischer Dollar = 100 Cents

Grenada, Staat in der Karibik.

Der Staat umfasst die Hauptinsel Grenada und die südlichen *Grenadinen* (Carriacou, Rhonde, Petit

Martinique); die Inseln sind vulkanischen Ursprungs; tropisches Klima. Die Bevölkerung (vorwiegend Schwarze) bekennt sich zum Christentum. Wichtigste Wirtschaftszweige sind die Landwirtschaft (Anbau von Bananen, Kakao, Muskatnüssen, Zitrusfrüchten) und der Tourismus.

Geschichte: Grenada wurde 1498 von Kolumbus entdeckt; im 17. und 18. Jh. war die Insel abwechselnd in französischem und englischem Besitz, bis sie 1783

Grenada: In der Hauptstadt St. George's befindet sich der wichtigste Seehafen.

endgültig an England fiel. 1877 erhielt Grenada den Status einer Kronkolonie. 1958–1962 war die Insel Mitglied der »Westindischen Föderation«. Die völlige innere Autonomie erhielt Grenada 1967 als »assoziierter Staat«; 1974 wurde es völkerrechtlich unabhängig. 1979 übernahm eine »Revolutionäre Volksregierung« die Staatsgewalt. 1983 besetzten US-amerikanische Truppen vorübergehend Grenada. Regierungschef ist seit 1995 K. *Mitchell.*

Grenoble [grə'nɔbl], im Tal der Isère gelegene Stadt (152 000 Einwohner) im Südosten Frankreichs. Grenoble ist ein bekannter Wintersportort in den französischen Alpen und war Schauplatz der Olympischen Winterspiele 1968.

Grenze [die], gedachte Linie, die zwei Grundstücke, Staaten, Bundesländer, Bezirke oder Bereiche (z. B. Klimazonen) voneinander trennt.

Ländersteckbrief
Griechenland

Fläche:	131 626 km²
Einwohner:	11,1 Millionen = 85 je km²
Hauptstadt:	Athen
Religion:	griechisch-orthodoxe Kirche
Amtssprache:	Griechisch
Währung:	1 Euro = 100 Cent

Griechenland, Staat in Südosteuropa.

Landesnatur: Den Westen gliedern die küstenparallelen Gebirgsketten des *Pindos-Systems* (*Smolikas* 2637 m), der Osten ist ein durch Quergebirge und Bruchschollen gekammertes Land (im *Olymp* 2911 m) mit zahlreichen Becken (abflusslose Seen). Die Küsten sind stark gegliedert; im Ägäischen Meer befinden sich zahlreiche Inseln. Im Inneren der meist entwaldeten Gebirge herrscht mitteleuropäisches Klima, sonst Mittelmeerklima mit heißen Sommern und regenreichen Wintern.

Bevölkerung: Außer den Griechen leben nur kleine Minderheiten von Makedoniern, Türken, Albanern u. a. im Land. Die Bevölkerung gehört zu 97% der griechisch-orthodoxen Kirche an.

Wirtschaft: Für den Export werden angebaut: Zitrusfrüchte, Wein, Korinthen, Tabak, Baumwolle und Oliven; Schaf- und Ziegenhaltung. An Bodenschätzen gibt es Braunkohle, Eisenerze, Bauxit, Mangan, Marmor, Erdöl. Die Industrie besteht in erster Linie aus Metall-, Textil-, Nahrungsmittel- und Tabakfabriken (Kleinbetriebe). Der Tourismus (Ägäische Inseln, antike Stätten) ist bedeutend. – Griechenland besitzt eine der größten Handelsflotten der Welt (28,8 Mio. BRZ). Wichtigste Häfen sind Piräus, Patras und Saloniki; Hauptflughäfen sind Athen, Saloniki, Patras und Korfu.

Geschichte – Altertum: Griechenland ist seit der Altsteinzeit besiedelt. Eine einheitliche ägäische, nichtindogermanische Bevölkerung *(ägäische Kultur)* wurde um 1900 v. Chr. durch von Norden einwandernde indogermanische Stämme *(Achäer, Ionier)* unterworfen. Diese wurden die Träger der *mykenischen Kultur*. Gegen Ende des 2. Jahrtausends v. Chr. ging diese Kultur durch die Verschiebungen der *Ägäischen Wanderung* in langen Kämpfen zugrunde. Kenntnis von dieser Epoche geben in erster Linie die im 8. Jh. v. Chr. entstandenen Epen Homers. – Die Zeit von etwa 1000 bis 550 v. Chr. war die der großen Kolonisation. Gleichzeitig übernahm in Griechenland fast überall der Adel anstelle des Königtums die Macht. Im 6. Jh. v. Chr. lösten demokratische Staatsformen die Adelsherrschaft ab. Dabei kam es in den großen Städten im späten 7. und im 6. Jh. v. Chr. zur Ausbildung der *Tyrannis*.

Die führenden Stadtstaaten *(Polis)* in Mittelgriechenland waren Athen und Korinth. Auf dem Peloponnes wurde Sparta (militärisch-aristokratische Staatsform) der mächtigste Staat und im 6. Jh. v. Chr. als Hauptstadt des *Peloponnesischen Bundes* auch Vormacht Griechenlands. In den Perserkriegen 490–479 v. Chr. wurde das Vordringen der persischen Weltmacht nach Europa verhindert. Athen als Führungsmacht schloss sich mit den griechischen Städten im *Attischen Seebund* 478/477 v. Chr. zusammen. Das *Perikleische Zeitalter* brachte Athen eine hohe Kulturblüte. Im *Peloponnesischen Krieg* (431–404) verlor Athen seine Vormachtstellung an Sparta. 395–386 v. Chr. kam es zum *Korinthischen Krieg*, den Theben, Korinth, Athen und Argos mit persischer Hilfe gegen Sparta führten. Der Thebaner *Epaminondas* machte der spartanischen Vormachtstellung 371 v. Chr. (Schlacht bei Leuktra) ein Ende; aber auch die thebanische Hegemonie endete mit seinem Tod 362 v. Chr. Der Streit zwischen Theben und Phokis machte *Philipp II.* von Makedonien nach der Schlacht von *Chaironeia* 338 v. Chr. zum Herren über Griechenland. Sein Sohn *Alexander der Große* eroberte das Persische Reich und gründete zwischen Balkan, Nil und Indus ein Weltreich, geprägt von der griechischen Kultur *(Hellenismus)*. Kriege der hellenistischen Reiche untereinander führten zum Eingreifen der Römer: 148 v. Chr. wurde Makedonien römische Provinz. Durch *Augustus* wurde Griechenland zur römischen Provinz *Achaia*.

Mittelalter: Bei der Teilung des Römischen Reichs 395 n. Chr. kam Griechenland an das Oströmische Reich. Nach der Errichtung des *Lateinischen Kaiserreichs* 1204 gründeten Franzosen und Venezianer kurzlebige Herrschaften. Nach der Eroberung durch die Türken (ab 1356) wurde Griechenland Bestandteil des Osmanischen Reichs.

Griechenland: Die Stadt Skopelos auf der gleichnamigen Insel besitzt einen geschützten Hafen.

Neuzeit: 1821 brach der Aufstand gegen die Herrschaft der Osmanen gleichzeitig in der Moldau und auf dem Peloponnes aus. 1832 gewann Griechenland seine Souveränität als Königreich *(Friede von Adrianopel, Londoner Protokolle).*

In den Balkankriegen 1912/1913 erhielt Griechenland bedeutenden Gebietszuwachs. Das Land trat in den Ersten Weltkrieg auf Seiten der deutschen Gegner ein und musste nach dem griechisch-türkischen Krieg im *Frieden von Lausanne* (1923) Gebietsverluste hinnehmen. Über 1 Mio. Griechen aus Kleinasien wanderten nach Griechenland ein, im Gegenzug verließen 600 000 Türken das Land. 1924 wurde Griechenland Republik (bis 1935). 1936 übernahm General J. *Metaxas* (bis 1941) die Regierung. Im Zweiten Weltkrieg (Oktober 1940) griff Italien Griechenland an; erst als deutsche Truppen in Griechenland einmarschierten, gab Griechenland seinen Widerstand auf. Der nach dem Rückzug der deutschen Truppen (Oktober 1944) sich entwickelnde Bürgerkrieg der Widerstandsgruppen (Nationalisten, Kommunisten, »Volksbefreiungsarmee«) endete 1949 mit dem Sieg der Regierungstruppen über die Kommunisten. 1952 wurde Griechenland Mitglied der NATO. 1964 folgte *Konstantin II.* seinem Vater *Paul I.* (seit 1947) auf den Thron. Nach einem Militärputsch regierte ab 1967 Oberst G. *Papadopoulos* diktatorisch und schaffte 1973 die Monarchie ab, ehe er im gleichen Jahr gestürzt wurde. In der Folge einer Krise um Zypern gab die Militärregierung 1974 die Macht in zivile Hände zurück und Griechenland wurde demokratische Republik.

Griechenland: Die Meteoraklöster wurden Mitte des 14. Jh. von Einsiedlern auf schwer zugänglichen Felsen gebaut.

K. *Karamanlis* von der konservativen Partei ND bekleidete 1974–1980 das Amt des Ministerpräsidenten (1980–1985 und 1990–1995 auch Staatspräsident). 1981 wurde Griechenland Mitglied der EG. 1981–1989 und 1993–2004 regierte die sozialdemokratische PASOK unter den Ministerpräsidenten A. *Papandreou* und K. *Simitis.* 2001 erfolgte der Beitritt zur Eurozone. Seit 2004 ist K. *Karamanlis* (ND), ein Neffe des früheren Ministerpräsidenten, Regierungschef. Staatspräsident ist seit 2005 K. *Papoulias.*

griechische Götter, die Götter der Griechen, die uns heute durch viele Sagen überliefert sind. Ursprünglich glaubten die Menschen im Raum des heutigen Griechenlands an Tiergottheiten wie den Stiergott und die Schlangengöttin. Später wanderten Archäer (2000 v. Chr.), Ionier (um 1500 v. Chr.) und Dorer (um 1100 v. Chr.) ein und brachten ihre eigenen Götter mit, die sich im Laufe der Zeit in der Vorstellung mit den Göttern der Urbevölkerung mischten. Der Sitz der griechischen Götter war der Olymp, wo *Zeus,* der höchste unter 12 Hauptgöttern, eine große, oft uneinige Götterfamilie regierte. Seine Schwester und Gemahlin war die Göttin *Hera.* Weitere Hauptgötter waren: *Poseidon* als Gott des Meeres; *Hephaistos* als Gott des Feuers; *Ares* als Gott des Kampfes; *Apollon,* Sohn des Zeus, u. a. als Gott des Lichts, der Dichtung und Weissagung; *Artemis,* Schwester des Apollon, als Göttin der Jagd; *Aphrodite* als Göttin der Liebe und Schönheit; *Athene,* Tochter des Zeus, als Göttin der Weisheit. Daneben gab es eine Reihe von Nebengöttern, die meist nur einen kleinen Bereich beherrschten,

z. B. einen Fluss oder Wald. Die griechischen Götter waren mächtig und vor allem unsterblich, hatten aber menschliche Eigenschaften und Gefühle, die sie auch in die Tat umsetzten. Mit Opfer und Gebet suchten die Sterblichen die Götter für sich günstig zu stimmen. Außerdem bemühten sie sich, den Willen der Götter im Orakel zu erkunden.

griechisches Alphabet [das] → Alphabet.

Grieg, Edvard Hagerup, *1843, †1907; norwegischer Komponist. Er gilt als der wichtigste norwegische Komponist, der Elemente der Volksmusik mit klassischer Musik verband. Bekannt wurde er mit seinen Orchester-Suiten »Peer Gynt« und »Aus Holbergs Zeit« sowie mit dem Klavierkonzert in a-Moll.

Grillen [Pl.], zu den Heuschrecken zählende Insekten, deren Hinterbeine meist zu Sprungbeinen ausgebildet sind. Die Männchen zirpen mit den Flügeldecken. Bei uns ist besonders die *Feldgrille* heimisch.

Grimm, Jacob, *1785, †1863, und Wilhelm, *1786, †1859; deutsche Germanisten. Die Brüder wurden vor allem durch ihre »Kinder- und Hausmärchen« bekannt. Sie sammelten die oft mündlich weitergegebenen Märchen im ganzen Land, bearbeiteten sie und schrieben sie auf. Außerdem begründeten sie die Wissenschaft von den germanischen Sprachen, die Germanistik. Auch → »Genauer betrachtet«.

Grimmelshausen, Hans Jakob Christoph (Christoffel) von, *um 1622, †1676; deutscher Schriftsteller. Sein Leben wurde durch den Dreißigjährigen Krieg bestimmt. Eine drastische Schilderung dieser Zeit bietet auch sein Hauptwerk, der barocke Entwicklungsroman »Der abentheuerliche Simplicissimus Teutsch«.

Grippe [die], *Influenza,* eine durch Viren übertragene Infektionskrankheit, die oft als Epidemie auftritt. Allgemcine Anzeichen sind meist Kopfschmerzen, Müdigkeit, Schnupfen und Gliederschmerzen mit Fieber. Die Grippe wird durch Anhusten und Anniesen übertragen.

Genauer betrachtet …
Brüder Grimm

Die Brüder Grimm waren nicht nur »Märchenonkel«, sondern auch weltberühmte Sprach- und Literaturwissenschaftler. Sie begründeten mit dem »Deutschen Wörterbuch« das umfangreichste und bedeutendste deutsche Wörterbuch unserer Zeit. Mit rund 34 500 Seiten in 32 Bänden handelt es sich um die umfassendste Darstellung des deutschen Sprachschatzes überhaupt. Es liefert einen Überblick über den Bestand und die Entwicklung der deutschen Sprache seit dem 15. Jh. 1838 begannen die Brüder mit der Arbeit am »Deutschen Wörterbuch«, aber es dauerte 16 Jahre, bis der erste Band erschien. Als Jacob Grimm starb, war er erst bis zu dem Stichwort »Frucht« gekommen. Das Wörterbuch wurde erst 1961 vollendet, also über 100 Jahre nach Erscheinen des 1. Bandes.

Grönland [»Grünland«], größte Insel der Erde, im Nordosten von Nordamerika, in der Arktis, 57 000 Einwohner. Hauptort ist *Godthåb.* Die Insel ist im Innern von einer Eisdecke bedeckt, die bis 3000 m mächtig ist. Die Bewohner leben vor allem an der Westküste, die eisfrei ist. Politisch gehört Grönland zu Dänemark.

Gropius, Walter, *1883, †1969; deutscher Architekt. Er gilt als einer der Wegbereiter der modernen Architektur. 1919 gründete er in Weimar das *Staatliche Bauhaus* und war dessen erster Direktor. Gropius brach mit allen bekannten Stilen und wurde beispielgebend für die Ausbildung der Glas-Beton-Bauweise. Einige seiner Werke stehen u. a. in Berlin, Boston und Chicago.

Groschen [der], eine Münze von geringem Wert. Groschen gab es zu verschiedenen Zeiten und in verschiedenen Währungen. In Österreich waren bis 2002 100 Groschen = 1 Schilling. In Deutschland wurde das 10-Pfennig-Stück auch Groschen genannt.

Ländersteckbrief
Großbritannien und Nordirland

Fläche:	243 820 km²
Einwohner:	59,8 Millionen = 245 je km²
Hauptstadt:	London
Religion:	anglikanische Staatskirche
Amtssprache:	Englisch
Währung:	1 Pfund Sterling = 100 Pence

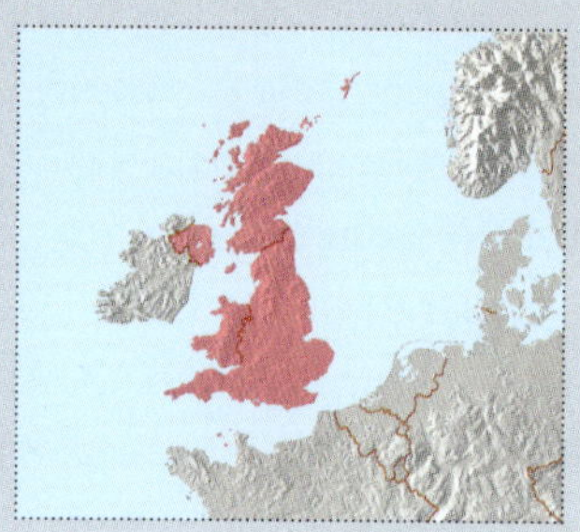

Großbritannien und Nordirland, Staat in Westeuropa.

Großbritannien und Nordirland besteht aus der Hauptinsel mit *England*, *Wales* und *Schottland*, aus den *Hebriden*, *Orkney-* und *Shetlandinseln* und aus dem Nordteil von *Irland*.

Landesnatur: Die Küsten sind besonders im Westen stark gegliedert und meist steil, mit tief eingeschnittenen Buchten. In Cornwall und Devon, in Wales, Mittelengland und Schottland überwiegen Mittelgebirge, die im Ben Nevis der schottischen Grampian Mountains gipfeln (1343 m). Östlich der Linie Severn-Tyne-Mündung liegt ein fruchtbares Stufenland, unterbrochen vom Londoner Becken und den Kreidehügeln in Südengland. – Das Klima ist ozeanisch mit milden Wintern und kühlen Sommern, häufigen Stürmen und hohen Niederschlägen.

Bevölkerung: Die größte Gruppe bilden die Engländer (80%), gefolgt von den Schotten (10%), Nordiren (4%) und Walisern (2%). Die Religion ist vorwiegend protestantisch (anglikanische Kirche), in Nordirland zu 35% katholisch; rund 89% leben in Städten.

Wirtschaft: Großbritannien und Nordirland ist ein traditionsreicher Industriestaat. An erster Stelle steht die vielseitige Metallindustrie (besonders Maschinen- und Schiffbau). Bedeutend ist die Textilindustrie in Mittelengland und Schottland, die sich aus der heimischen Schafzucht und dem Flachsanbau entwickelte; in jüngerer Zeit hat auch die chemische und elektronische Industrie an Bedeutung gewonnen. Eine wichtige Rolle spielt die Erdöl- und Erdgasförderung aus der Nordsee; demgegenüber ist der Steinkohlenbergbau stark rückläufig. In der Landwirtschaft überwiegt die Viehzucht (Schafe, Rinder). Haupthandelspartner sind die EU-Länder und die USA. – Großbritannien und Nordirland hat das dichteste Straßennetz der Welt (389 000 km) und ein dichtes Eisenbahnnetz (17 000 km). Wichtige internationale Flughäfen sind London und Glasgow.

Geschichte: – Vor- und Frühgeschichte: Die britischen Inseln wurden in mehreren Wellen vom Festland aus besiedelt. Etwa seit der Mitte des 1. Jahrtausends v. Chr. dominierten keltische Stämme. Seit 43 n. Chr. eroberten die Römer das Gebiet des heutigen England, das 85 n. Chr. römische Provinz wurde. Ständige Kämpfe zwischen Aufständischen und Römern leiteten im 5. Jh. den Rückzug der römischen Truppen ein.

Mittelalter: Nach dem Abzug der Römer eroberten die germanischen *Angeln* und *Sachsen* den Hauptteil

Großbritanniens. Harald II. unterlag als letzter angelsächsischer König 1066 in der Schlacht bei Hastings *Wilhelm dem Eroberer*, Herzog der Normandie. Er errichtete eine Feudalordnung mit einer französisch sprechenden normannischen Oberschicht. *Heinrich II. Plantagenet (Anjou-Plantagenet)* zwang im 12. Jh. Wales, Schottland und Irland, seine Oberlehnshoheit anzuerkennen und setzte seine Ansprüche auf sein Erbe in Frankreich durch. Unter seinen Söhnen *Richard I. Löwenherz* und *Johann ohne Land* ging der Festlandbesitz an den französischen König *Philipp II. August* verloren. Diese Schwächung benutzte der Adel, dem König 1215 die *Magna Charta* aufzuzwingen, in der erstmals die ständischen Rechte festgeschrieben wurden. Im 13. Jh. entwickelte sich das englische Parlament. *Eduard III.* erhob 1328 Ansprüche auf den französischen Thron. Dies führte zum *Hundertjährigen Krieg* gegen Frankreich. Die zunehmende Schwäche des Kö-nigtums begünstigte den Ausbruch der *Rosenkriege* (1455–1485) zwischen dem Haus Lancaster (Wappen: rote Rose) und dem Haus York (Wappen: weiße Rose). Sie führten 1485 zur Inthronisierung von *Heinrich VII.* aus dem Hause *Tudor*.

Neuzeit: *Heinrich VIII.* geriet wegen seiner Scheidung in Gegensatz zum Papst, trennte sich von Rom und machte sich zum Haupt der englischen Staatskirche. Unter *Elisabeth I.* wurde England zur führenden Seemacht. Im Bürgerkrieg 1642–1649 siegten die Puritaner unter Oliver *Cromwell*. England nahm mit der Hinrichtung von *Karl I.* die republikanische Staatsform an. Cromwell warf die aufständischen Schotten nieder und eroberte Irland. 1660 stellte *Karl II.* das Königtum wieder her. Durch die »Glorreiche Revolution« (1688) wurde *Wilhelm III. von Oranien* König. Dabei wurde die Macht des Königs 1689 durch die *Bill of Rights* begrenzt. Im Spanischen Erbfolgekrieg gelang eine Schwächung Frankreichs. Unter Königin *Anna* (Stuart) wurden England und Schottland 1707 zu *Großbritannien* vereinigt. – Die Dynastie *Hannover* begann mit *Georg I.* (1714–1724). *Georg II.* (1727–1760) konnte den See- und Kolonialwettstreit mit Frankreich zu seinen Gunsten entscheiden (Gewinn Kanadas und Vorderindiens). *Georg III.* (1760–1820), mit schuld am Verlust der nordamerikanischen Kolonien, stärkte die Macht des Parlaments weiter. Frankreich und der Machtanspruch der Französischen Revolution wurden in den Koalitions- und Befreiungskriegen niedergerungen. Nunmehr stieg Großbritannien ungehindert zur vorherrschenden Welt-, See- und Kolonialmacht empor. Mit der Thronbesteigung der *Königin Viktoria* (1837) begann das »goldene Zeitalter« für Großbritannien (Viktorianische Ära). Die Konservativen, von 1885–1905 mit kurzen Unterbrechungen an der Regierung, verfolgten einen Imperialismus, der zu wachsenden Spannungen mit den Kontinentalmächten führte. *Eduard VII.* legte die Gegensätze mit Frankreich bei und schloss 1904 ein Bündnis, die *Entente cordiale.* Der deutsche Angriff auf Frankreich war für die Engländer der Anlass zum Eintritt in den Ersten Weltkrieg. Das Ende des Krieges brachte den Gewinn deutscher Kolonien und vorderasiatischer Gebiete der Türkei. Das Empire begann sich zu lockern; an seine Stelle trat das *Britische Commonwealth*. Auf die Machtansprüche Hitlers rea-

Großbritannien: Zwei verglaste Stege verbinden die Türme der Tower Bridge in der Hauptstadt London.

Großbritannien: Der Snowdonian-Nationalpark in Wales

gierte die englische Politik unter N. *Chamberlain* zuerst zurückweichend *(Appeasement-Politik)*. Als die deutschen Truppen 1939 in Polen einmarschierten, erklärte Großbritannien den Krieg an Deutschland, der unter der Führung W. *Churchills* siegreich beendet wurde. Nach dem Ende des Zweiten Weltkriegs wurde der Neuaufbau des Landes der *Labour Party* übertragen, deren Führer C. *Attlee* 1945 Premierminister wurde. In den Nachkriegsjahren gingen Birma, Palästina und endgültig Irland (Freistaat) verloren. Das Gefüge des Commonwealth lockerte sich beträchtlich. Indien, Pakistan und Ceylon wurden unabhängig. 1952 folgte *Königin Elisabeth II.* ihrem Vater *Georg VI.* 1951 kamen die Konservativen an die Regierung (bis 1955 W. *Churchill*, bis 1957 A. *Eden*, bis 1963 H. *Macmillan*, bis 1964 A. *Douglas-Home*). Seit 1964 stellte die Labour Party die Regierung unter H. *Wilson* als Premierminister, die 1970 von den Konservativen unter E. *Heath* abgelöst wurde. 1973 vollzog das Land den Beitritt zur EU. 1974 übernahm die Labour Party unter Wilson die Regierungsgeschäfte; 1976 wurde J. *Callaghan* Premierminister, der 1979 von der Konservativen M. *Thatcher* abgelöst wurde. Sie betrieb eine strikt monetäre Wirtschaftspolitik, war 1982 in der kriegerischen Auseinandersetzung mit Argentinien um die *Falklandinseln* erfolgreich und gewann die Unterhauswahlen von 1983 und 1987. Nachdem sie das Vertrauen ihrer Partei verloren hatte, trat M. Thatcher 1990 zurück. Neuer Premierminister wurde J. *Major*. Im Golfkrieg (1991) stellte Großbritannien nach den USA die größte westliche Militärstreitmacht. J. Major gewann mit den Konservativen die Unterhauswahlen 1992. Korruptionsaffären und ein schwankender Kurs in der Europapolitik ließen in der Öffentlichkeit Zweifel an der Führungsfähigkeit Majors aufkommen. Nach einem spektakulären Wahlsieg der Labour Party wurde 1997 T. *Blair* Premierminister. Am 1. 7. 1997 kehrte die britische Kronkolonie Hongkong unter chinesische Souveränität zurück. Seit 1969 wurde das innenpolitische Klima durch die bürgerkriegsähnlichen Zustände in *Nordirland* belastet, eine Friedensregelung kam 1998 zustande. Bei den Unterhauswahlen 2001 konnte die Labour Party ihren Wahlsieg von 1997 bestätigen. T. Blair erhielt das Mandat für eine zweite Amtszeit als Regierungschef. Im Mittelpunkt der Außenpolitik standen seit 2001 die militärischen Engagements auf Seiten der USA in Afghanistan und im *Irak-Krieg*. Dabei geriet die Regierung Blair durch die Kritik an ihrer Informationspolitik über die Gründe für ein militärisches Vorgehen gegen Irak 2003/2004 unter erheblichen innenpolitischen Druck. Trotzdem gewann die Labour Party 2005 erneut die Wahlen. 2007 trat Blair vom Amt des Premierministers zurück. Nachfolger wurde G. *Brown*.

Großglockner: Die Pasterze am Nordosthang ist mit 18,5 km² und über 8 km Länge der größte Gletscher der Ostalpen.

Großglockner [der], höchster Berg Österreichs (3797 m), in den *Hohen Tauern* (Ostalpen).

Grosz [grɔs], George, *1893, †1959; deutscher Maler und Grafiker. Als Mitbegründer der Berliner »Dada«-Bewegung benutzte er seine Kunst, um Kritik an gesellschaftlichen Verhältnissen zu üben.

Grundgesetz [das], allgemein ein entscheidendes, wichtiges Gesetz; auch ein grundlegendes Naturgesetz. Das *Grundgesetz der Bundesrepublik Deutschland* (Abkürzung GG) ist die Verfassung, in Kraft getreten am 23. 5. 1949. Es regelt die Rechte des einzelnen Staatsbürgers, des Bundes und der einzelnen Länder und legt die Zuständigkeiten von Bundestag, Bundesrat, Bundespräsident und Bundesregierung fest. Es gilt für das gesamte deutsche Volk, bis eine neue Verfassung in Kraft tritt, die von dem deutschen Volk in freier Entscheidung beschlossen wird.

Grundrechte [Pl.], *Menschenrechte,* die Rechte des einzelnen Staatsbürgers gegenüber der Staatsgewalt, die in demokratisch-liberalen Staaten gewährt werden. Die Grundrechte wurden zuerst in der Verfassung der USA bindend formuliert (1776) und 1789 in der Französischen Revolution proklamiert. Zu den wichtigsten Grundrechten gehören u. a.: der Schutz der Menschenwürde, das Recht auf freie Entfaltung der Persönlichkeit, auf Leben und körperliche Unversehrtheit, die Gleichheit vor dem Gesetz, die Glaubens-, Gewissens- und Bekenntnisfreiheit, das Recht der freien Meinungsäußerung, die Versammlungs- und Vereinigungsfreiheit, die Gewährleistung des Eigentums und der Schutz von Ehe und Familie.

Grundriss [der], die Darstellung der Grundfläche eines Gegenstandes oder eines Raumes.

Grundschule [die], staatliche Schule für die ersten 4–6 Schuljahre. Auch → Bildungswesen.

Grundwasser [das], durch Niederschläge oder aus Seen und Flüssen in die obersten Schichten der Erdoberfläche eingedrungenes Wasser, das sich über undurchlässigen Schichten sammelt. Seine Oberfläche ist der *Grundwasserspiegel.* Unterirdisch fließendes Grundwasser tritt meist als *Quelle* zutage.

Grüne, *Die Grünen,* → Bündnis 90/Die Grünen.

Gryphius, Andreas, eigentlich A. *Greif,* *1616, †1664; deutscher Dramatiker und Lyriker. Er war einer der bedeutendsten Dichter des 17. Jh. In seinen Werken beschäftigte er sich mit dem Leid, der Unruhe und der Einsamkeit der Menschen zur Zeit des Dreißigjährigen Krieges.

Guano [der], Kotablagerung von Seevögeln, besonders auf Inseln und Küsten des Stillen Ozeans. Er wird als Naturdünger verwendet.

Ländersteckbrief
Guatemala

Fläche:	108 889 km²
Einwohner:	12,9 Millionen = 119 je km²
Hauptstadt:	Guatemala
Religion:	römisch-katholische Kirche, protestantische Kirchen
Amtssprache:	Spanisch
Währung:	1 Quetzal = 100 Centavos

Guatemala, Staat in Mittelamerika.

Landesnatur: Zwei Hauptketten der Zentralamerikanischen Kordilleren schließen ein zentrales Hochland (600–1800 m) ein. Die Hochgebirgszüge sind mit zahlreichen jungen Vulkanen (*Tajumulco* 4211 m) besetzt. Im Norden schließt sich das Tiefland von *Petén* an. Das Klima ist tropisch. Im Tiefland gedeihen Regenwälder, die in höheren Lagen in Berg- und Nebelwälder übergehen.

Bevölkerung: Die Bevölkerung besteht aus 60% Indianern, 30% Mestizen (Ladinos), ferner Weiße, Schwarze, Mulatten, Zambos. Die Bewohner sind christlich (80% katholisch, 20% protestantisch).

Wirtschaft: Anbau von Kaffee, Zuckerrohr und Bananen für den Export; Gewinnung von Edelhölzern; Textil-, chemische und Nahrungsmittelindustrie; Förderung von Kupfer-, Antimon- und Nickelerzen, Erdöl; Haupthäfen *Puerto Barrios* am Atlantik und *San José* am Pazifik, internationaler Flughafen bei Guatemala(-Stadt).

Geschichte: Das ehemalige Zentrum der Mayakultur unterstand zwischen 1522 und 1821 der spanischen Krone. Nach dem Ende der Zentralamerikanischen Konföderation wurde Guatemala 1839 selbstständige Republik. Seit den 1960er Jahren entwickelte sich ein Bürgerkrieg zwischen linker Guerilla und dem Militär, der rund 200 000 Todesopfer forderte. Erst 1996 konnte ein Friedensabkommen geschlossen werden. Seit 2004 ist O. *Berger Perdomo* Staats- und Regierungschef.

Guerilla [ge'rilja, die, span., »kleiner Krieg«], der Kampf von Verbänden auf eigene Faust gegen eingedrungene Feinde oder im Bürgerkrieg gegen die Staatsmacht. Der Guerillakrieg zeichnet sich oft durch eine listenreiche Kampfführung aus.

Guevara [gɛ'vara], *Guevara Serna*, Ernesto (»Che«), *1928, †1967; kubanischer Politiker argentinischer Herkunft. Er gilt als Idol der südamerikanischen revolutionären Befreiungsbewegung. Der Arzt Guevara stürzte als Guerillaführer mit Hilfe F. *Castros* das Regime des kubanischen Diktators F. *Batista* und hatte danach wichtige Staatsämter inne. Er verließ Kuba, um in Bolivien einen Umsturz herbeizuführen, scheiterte und wurde gefangengenommen und erschossen. Nach seinem Tod wurde er zum Vorbild der revolutionär gesinnten Studentenbewegung in der westlichen Welt, später zum vielfach vermarkteten Star der Popkultur.

Guillotine [gijo'tiːnə, die], während der Französischen Revolution eingeführtes mechanisches Fallbeil zur Enthauptung.

Ländersteckbrief
Guinea

Fläche:	245 857 km²
Einwohner:	9,6 Millionen = 39 je km²
Hauptstadt:	Conakry
Religion:	Islam, Christentum
Amtssprache:	Französisch
Währung:	Guinea-Franc

Guinea, Staat in Westafrika.

Hinter der Atlantikküste steigt das Land nach Nordosten zum Bergland *Fouta Djalon* an; im Süden Regenwälder, ansonsten Savannen. Die Bevölkerung ist vorwiegend islamisch. Die Landwirtschaft liefert für den Export etwas Kaffee, Obst und Gemüse; Küstenfischerei; die reichen Bodenschätze (besonders Bauxit, Gold, Diamanten) werden ausgeführt; die Industrie verarbeitet Bauxit, Agrarprodukte und Holz.

Geschichte: Vor der Kolonisation bestand in Guinea ein islamischer Staat der *Fulbe.* 1904 wurde Guinea Territorium von Französisch-Westafrika. 1957 erhielt Guinea Teilautonomie, 1958 die Unabhängigkeit unter S. *Touré.* Seit 1984 bestand eine Militärregierung unter Führung von General L. *Conté,* der 1993 Präsidentschaftswahlen auf Basis einer neuen Verfassung gewann. Die Wahlen 1998 und 2003 gewann ebenfalls Conté, der zunehmend autoritärer regierte. Nach Unruhen verhängte er 2007 zeitweise den Ausnahmezustand.

Guinea-Bissau: Kathedrale in der Hauptstadt Bissau

Ländersteckbrief
Guinea-Bissau

Fläche:	36 125 km^2
Einwohner:	1,6 Millionen = 45 je km^2
Hauptstadt:	Bissau
Religion:	Islam, Naturreligionen
Amtssprache:	Portugiesisch
Währung:	CFA-Franc

Guinea-Bissau, Staat in Westafrika.

Das flache Tiefland geht von ausgedehnten Mangrovenbeständen an der Küste in eine Regenwaldzone und nach einem Trockenwaldgürtel in Feucht- und Trockensavanne über. Mehr als die Hälfte der Bevölkerung (vor allem Sudanvölker) sind Anhänger traditioneller Religionen, 38% Muslime, 8% Christen. Die Landwirtschaft erzeugt Erdnüsse, Tabak, Palmkerne, Cashewnüsse für den Export; ferner werden Hölzer und Fisch ausgeführt.

Geschichte: Seit 1879 war Guinea-Bissau portugiesische Kolonie mit Selbstverwaltung, seit 1951 portugiesische Übersee-Provinz. 1974 wurde Guinea-Bissau unabhängige Republik. 1984 wurde General J. B. *Vieira* Staatsoberhaupt. Seit Beginn der 1990er Jahre leitete das Regime vorsichtig demokratische Reformen ein. 1999 wurde Vieira gestürzt und eine neue Verfassung verabschiedet. K. *Yala*, seit 2000 Staatspräsident, wurde 2003 von der Armee gestürzt. Nach inneren Wirren wurde 2005 erneut Vieira Staatspräsident.

Gulden [der], wichtigste Goldmünze des Mittelalters, später Silbermünze, 1816–2002 Währungseinheit in den Niederlanden. 1 Gulden = 100 Cent.

Gummi [der oder das], **1.** eine elastische Masse, die aus Kautschuk durch Vulkanisierung gewonnen wird. **2.** ein Harz, das von manchen Pflanzen abgesondert wird, wenn man ihre Rinde tief einritzt. Es wird vor allem zur Herstellung von Klebstoff verwendet.

Gurke [die], zu den Kürbisgewächsen gehörende Salat- und Gemüsepflanze.

Gürteltiere [Pl.], in Süd- und Mittelamerika sowie in den südlichen USA lebende Säugetiere mit gedrungenem Körper. Die Rücken- und Flankenhaut bilden einen Panzer aus Horn und Knochen, der den Körper, mit Ausnahme des Bauches, gürtelartig umschließt.

Guru [der], indischer religiöser Lehrer und Führer.

GUS [die], Abkürzung für → **G**emeinschaft **U**nabhängiger **S**taaten.

Gustav II. Adolf, *1594, †1632; schwedischer König seit 1611. Er machte Schweden zur führenden europäischen Macht des Nordens. Er griff 1630 zugunsten der schwer bedrohten Protestanten in den Dreißigjährigen Krieg ein. Nach Siegen über *Tilly* und *Wallenstein* fiel er 1632 bei Lützen.

?

Wer war …

Johannes Gutenberg

Johannes (Henne, Henchin, Henle) Gutenberg (* um 1400, † 1468) war ein deutscher Buchdrucker. Er erfand den Buchdruck mit beweglichen Metalllettern, die er mit einem von ihm konstruierten Handgießinstrument herstellte. Erst dieses Verfahren ermöglichte es, aus vorgefertigten Gussformen Drucktypen in großer Zahl und mit hoher Genauigkeit herzustellen – die Voraussetzung für den modernen Buchdruck. Gutenberg wurde in Mainz als Sohn des Patriziers Gensfleisch zur Laden geboren. Den Beinamen Gutenberg hatte sein Vater nach seinem Haus »zum Gutenberg« erhalten. Seine Heimatstadt verließ er wohl vor 1430. 1434–1444 hat er nach amtlichen Quellen in Straßburg gelebt, ab 1448 wieder in Mainz, von 1465 bis zu seinem Tod stand er im Dienste des Mainzer Erzbischofs. In Straßburg war er Mitglied der Goldschmiedezunft. Er betrieb dort Edelsteinschleiferei und fertigte als Pilgerzeichen dienende Spiegel aus verschiedenen Metallen. Ferner beschäftigte er sich mit Problemen der Drucktechnik und konstruierte wohl das Handgießinstrument. Um 1450 lieh der Mainzer J. Fust Gutenberg für seine Druckwerkstatt Geld und wurde so sein Teilhaber. Hier entstand u. a. die berühmte 42-zeilige »Gutenberg-Bibel«, die durch ihre harmonische Gestaltung und den Buchschmuck als künstlerisches Meisterwerk gilt. Noch vor deren Abschluss kam es zum Streit zwischen den beiden, der in einem Prozess mündete. Gutenberg musste die Druckeinrichtung – ob ganz oder nur zum Teil wissen wir nicht – an Fust abtreten. 1458 war er zahlungsunfähig. Vieles spricht dafür, dass Gutenberg mit finanzieller Hilfe des Mainzers K. Humery um 1459 eine neue Druckerei einrichten konnte. Ob hier auch der »Mainzer Catholicon«, ein Lexikon in lateinischer Sprache, gedruckt wurde, ist umstritten.

Eine Seite aus der Gutenberg-Bibel, die 1455 fertiggestellt wurde.

Ländersteckbrief
Guyana

Fläche:	214 969 km²
Einwohner:	752 000 = 3 je km²
Hauptstadt:	Georgetown
Religion:	anglikanische Kirche, römisch-katholische Kirche, Hinduismus, Islam
Amtssprache:	Englisch
Währung:	1 Guyana-Dollar = 100 Cents

Guyana, Staat in Südamerika.

Landesnatur: Hinter der feuchttropischen Küstenebene erhebt sich das Land zum durchschnittlich 1000 m hohen *Bergland von Guyana* (im *Roraima* 2810 m), das von dichten Regenwäldern, im Innern z. T. auch von Savannen bestanden ist.

Bevölkerung: 51% der Bevölkerung sind Inder, 41% Schwarze und Mulatten, daneben einige Europäer und Indianer. 54% bekennen sich zum Christentum, 33% sind Hindus.

Wirtschaft: Die tropische Plantagenwirtschaft liefert v. a. Zuckerrohr und Reis. Aus den Wäldern werden Edelhölzer ausgeführt. Bedeutend ist der Bergbau: v. a. Bauxit und Gold, daneben Diamanten, Mangan. – Wichtigste Seehäfen sind Georgetown und New Amsterdam.

Geschichte: Ende des 16. Jh. wurde Guyana von den Niederlanden in Besitz genommen. 1796 gelangte ein Teil in britischen Besitz *(Britisch-Guayana).* 1966 wurde Guyana unabhängig. Erster Ministerpräsident war F. *Burnham*, der später auch Staatspräsident wurde. 1970 löste sich Guyana von der britischen Krone und nahm den Namen *Cooperative Republic of Guyana* an; es blieb aber im Commonwealth. Seit 1999 ist B. *Jagdeo* Staatspräsident.

Gymnasium [das, griech. gymnos, »nackt«], im alten Griechenland ursprünglich die Stätte, wo junge Männer, meist nackt, Leibesübungen betrieben. Der Humanismus übernahm die Bezeichnung Gymnasium für eine Form der höheren Schule, an der vor allem Griechisch und Latein gelehrt wurde. In Deutschland ist Gymnasium heute die allgemeine Bezeichnung für höhere Schulen, die zur Hochschulreife führen. Auch → Bildungswesen.

Gymnastik [die, griech. gymnos, »nackt«], die im antiken Griechenland ursprünglich nackt ausgeübte Form der Leibeserziehung und Körperbildung. Gymnastik ist nicht auf Rekorde oder bestimmte Höchstleistungen ausgerichtet, sondern erstrebt eine gute Leistungs- und Bewegungsfähigkeit sowie die Kräftigung und Gesunderhaltung des Körpers und der Organe. Die Wettkampfform (nur für Frauen) ist die *rhythmische Sportgymnastik.*

Gynäkologie [die, griech.], *Frauenheilkunde,* Fachbereich der Medizin, der sich mit Frauenkrankheiten, Schwangerschaft und Geburtshilfe befasst. Während die eng mit der Gynäkologie zusammenhängende Geburtshilfe, die ursprünglich nur von Frauen *(Hebammen)* ausgeübt wurde, in ihren Anfängen so alt wie die Menschheit ist, hat sich die Gynäkologie als eigenes Fachgebiet erst später entwickelt, besonders die moderne operative (chirurgische) Gynäkologie. Neben der hoch entwickelten gynäkologischen Operationstechnik ist heute die Hormonbehandlung von Bedeutung.

H

h, Kurzzeichen für Hekto- und für Stunde (lateinisch hora).

H, **1.** achter Buchstabe des Alphabets (Konsonant). **2.** chemisches Zeichen für das Element → Wasserstoff.

ha, Kurzzeichen für → Hektar.

Haare [Pl.], Horngebilde der Außenhaut von Tieren und Menschen, besonders charakteristisch für Säugetiere. Beim Menschen steckt jedes Haar mit seiner Haarwurzel im Haarbalg, einer kleinen, sackartigen Einstülpung, von der aus es wächst und ernährt wird. An jedem Haarbalg sitzt ein kleiner Muskel, der sich beim Frösteln zusammenzieht und das Haar schräg aufrichtet (Haarsträuben). Zugleich wird der Haarbalg etwas vorgedrückt, so dass die typische »Gänsehaut« entsteht. Die Haarfarbe wird von Farbeinlagerungen (Pigmenten) bestimmt. Lässt die Pigmentbildung im Alter nach, wird das Haar grau oder weiß. Ein erwachsener Mensch hat etwa 100 000 Haare auf dem Kopf, die täglich rund ¼ mm wachsen.

Haber, Fritz, *1868, †1934; deutscher Chemiker. Er entwickelte 1909 ein Verfahren zur synthetischen Herstellung von Ammoniak aus den Elementen Wasserstoff und Stickstoff zusammen mit dem Chemiker Carl *Bosch (Haber-Bosch-Verfahren)*. 1918 erhielt Haber den Nobelpreis.

Habicht [der], ein in Europa, Asien und Nordamerika verbreiteter mittelgroßer Greifvogel (48–61 cm). Der Habicht nistet gern in Nadelhölzern und schlägt nur lebende Beute, darunter Hühner und Junghasen.

Habilitation [die, lat., »Eignung«], eine Arbeit, mit der man die Lehrbefähigung für Hochschulen erwirbt.

Habsburger [Pl.], nach der Habsburg im Kanton Aargau (Schweiz) benanntes ehemaliges österreichisches und deutsches Herrschergeschlecht, bis auf die Zeit um 950 nachgewiesen. Die Habsburger erhielten mit *Rudolf I.* 1273 zum ersten Mal die deutsche Königs- und Kaiserwürde und behielten sie, mit Ausnahme der Zeit von 1308–1437 und von zwei weiteren kurzen Unterbrechungen, bis 1806. Nach der Abdankung *Karls V.*, unter dem die Habsburger den Höhepunkt ihrer Macht erreichten, teilte sich das Haus Habsburg in eine österreichische und eine spanische Linie. Die spanischen Habsburger starben 1700 aus. 1740 (mit Karl VI.) erlosch der Mannesstamm der österreichischen Habsburger. Durch die Heirat von *Maria Theresia* mit Franz Stephan von Lothringen entstand 1740 das Haus Habsburg-Lothringen. Von 1806 bis 1918 waren die Habsburger nur noch Kaiser von Österreich und Könige von Ungarn.

Hacker [der], ein Computerbenutzer, der sich unerlaubt in fremde Computersysteme und Datenbanken einschaltet, dort Daten manipuliert oder Virusprogramme einschleust. Hacker machen sich strafbar.

Der Habicht ist gut an seiner hellgrauen Unterseite zu erkennen. Er steht mittlerweile unter Naturschutz.

Hades, der griechische Gott der Unterwelt, später auch der Name der Unterwelt selbst.

Hadid, Zaha, *1950; irakische Architektin. Ihre fortschrittlichen und visionären Entwürfe gelten als wegweisend für die zeitgenössische Architektur. Ihre bekannten Bauwerke sind das Feuerwehrhaus für die Firma Vitra Design in Weil am Rhein, die Bergisel Sprungschanze in Innsbruck, das Phæno Science Center in Wolfsburg und das BMW-Autowerk in Leipzig.

Hadrian, Publius Aelius Hadrianus, *76, †138, römischer Kaiser 117–138. Hadrian bescherte dem Römischen Reich durch seine kluge Staatsführung eine 20 Jahre dauernde Zeit des wirtschaftlichen Aufschwungs, des Friedens und der Stabilität innerhalb gesicherter Grenzen. Er ließ den *Limes* verstärken und den *Hadrianswall*, eine 118 km lange Grenzbefestigung im nördlichen England, errichten.

Hafen [der], ein natürlich oder künstlich angelegter Liegeplatz für Schiffe, oft in einer Bucht oder Flussmündung, mit Einrichtungen für das Be- und Entladen und die Lagerung von Frachtgut, die Ein- und Ausschiffung von Fahrgästen, die Brennstoffversorgung und Instandsetzung von Schiffen. Der mit seinem Güterumschlag größte Hafen der Welt ist der Hafen von Singapur in Südostasien. Auch → »Genauer betrachtet«.

Hafen: Der Burchardkai in Hamburg ist der größte Container-Terminal Deutschlands. Mit einer Fläche von 1,5 km² ist die Anlage fast so groß wie das Fürstentum Monaco.

Genauer betrachtet …

Hafen

Die wichtigsten Seehäfen der Welt sind:

Hafen	Umschlag in Mio. t
Singapur	393,4
Shanghai (China)	379,0
Rotterdam (Niederlande)	352,4
South Louisiana (USA)	225,7
Honkong (China)	220,9
Nagoya (Japan)	182,3
Houston (USA)	182,0
Chiba (Japan)	169,3
Kwangyang (Südkorea)	165,9
Antwerpen (Belgien)	152,3
Hamburg (Deutschland)	114,5
Marseille (Frankreich)	94,1

Hafer [der], ein Getreide, das keine Ähren, sondern eine lockere, überhängende Rispe ausbildet. Hafer wird vor allem als Tierfutter verwendet, aber auch als Hafergrütze oder als Haferflocken.

Haff [das], *Lagune,* flache Meeresbucht, die durch eine Nehrung fast völlig vom Meer abgeschlossen ist.

Haftpflicht [die], die gesetzliche Pflicht, für bestimmte Schäden aufzukommen, die anderen zugefügt wurden. So haften Eltern für ihre Kinder, Tierhalter haften für ihre Tiere und Kraftfahrzeugbesitzer für Schäden, die mit ihrem Fahrzeug ver ur sacht wurden. Für Autofahrer besteht die Pflicht, eine Kfz-Haftpflichtversicherung abzuschließen.

Hagebutte [die], die kleine rote Frucht verschiedener Rosenarten. Die Hagebutte ist vitaminreich; man benutzt sie zur Marmeladenbereitung und zur Herstellung von Hagebuttentee.

Hagel [der], fester Niederschlag in Form von Eiskugeln, die bis zur Größe eines Hühnereies anwachsen können. Hagel entsteht, wenn unterkühlte Wassertropfen zwiebelschalenförmig um einen Eiskristallkern herum gefrieren.

Hagen, *Hagen von Tronje,* eine Sagengestalt des Nibelungenlieds, Lehnsmann des Burgunderkönigs Gunther. Er ermordete Siegfried und wurde dafür aus Rache von Kriemhild erschlagen.

Hagen, eine Industriestadt in Nordrhein-Westfalen, 200 000 Einwohner.

?

Wer war …
Otto Hahn

Otto Hahn (* 1879, † 1968) war ein deutscher Chemiker. Er entdeckte 1938 in Zusammenarbeit mit F. *Straßmann* und nach Vorarbeiten mit L. *Meitner,* dass Urankerne, wenn sie mit langsamen Neutronen beschossen werden, sich in zwei Teile spalten können und dass hierbei sehr hohe Energiebeträge frei werden. Damit waren die wissenschaftlichen Grundlagen für die Nutzung der Atomenergie gegeben. Hahn promovierte 1901 in Marburg, war 1904–1905 in London und 1905–1906 in Montreal tätig. 1906 wurde er Mitarbeiter an der Universität Berlin, wo er sich 1907 habilitierte. In diesem Jahr begann auch die sehr produktive Zusammenarbeit mit L. Meitner, die bis zu ihrer erzwungenen Emigration 1938 dauerte. 1910–1934 war Hahn Professor an der Universität Berlin, ab 1912 Mitarbeiter des Kaiser-Wilhelm-Instituts für Chemie, 1928–1945 dessen Direktor und 1948–1960 Präsident der Max-Planck-Gesellschaft. Hahn untersuchte ab 1904 radioaktive Stoffe und entdeckte ab 1907 zusammen mit L. Meitner eine große Zahl radioaktiver Elemente und Isotope (u. a. Radiothorium und Radioactinium). Der Nachweis der Langlebigkeit angeregter Isotope, Kernisomerie genannt, gelang ihm 1921. Für die Entdeckung der Kernspaltung 1938 erhielt er nach dem Zweiten Weltkrieg den Nobelpreis für Chemie für das Jahr 1944. Nach 1945 bezog Hahn eine kritische Haltung zur Kernenergie: 1955 initiierte er die »Mainau Deklaration«, in der mehrere Nobelpreisträger vor den Gefahren der Atomenergie warnten, 1957 unterzeichnete er die »Göttinger Erklärung« gegen eine eventuelle Aufrüstung der Bundeswehr mit taktischen Atomwaffen.

Otto Hahn schuf die Voraussetzungen zur Nutzbarmachung der Kernenergie.

Haie [Pl.], zu den Knorpelfischen gehörende Raubfische. Haie sind mit etwa 300 Arten in allen Weltmeeren vertreten. Charakteristisch sind der stromlinienförmige Körper, die unsymmetrische Schwanzflosse und die in mehreren Reihen hintereinanderstehenden scharfen Zähne. Einige Haie legen befruchtete Eier ab, andere bringen lebende Junge zur Welt. Auch → »Genauer betrachtet«, Seite 220.

Ländersteckbrief Haiti

Fläche:	27 750 km²
Einwohner:	8,7 Millionen = 312 je km²
Hauptstadt:	Port-au-Prince
Religion:	römisch-katholische Kirche, Voodoo-Kulte
Amtssprache:	Französisch, Kreolisch
Währung:	1 Gourde = 100 Centimes

Haiti, Staat in der Karibik.

Landesnatur: Haiti nimmt den Westen der Großen Antilleninsel Hispaniola ein. Das Land liegt in den Randtropen und hat eine gebirgige Landesnatur (im *Pic de la Selle* bis 2680 m). Wälder an den Gebirgshängen nehmen nur noch 1,4 % der Staatsfläche ein. In den Tiefebenen gibt es Feucht- und Trockensavannen.

Bevölkerung: Die Bevölkerung besteht zu 60% aus Schwarzen und zu 35% aus Mulatten. 90% sind christlich (v.a. katholisch). Der Voodoo-Kult ist in Haiti stark verbreitet.

Wirtschaft: Die Industrie erzeugt Textilien, Elektro-, Spiel-, Sportwaren u.a. Sie liefert rund 31% der Gesamtausfuhr. Die restlichen Exportgüter sind v.a. Agrarprodukte (Kaffee, Kakao, Soja). Die Hauptstadt ist zugleich der wichtigste Hafen und verfügt über einen internationalen Flughafen.

Geschichte: *Kolumbus* entdeckte die Insel 1492. Sie erhielt den Namen *Hispaniola*. Der westliche Teil wurde 1697 französisch, der östliche Teil folgte 1795. 1804 wurde das Kaiserreich Haiti gegründet, das 1820 Republik wurde, der sich der zeitweise wieder spanische Ostteil von 1822–1844 anschloss. Nachdem sich der Osten als selbstständige Republik abgetrennt hatte (→ Dominikanische Republik), war Haiti von 1849–1859 wieder Kaiserreich. Danach herrschten Bürgerkriegswirren. 1915–1934 war das Land von den USA besetzt. 1957–1986 herrschte die Familie *Duvalier* diktatorisch. Anschließende Demokratisierungsversuche schlugen fehl. 1988–1990 regierte das Militär unter General P. *Avril*. Der 1990 zum Staatspräsidenten gewählte oppositionelle Priester J. B. *Aristide* wurde 1991 durch Militärputsch gestürzt. 1994 kehrte er aus dem Exil in den USA zurück und übernahm wieder die Staatsführung. 1995 wurde R. *Préval*

Genauer betrachtet … Haie

Der Weißhai ist eine der berüchtigtsten Haiarten überhaupt. Hungrig ist er sehr aggressiv und kann einem Menschen mit einem Biss das Bein abbeißen. Der Name »Menschenhai« wird daher speziell für dieses »Ungeheuer des Meeres« angewendet. Der längste bisher genau gemessene Weißhai wurde 1978 auf den Azoren gefangen. Er war 6,2 m lang und wog 2268 kg. Neben dem seltenen Weißhai gibt es nur rund 10 weitere Haiarten, wie z. B. den Blau- und Tigerhai, die dem Menschen gefährlich werden können. Insgesamt gesehen tragen Haie daher den Ruf des Menschenfressers zu Unrecht, denn 90% der Haiarten gelten als ungefährlich.

zu seinem Nachfolger gewählt. 2000 gelangte Aristide wieder ins Präsidentenamt. Seit 2003 kam es zu gewaltsamen Unruhen und Demonstrationen gegen sein korruptes Regime, die zur offenen Rebellion eskalierten. 2004 setzte er sich ins Ausland ab. Der UN-Sicherheitsrat beschloss die Entsendung einer Friedenstruppe. Präsidentschaftswahlen 2006 gewann erneut R. Préval.

Halligen: Auf der nordfriesischen Hallig Oland wohnen etwa 30 Personen.

Hakenkreuz [das], ein Kreuz, dessen Enden rechtwinklig umgebogen sind oder bogen- oder radförmig verlaufen. Das Hakenkreuz tritt schon bei den Indogermanen auf und erscheint auch als Ornament in der christlichen Kunst des Mittelalters. 1919 übernahmen die Nationalsozialisten das Hakenkreuz als Symbol. Von 1935 bis 1945 war die Hakenkreuzfahne die Flagge des Deutschen Reichs.

Halbaffen [Pl.], zu den Primaten gehörende, nächtlich aktive Baumtiere im tropischen Afrika *(Loris),* auf Madagaskar *(Lemuren, Fingertier)* und in Südostasien *(Loris, Koboldmakis).* Sie haben Hände, Greiffüße, große Augen und ein dichtes Fell.

Halbleiter [Pl.], feste Stoffe, die eine mit steigender Temperatur zunehmende Leitfähigkeit für elektrischen Strom aufweisen, bei sehr tiefen Temperaturen den Strom jedoch nicht leiten. Für die technische Anwendung sind die Elemente Germanium und Silicium wichtig. Auch ganze Bauelemente aus halbleitenden Materialien (z. B. Transistoren) nennt man Halbleiter.

Halbmesser [der], der Radius bei Kreis und Kegel.

Halbmetalle [Pl.], chemische Elemente, die mit ihren Eigenschaften zwischen den Metallen und den Nichtmetallen stehen und oft als Halbleiter verwendet werden. Bekannte Halbmetalle sind Arsen, Bismut, Selen, Silicium und Bor.

Halbwertszeit [die], die Zeit, in der die Hälfte der Atomkerne eines radioaktiven Elements zerfällt. Die Halbwertszeit ist für jedes Isotop eines radioaktiven Elements charakteristisch. Bei Stoffen, die in der Natur vorkommen, schwankt sie zwischen 0,3 millionstel Sekunden (Polonium-Isotop 212) und 400 Billionen Jahren (Indium-Isotop 115).

Halde [die], hügelartige Ablagerung von wertlosem Material oder die vorübergehende Lagerung von Kohle und Erzen.

Halfpipe ['ha:fpaip], eine u-förmige Rampe, meist aus Holz (Durchmesser ca. 10 m, Höhe ca. 3 m) für sportliche Übungen beim *Skateboarding* und *Inlineskating* bzw. auf mit Schnee präparierter Halfpipe beim *Snowboarding.*

Halle, eine Industriestadt in Sachsen-Anhalt, an der Saale, 240 000 Einwohner.

Halley ['hæli], Edmond, * 1656, † 1742; englischer Astronom. Er wies die 76-jährige Umlaufzeit des *Halley'schen Kometen* nach.

Halligen [Pl.], zu den → Friesischen Inseln gehörende kleine Marschinseln vor der Westküste von Schleswig-Holstein. Da bei Sturmfluten Überflutungsgefahr besteht, sind die Gehöfte auf künstlichen Erdhügeln (*Warften* oder *Wurten*) gebaut.

Halloween [hælɔ'wi:n], ein besonders auf den britischen Inseln und in den USA begangenes Fest am Abend (31. 10.) vor Allerheiligen zur Feier des Winteranfangs. Mit Opfern, Feuer und Masken sollten Geister, Hexen und Dämonen vertrieben werden. Wegen seiner speziellen Bräuche wie den Kostümierungen oder den ausgehöhlten, leuchtenden Kürbissen wird das Fest auch in Deutschland immer beliebter.

Halluzination [die], eine Sinnestäuschung, bei der z. B. Farben, Stimmen oder Personen wahrgenommen werden, die gar nicht vorhanden sind. Ursachen können Vergiftungen (z. B. durch Alkohol) oder psychische Erkrankungen sein.

Hamburg ist eines der wichtigsten deutschen Verkehrszentren und wird auch als »Tor zur Welt« bezeichnet.

Halluzinogene [Pl.], Rauschmittel, die Sinnestäuschungen hervorrufen können, vor allem LSD und Mescalin.

Halogene [Pl., griech., »Salzbildner«], die chemischen Elemente Fluor, Chlor, Brom, Jod und Astat. Sie bilden in Verbindung mit Metallen Salze, von denen das Kochsalz (NaCl) aus Natrium und Chlor am bekanntesten ist. *Halogenlampen* sind elektrische Glühlampen mit einer Edelgasfüllung, der eine kleine Menge eines Halogens, Jod oder Brom, zugesetzt ist. Sie zeichnen sich durch besondere Leuchtkraft und lange Lebensdauer aus.

Hamas, eine militante islamische Widerstandsbewegung, die 1987 von Scheich *Ahmad Jassin* gegründet wurde. Die Hamas kämpft für die Errichtung eines islamischen Staates in Palästina und ist gegen eine friedliche Verständigung der Palästinenser mit Israel. Sie ist vor allem im Gazastreifen und im Westjordanland aktiv und stellt die wichtigste politische Konkurrenzorganisation zur *PLO* dar.

Hämatom [das], *Bluterguss*, durch einen Stoß hervorgerufene Prellung, bei der Blut aus verletzten Blutgefäßen ins umliegende Gewebe sickert, das sich dadurch blaurot verfärbt (»blauer Fleck«). Das Blut wird nach und nach wieder abgebaut, wobei sich der Fleck über Grün, Braun und Gelb entfärbt.

Hamburg, **1.** *Freie und Hansestadt Hamburg*, deutsches Bundesland mit den 1937 eingemeindeten Städten *Altona, Wandsbek, Bergedorf, Harburg-Wilhelmsburg* und den 1970 übernommenen Inseln *Neuwerk* und *Scharhörn*. **2.** zweitgrößte Stadt Deutschlands, an der Elbe, 1,7 Mio. Einwohner. Hamburg besitzt den größten deutschen Seehafen und ist ein wichtiges Industrie- und Verkehrszentrum. Der Flughafen liegt in Fuhlsbüttel. Die Stadt wurde im 9. Jh. als Burganlage gegründet und war Mitglied der Hanse. 1815 trat Hamburg dem Deutschen Bund als Freie und Hansestadt und 1871 dem Deutschen Reich bei.

Hamburger ['hæmbə:gə, der, engl.], ein US-amerikanischer Ausdruck für gebratenes Rinderhackfleisch in einem Milchbrötchen.

Hamlet, der Sage nach ein dänischer Prinz, der die Ermordung seines Vaters rächt. Er ist der Titelheld des berühmtesten Trauerspiels von *Shakespeare:* »Hamlet, Prinz von Dänemark«.

Hammerwerfen [das], ein aus Schottland und Island stammender leichtathletischer Wettbewerb für Männer. Der »Hammer«, eine Eisenkugel an einem